Zelota

Reza Aslan

Zelota
A vida e a época de Jesus de Nazaré

Tradução:
Marlene Suano
Professora do Departamento de História – FFLCH/USP
Especialista em história e arqueologia do Mediterrâneo Antigo

10ª *reimpressão*

Para minha esposa, Jessica Jackley, e todo o clã Jackley, cujo amor e aceitação ensinaram-me mais sobre Jesus do que todos os meus anos de pesquisa e estudo.

Copyright © 2013 by Aslan Media, Inc.
Copyright mapa e ilustração © 2013 by Laura Hartman Maestro

Tradução autorizada da primeira edição americana, publicada em 2013 por Random House, um selo de The Random House Publishing Group, uma divisão de Random House, Inc., de Nova York, Estados Unidos

Grafia atualizada segundo o Acordo Ortográfico da Língua Portuguesa de 1990, que entrou em vigor no Brasil em 2009.

Título original
Zealot: The Life and Times of Jesus of Nazareth

Capa
adaptada da arte de Gabrielle Bordwin

Imagem da capa
Giovanni Battista Cima da Conegliano
© bpk/Staatliche Kunstsammlungen Dresden/Elke Estel

Preparação
Rita Jobim

Indexação
Gabriella Russano

Revisão
Eduardo Monteiro
Carolina Sampaio

CIP-Brasil. Catalogação na publicação
Sindicato Nacional dos Editores de Livros, RJ

A857z
Aslan, Reza, 1972-
Zelota: a vida e a época de Jesus de Nazaré / Reza Aslan; tradução Marlene Suano. – 1ª ed. – Rio de Janeiro: Zahar, 2013.

Tradução de: Zealot: The Life and Times of Jesus of Nazareth.
Inclui bibliografia e índice
ISBN 978-85-378-1152-8

1. Jesus Cristo – Infância. 2. Jesus Cristo – História. 3. Vida cristã. I. Título.

CDD: 232.92
13-06004
CDU: 27-312.3

Todos os direitos desta edição reservados à
EDITORA SCHWARCZ S.A.
Praça Floriano, 19, sala 3001 – Cinelândia
20031-050 – Rio de Janeiro – RJ
Telefone: (21) 3993-7510
www.companhiadasletras.com.br
www.blogdacompanhia.com.br
facebook.com/editorazahar
instagram.com/editorazahar
twitter.com/editorazahar

Não pense que eu vim trazer paz sobre a terra.
Eu não vim trazer paz, mas a espada.

(Mateus 10:34)

Sumário

Mapa: Palestina do século I   9
O Templo de Jerusalém   10
Nota do autor   11
Introdução   16
Cronologia   25

PARTE I

Prólogo: Um tipo diferente de sacrifício   29

1. Um buraco no canto   36

2. Rei dos judeus   43

3. Vós sabeis de onde venho   51

4. A Quarta Filosofia   59

5. Onde está sua frota para varrer os mares romanos?   70

6. Ano Um   81

PARTE II

Prólogo: Zele por sua casa   97

7. A voz clamando no deserto   104

8. Segui-me   114

9. Pelo dedo de Deus   126

10. Que venha a nós o teu Reino   137

11. Quem vós dizeis que sou?   148

12. Nenhum rei senão César   166

PARTE III

Prólogo: Deus feito carne   181

13. Se Cristo não foi ressuscitado   190

14. Não sou eu um apóstolo?   201

15. O Justo   215

Epílogo: Deus verdadeiro de Deus verdadeiro   231

Notas   234
Referências bibliográficas   282
Agradecimentos   291
Índice remissivo   292

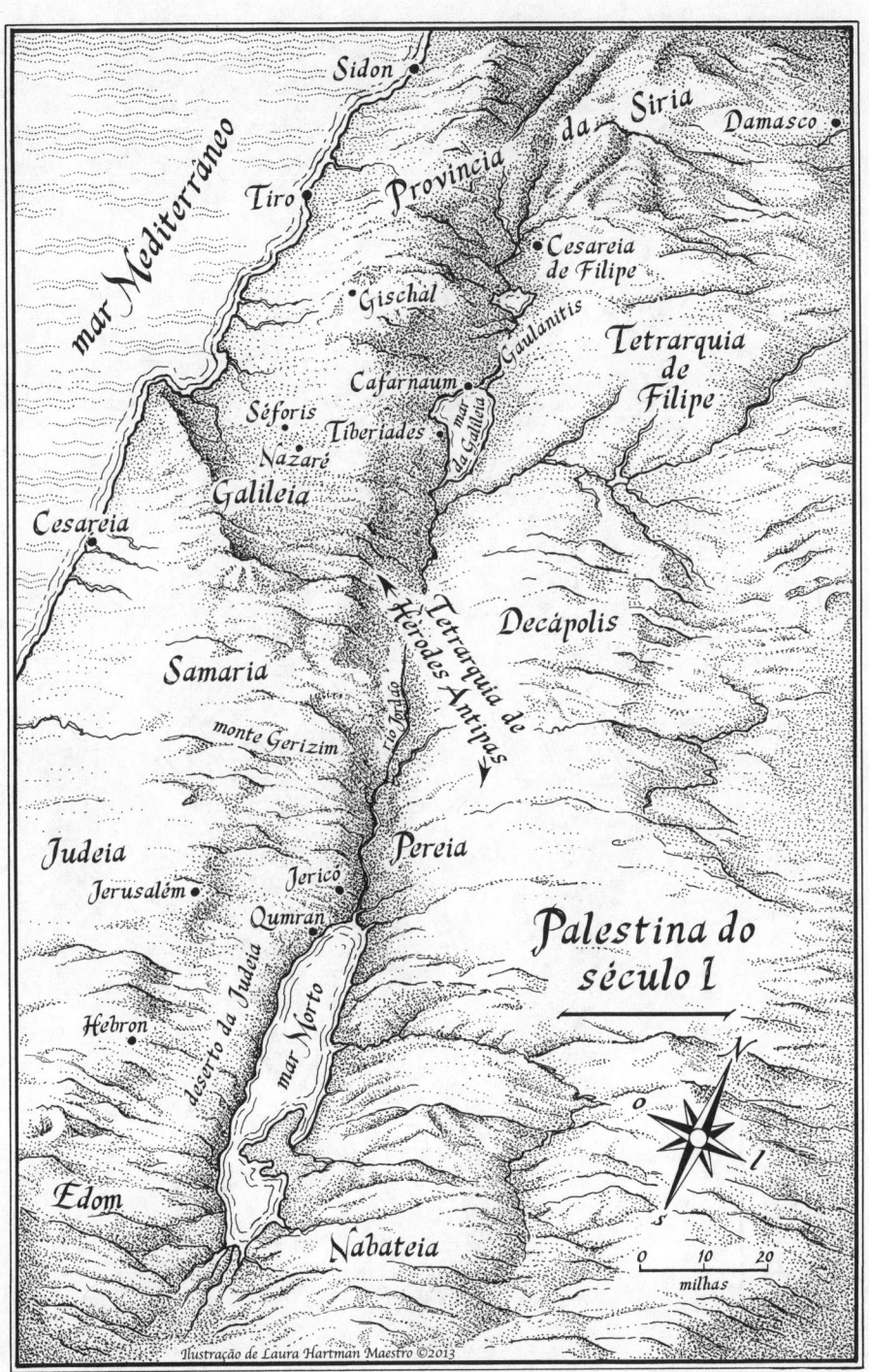

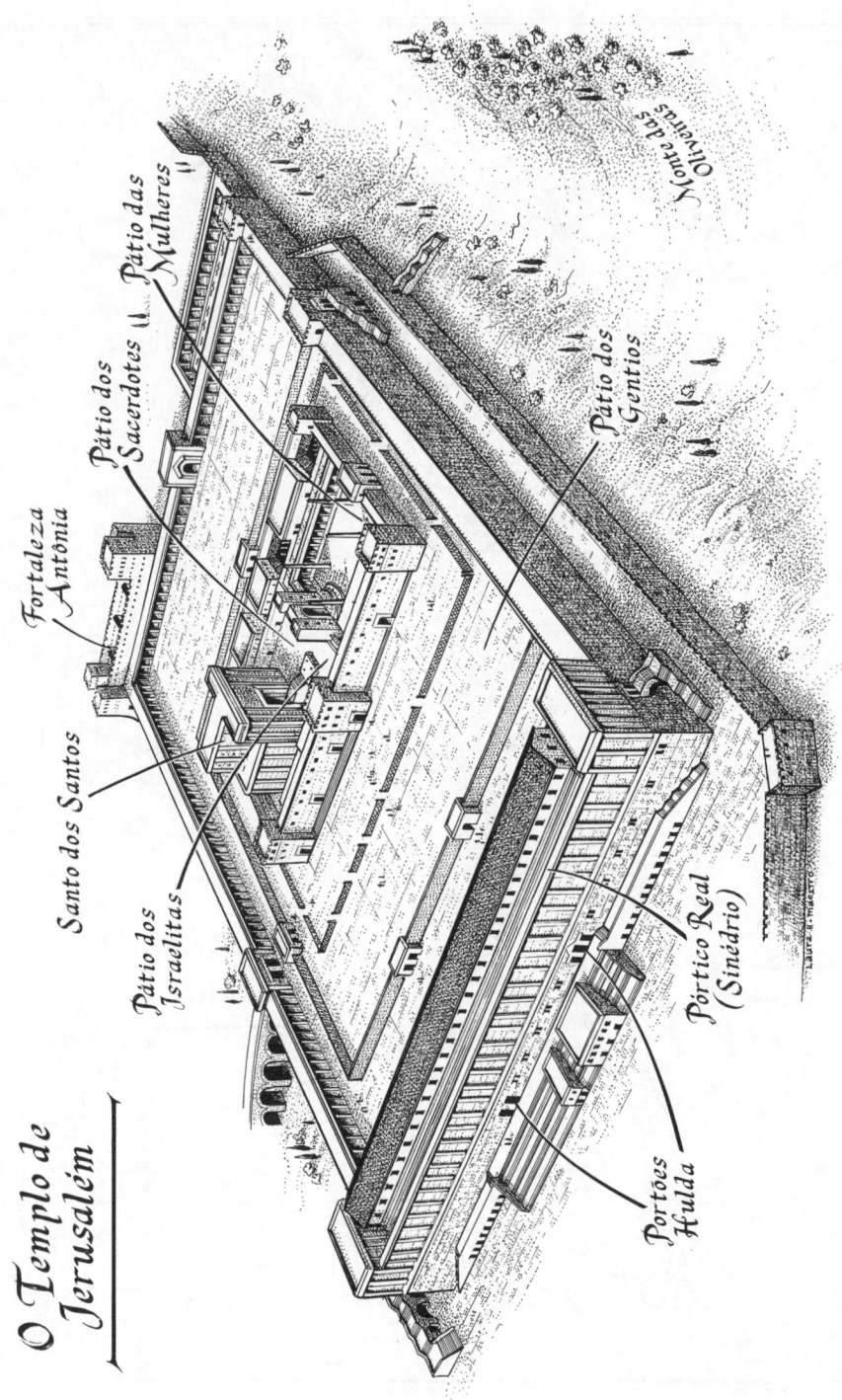

Nota do autor

Quando eu tinha quinze anos, encontrei Jesus.

Passei o verão de meu segundo ano universitário em um acampamento evangélico para jovens no norte da Califórnia, um lugar de bosques e céu azul sem fim onde, com tempo suficiente, quietude e palavras suaves de encorajamento, não se podia deixar de ouvir a voz de Deus. Em meio a lagos artificiais e majestosos pinheiros, meus amigos e eu cantávamos, praticávamos esportes e trocávamos segredos, divertindo-nos com nossa liberdade longe das pressões de casa e da escola. À noite, nos encontrávamos em uma sala de reuniões iluminada por uma lareira, no centro do acampamento. Foi lá que eu ouvi uma história notável, que mudaria minha vida para sempre.

Há 2 mil anos, disseram-me, em uma terra antiga chamada Galileia, o Deus do céu e da terra nasceu na forma de uma indefesa criança. A criança cresceu e tornou-se um homem sem faltas. O homem tornou-se o Cristo, o salvador da humanidade. Por meio de suas palavras e ações milagrosas, ele desafiou os judeus, que se acreditavam os escolhidos de Deus e, em troca, os judeus o pregaram em uma cruz. Embora pudesse ter se salvado daquela morte horrível, ele, por espontânea vontade, escolheu morrer. De fato, sua morte é o ponto central de tudo, pois seu sacrifício salvou todos nós do peso de nossos pecados. A história, contudo, não terminava aí, porque três dias mais tarde ele ressuscitou, grandioso e divino, de maneira que agora todos os que acreditam nele e o aceitam em seus corações também jamais morrerão e terão vida eterna.

Para uma criança criada em uma família heterogênea de muçulmanos desinteressados e ateus exuberantes, esta foi realmente a maior história jamais contada. Nunca antes sentira tão intimamente o chamado de Deus. No Irã, meu lugar de nascimento, eu era muçulmano da mesma maneira que era persa. Minha religião e minha etnia eram mútuas e ligadas. Como a maioria das pessoas nascidas em uma tradição religiosa, minha fé era tão familiar para mim como a minha pele, e igualmente desconsiderada. Depois que a revolução iraniana forçou minha família a fugir de nossa terra, a religião em geral e o Islã em particular tornaram-se tabu em nossa casa. O Islã era a síntese de tudo o que havíamos perdido para os mulás que agora governavam o Irã. Minha mãe ainda orava quando ninguém estava olhando, e você ainda podia encontrar um ou dois deslocados volumes do Alcorão escondidos em um armário ou em uma gaveta qualquer. Mas, na maior parte, foram retirados todos os vestígios de Deus da nossa vida.

Tudo bem para mim quanto a isso. Afinal, na América da década de 1980, ser muçulmano era como ser de Marte. Minha fé era uma ferida, o símbolo mais óbvio da minha alteridade, que precisava ser escondido.

Jesus, por outro lado, *era* a América. Ele era a figura central no drama nacional dos Estados Unidos. Aceitá-lo em meu coração era o mais perto que eu poderia chegar de sentir-me verdadeiramente americano. Eu não quero dizer que a minha conversão foi por conveniência. Pelo contrário, a devoção pela minha nova fé era absolutamente fervorosa. Fui apresentado a um Jesus que era menos "Senhor e Salvador" e mais um melhor amigo, alguém com quem eu podia ter um relacionamento profundo e pessoal. Sendo um adolescente tentando entender um mundo indeterminado do qual eu tinha acabado de tomar conhecimento, esse foi um convite que eu não podia recusar.

No momento em que voltei para casa, depois do acampamento, comecei ansiosamente a compartilhar as boas-novas de Jesus Cristo com meus amigos e minha família, meus vizinhos e colegas de escola, com pessoas que eu acabara de conhecer e com estranhos na rua: havia aqueles que ouviam de bom grado e aqueles que as jogavam de volta na minha cara. No entanto, algo inesperado aconteceu na minha tentativa de salvar as almas do mundo. Quanto mais eu sondava a Bíblia para me armar contra as dúvidas dos incrédulos, maior era a distância que eu descobria entre o Jesus dos evangelhos e o Jesus da história – entre Jesus Cristo e Jesus de Nazaré. Na faculdade, onde comecei meu estudo formal de história das religiões, aquele desconforto inicial logo cresceu para se tornar consistentes dúvidas próprias.

A base do cristianismo evangélico, pelo menos como me foi ensinado, é a crença incondicional de que cada palavra da Bíblia é inspirada por Deus e verdadeira, literal e infalível. A súbita consciência de que essa crença é patente e irrefutavelmente falsa, de que a Bíblia está repleta dos mais gritantes e evidentes erros e contradições, tal como seria de esperar de um documento escrito por centenas de mãos diferentes através de milhares de anos, me deixou espiritualmente confuso e sem rumo. E assim, como muitas pessoas em minha situação, descartei com raiva a minha fé, como se ela fosse uma falsificação cara que eu tinha sido levado a comprar. Comecei a repensar a fé e a cultura de meus antepassados, encontrando nelas, como adulto, uma familiaridade mais profunda e mais íntima do que eu jamais tivera quando criança, do tipo que vem quando nos reconectamos com um velho amigo depois de muitos anos de distância.

Enquanto isso, continuei meu trabalho acadêmico em estudos religiosos, mergulhando de volta na Bíblia não como um crente incondicional, mas como um estudioso inquisitivo. Não mais acorrentado à suposição de que as histórias que lia eram literalmente verdade, eu me tornei consciente de uma verdade mais significativa no texto, uma verdade separada de maneira intencional das exigências da história. Ironicamente, quanto mais eu aprendia sobre a vida do Jesus histórico, o mundo turbulento em que ele viveu e a brutalidade da ocupação romana que ele desafiou, mais era atraído para ele. De fato, o camponês judeu e revolucionário que desafiou o governo do mais poderoso império que o mundo já conheceu, e perdeu, tornou-se muito mais real para mim do que o indivíduo desligado, sobrenatural, a quem eu tinha sido apresentado na igreja.

Hoje, posso dizer com confiança que duas décadas de pesquisa rigorosa sobre as origens do cristianismo fizeram de mim um discípulo de Jesus de Nazaré mais genuinamente comprometido do que jamais fui de Jesus Cristo. Minha esperança com este livro é difundir as boas-novas do Jesus da história com o mesmo fervor que uma vez apliquei em espalhar a história de Cristo.

Há algumas coisas para se ter em mente antes de começarmos nosso exame do Jesus da história. Para cada argumento bem-atestado, muito pesquisado e de grande autoridade apresentado sobre o Jesus histórico, há um argumento igualmente bem-atestado, igualmente pesquisado e de igual autoridade se opondo a ele. Em vez de sobrecarregar o leitor com o secular debate sobre a vida e a missão de Jesus de Nazaré, construí minha narrativa sobre o que acredito ser o argumento mais preciso e razoável, com base em minhas duas décadas de pesquisa acadêmica sobre o Novo Testamento e a história cristã primitiva. Para os interessados no debate, detalhei exaustivamente minha pesquisa e, sempre que possível, ofereci os argumentos dos que não concordam com a minha interpretação na longa seção de notas no final deste livro.

Todas as traduções gregas do Novo Testamento são de minha autoria (com a ajuda de meus amigos Liddell e Scott). Nos poucos casos em que não traduzi diretamente uma passagem do Novo Testamento, apoiei-me na tradução fornecida pela *New Revised Standard Version* da Bíblia. Todas as traduções do hebraico e do aramaico foram feitas pelo dr. Ian C. Werrett, professor associado de estudos religiosos da Universidade de St. Martin.

Ao longo do texto, todas as referências ao material da Fonte Q* serão marcadas como (Mateus | Lucas), com a ordem dos livros indicando qual evangelho estou citando mais diretamente. O leitor vai perceber que me apoio principalmente no evangelho de Marcos e no material da Fonte Q para formar meu esboço da história de Jesus. Isso é porque estas são as fontes mais antigas e, assim, mais confiáveis e disponíveis para nós sobre a vida do Nazareno. Em geral, optei por não me aprofundar demais nos chamados "evangelhos gnósticos". Ainda que esses textos sejam extremamente importantes para delinear o vasto leque de opiniões entre a comunidade cristã primitiva sobre quem era Jesus e o que significavam seus ensinamentos, eles não lançam muita luz sobre o Jesus histórico propriamente dito.

---

* Fonte Q, também dito Documento Q ou Evangelho Q (abreviação da palavra alemã *Quelle*, fonte), refere-se a uma hipotética coleção de escritos atribuídos a Jesus e que aparecem nos evangelhos de Mateus e de Lucas, mas não no de Marcos. Acredita-se que esses textos estavam baseados na tradição oral do cristianismo primitivo. (N.T.)

Nota do autor

Embora seja quase unanimidade que, com a possível exceção de Lucas-Atos, os evangelhos não foram escritos pelas pessoas segundo as quais foram nomeados. Para facilidade e clareza, vou continuar a referir-me aos escritores do evangelho pelos nomes com que hoje os conhecemos e reconhecemos. Além disso, faço referência ao Antigo Testamento, mais apropriadamente, como Bíblia Hebraica ou Escrituras Hebraicas.

Introdução

É um milagre que saibamos alguma coisa sobre o homem chamado Jesus de Nazaré. O pregador itinerante, vagando de cidade em cidade clamando sobre o fim do mundo e sendo seguido por um bando de maltrapilhos, era uma visão comum no tempo de Jesus – tão comum, de fato, que havia se tornado uma espécie de caricatura entre a elite romana. Em uma passagem burlesca sobre uma dessas figuras, o filósofo grego Celso imagina um homem santo judeu perambulando pelos campos da Galileia, gritando para ninguém em particular: "Eu sou Deus, ou o servo de Deus, ou um espírito divino. Mas eu estou chegando, pois o mundo já está em vias de destruição. E em breve tu me verás chegando com o poder dos céus."

O século I foi uma era de expectativa apocalíptica entre os judeus da Palestina, a designação romana não oficial para a vasta extensão de terra que abrange os atuais Estados de Israel/Palestina, bem como grande parte da Jordânia, Síria e Líbano (a área não seria oficialmente chamada de Palestina até 135 d.C.). Inúmeros profetas, pregadores e messias caminhavam pela Terra Santa proclamando mensagens do iminente julgamento de Deus. Conhecemos pelo nome muitos desses chamados "falsos messias". Alguns são até mesmo mencionados no Novo Testamento. O profeta Teudas, segundo o Livro de Atos, tinha quatrocentos discípulos antes de Roma o capturar e lhe cortar a cabeça. Uma figura carismática e misteriosa conhecida apenas como "o Egípcio" levantou um exército de seguidores no deserto, e quase todos foram massacrados pelas tropas romanas. Em 4 a.C., ano em que a maioria dos estudiosos acredita que Jesus de Nazaré nasceu, um pobre pastor chamado Atronges colocou um diadema na cabeça e coroou-se "rei dos judeus"; ele e seus seguidores foram brutalmente mortos por uma legião de soldados. Outro aspirante messiânico, chamado simplesmente de "o Samaritano", foi crucificado por Pôncio Pilatos, embora não tivesse levantado nenhum exército e de maneira alguma tivesse desafiado

Roma – uma indicação de que as autoridades, sentindo a febre apocalíptica no ar, tinham se tornado extremamente sensíveis a qualquer sinal de sedição. Houve Ezequias, chefe dos bandidos, Simão da Pereia, Judas, o Galileu, seu neto Menahem, Simão, filho de Giora, e Simão, filho de Kochba – todos postulantes de ambições messiânicas e todos mortos por isso. Acrescente-se a essa lista a seita dos essênios, da qual alguns membros viveram em reclusão no alto do planalto seco de Qumran, na costa noroeste do mar Morto; o partido revolucionário judeu do século I, conhecido como partido zelota, ou zelote,* que ajudou a lançar uma guerra sangrenta contra Roma; e os temíveis bandidos-assassinos a quem os romanos apelidaram de sicários ("homens dos punhais"), e a imagem que emerge da Palestina no século I é a de uma era imersa em energia messiânica.

É difícil enquadrar Jesus de Nazaré em qualquer um dos movimentos político-religiosos conhecidos de seu tempo. Ele era um homem de contradições profundas, um dia pregando uma mensagem de exclusão racial ("Eu fui enviado apenas às ovelhas perdidas de Israel", Mateus 15:24), no outro, de benevolente universalismo ("Ide e fazei discípulos de todas as nações", Mateus 28:19); às vezes clamando por paz incondicional ("Bem-aventurados os pacificadores, porque eles serão chamados filhos de Deus", Mateus 5:9), às vezes promovendo violência e conflitos ("Se tu não tens uma espada, vai vender teu manto e compra uma", Lucas 22:36).

O problema de situar o Jesus histórico é que, fora do Novo Testamento, não há quase nenhum vestígio do homem que iria alterar de modo permanente o curso da história humana. A referência não bíblica mais antiga e mais confiável de Jesus é do historiador judeu Flávio Josefo, do século I (morto em 100 d.C.). Em uma breve passagem na sua obra *Antiguidades*, Josefo escreve sobre um diabólico sumo sacerdote judeu chamado Ananus que, após a morte do governador romano Festo, condenou ilegalmente um certo "Tiago, irmão de Jesus, o que eles chamam de messias" a apedrejamento por

---

*Termo decorrente do grego *zelotes* (ζηλωτής) e cristalizado na maior parte das línguas neolatinas como zelota, ainda que seja comum a forma francesa *zelote* em português. Aqui, optamos por zelota, mais corrente e consolidado no ambiente religioso judaico-cristão e no mundo acadêmico. (N.T.)

transgressão da lei. A passagem continua relatando o que aconteceu com Ananus após o novo governador, Albino, finalmente chegar a Jerusalém.

Fugaz e indiferente como esta alusão pode ser (a frase "o que eles chamam de messias" é claramente destinada a expressar escárnio), ela, no entanto, contém um enorme significado para todos aqueles que procuram qualquer sinal do Jesus histórico. Em uma sociedade sem sobrenomes, um nome comum como Tiago exigia um apelativo específico – lugar de nascimento ou o nome do pai – para distingui-lo de todos os outros homens chamados Tiago perambulando pela Palestina (daí Jesus *de Nazaré*). Nesse caso, o apelativo de Tiago foi fornecido pela sua ligação fraternal com alguém que Josefo assume ser familiar à sua audiência. A passagem prova não apenas que "Jesus, o que eles chamam de messias" provavelmente existiu, mas que pelo ano de 94 d.C., quando a obra *Antiguidades* foi escrita, era amplamente reconhecido como o fundador de um movimento novo e duradouro.

É esse movimento, não o seu fundador, que recebe a atenção de historiadores do século II, como Tácito (morto em 118) e Plínio, o Jovem (morto em 113), que mencionam Jesus de Nazaré mas revelam pouco sobre ele além de sua prisão e execução – uma importante nota histórica, como veremos, mas que lança pouca luz sobre os detalhes da vida de Jesus. Somos, portanto, restritos às informações que possam ser obtidas a partir do Novo Testamento.

O primeiro testemunho escrito que temos sobre Jesus de Nazaré vem das epístolas de Paulo, um dos primeiros seguidores de Jesus, que morreu por volta de 66 d.C. (a primeira epístola de Paulo, 1 Tessalônicos, pode ser datada entre 48 e 50 d.C., cerca de duas décadas depois da morte de Jesus). O problema com Paulo, no entanto, é que ele exibe uma extraordinária falta de interesse pelo Jesus histórico. Apenas três cenas da vida de Jesus são mencionadas em suas epístolas: a Última Ceia (1 Coríntios 11:23-26), a crucificação (1 Coríntios 2:2), e, mais importante para Paulo, a ressurreição, sem a qual, segundo ele, "a nossa pregação é vazia e sua fé é em vão" (1 Coríntios 15:14). Paulo pode ser uma excelente fonte para os interessados na formação inicial do cristianismo, mas é um guia pobre para se descobrir o Jesus histórico.

Isso nos deixa com os evangelhos, que apresentam seu próprio conjunto de problemas. Primeiro de tudo, é preciso reconhecer que, com a possível exceção do evangelho de Lucas, nenhum dos evangelhos que temos foi escrito pela pessoa que o nomeia. Isso é verdade para a maioria dos livros do Novo Testamento. Tais obras, chamadas *pseudoepigráficas* – obras atribuídas a um autor específico, mas não escritas por ele –, eram extremamente comuns no mundo antigo e não devem ser, de forma alguma, consideradas falsificações. Nomear um livro em homenagem a alguém era uma forma padrão de refletir as crenças daquela pessoa ou representar sua escola de pensamento. Independentemente disso, os evangelhos não são, nem foram, jamais pensados para ser uma documentação histórica da vida de Jesus. Eles não são relatos de testemunhas oculares das palavras e atos de Jesus. Eles são testemunhos de fé compostos por comunidades de fé e escritos muitos anos depois dos acontecimentos que descrevem. Simplificando, os evangelhos nos dizem sobre Jesus, o Cristo, e não sobre Jesus, o homem.

A teoria mais aceita sobre a formação dos evangelhos, "A teoria das duas fontes", sustenta que o testemunho de Marcos foi escrito algum tempo depois de 70 d.C., cerca de quatro décadas depois da morte de Jesus. Marcos tinha à disposição um conjunto de tradições orais e talvez um punhado de tradições escritas que haviam sido repassadas pelos primeiros seguidores de Jesus durante anos. Ao adicionar uma narrativa cronológica a este amontoado de tradições, Marcos criou um gênero literário totalmente novo chamado *evangelho*, palavra grega (*evangelion*) para "boa notícia". Contudo, o evangelho de Marcos é, para muitos cristãos, curto e um tanto insatisfatório. Não há nenhuma narrativa da infância; Jesus simplesmente chega, um dia, às margens do rio Jordão para ser batizado por João Batista. Não há aparições da ressurreição. Jesus é crucificado. Seu corpo é colocado em um sepulcro. Poucos dias depois, o túmulo está vazio. Mesmo os primeiros cristãos ansiavam por mais informações em função da brusca narrativa de Marcos sobre a vida e o ministério de Jesus, por isso coube aos sucessores de Marcos – Mateus e Lucas – aperfeiçoar o texto original.

Duas décadas depois de Marcos, entre 90 e 100 d.C., os autores de Mateus e Lucas, trabalhando de forma independente um do outro e tomando o manuscrito de Marcos por modelo, atualizaram a história do evangelho, adicionando suas próprias e exclusivas tradições, incluindo duas narrativas da infância diferentes e conflitantes e uma série de histórias de ressurreição elaboradas para satisfazer seus leitores cristãos. Mateus e Lucas também se basearam no que deve ter sido uma coleção antiga e bastante difundida de ditos de Jesus que os estudiosos têm denominado Q (do alemão *Quelle*, ou "fonte"). Embora já não tenhamos nenhuma cópia física desse documento, podemos inferir seu conteúdo compilando versos que Mateus e Lucas têm em comum, mas que não aparecem em Marcos.

Juntos, esses três evangelhos, Marcos, Mateus e Lucas, tornaram-se conhecidos como os sinópticos (grego para "vistos juntos"), porque eles mais ou menos apresentam uma narrativa e uma cronologia iguais sobre a vida e o ministério de Jesus, que é muito em desacordo com o quarto evangelho, o de João, que foi provavelmente escrito logo após o fim do século I, entre 100 e 120 d.C.

Estes são, assim, os evangelhos canônicos. Mas eles não são os únicos evangelhos. Temos hoje acesso a uma biblioteca inteira de escrituras não canônicas, escritas principalmente nos séculos II e III, que fornecem uma perspectiva muito diferente sobre a vida de Jesus de Nazaré. Estas incluem o evangelho de Tomé, o evangelho de Filipe, o Livro Secreto de João, o evangelho de Maria Madalena e uma série de outros chamados "evangelhos gnósticos", descobertos no alto Egito, perto da cidade de Nag Hammadi, em 1945. Embora eles tenham sido deixados de fora do que se tornaria o Novo Testamento, esses livros são importantes na medida em que demonstram a dramática divergência de opinião que existia sobre quem era Jesus e o que Jesus significava, mesmo entre aqueles que andaram com ele, que compartilharam seu pão e comeram com ele, que ouviram suas palavras e oraram com ele.

No final, há apenas dois fatos históricos efetivos sobre Jesus de Nazaré nos quais podemos realmente confiar: o primeiro é que Jesus foi um judeu que liderou um movimento popular judaico na Palestina no início do século I d.C.; o segundo é que Roma o crucificou por isso. Por si sós, esses dois fatos não podem fornecer um retrato completo da vida de um homem que viveu há 2 mil anos. Mas quando combinados com tudo o que sabemos sobre a época tumultuada em que Jesus viveu – e graças aos romanos sabemos bastante –, esses dois fatos ajudam a pintar um retrato de Jesus de Nazaré que pode ter mais precisão histórica do que o pintado pelos evangelhos. Na verdade, o Jesus que emerge desse exercício histórico – um revolucionário fervoroso arrebatado, como todos os judeus da época o foram, pela agitação política e religiosa da Palestina do século I – tem pouca semelhança com a imagem do manso pastor cultivado pela comunidade cristã primitiva.

Considere o seguinte: a crucificação era uma punição que Roma reservava quase exclusivamente para o crime de sedição. A placa que os romanos colocaram acima da cabeça de Jesus enquanto ele se contorcia de dor – "Rei dos Judeus" – era chamada de *titulus*, e, apesar da percepção comum, não era para ser sarcástica. Todo criminoso que era pendurado em uma cruz recebia uma placa declarando o crime específico pelo qual estava sendo executado. O crime de Jesus, aos olhos de Roma, foi o de buscar o poder político de um rei (ou seja, traição), o mesmo crime pelo qual foram mortos quase todos os outros aspirantes messiânicos da época. E Jesus também não morreu sozinho. Os evangelhos afirmam que em ambos os lados de Jesus estavam pendurados homens que, em grego, eram chamados *lestai*, uma palavra muitas vezes traduzida como "ladrões", mas que, na verdade, significa "bandidos" e era a designação romana mais comum para um insurreto ou rebelde.

Três rebeldes em uma colina coberta de cruzes, cada cruz com o corpo torturado e ensanguentado de um homem que ousou desafiar a vontade de Roma. Essa imagem por si só deveria lançar dúvidas sobre a interpretação dos evangelhos de Jesus como um homem de paz incondicional quase totalmente isolado das convulsões políticas de seu tempo. A ideia de que o líder de um movimento messiânico popular pedindo a imposição do "Reino de Deus" – um termo que teria sido entendido, tanto por judeus quanto por gentios, como implicando revolta contra Roma – pudesse ter permanecido sem envolvimento com o fervor revolucionário que atingiu quase todos os judeus na Judeia é simplesmente ridícula.

Por que os escritores dos evangelhos iriam tão longe para amainar o caráter revolucionário da mensagem e do movimento de Jesus? Para responder a essa pergunta, devemos primeiro reconhecer que quase toda história dos evangelhos escrita sobre a vida e a missão de Jesus de Nazaré foi composta *após* a rebelião judaica contra Roma, em 66 d.C. Naquele ano, um grupo de rebeldes judeus, estimulado por seu fervor por Deus, levou seus companheiros judeus à rebelião. Milagrosamente, os rebeldes conseguiram libertar a Terra Santa da ocupação romana. Durante quatro anos gloriosos, a cidade de Deus esteve de novo sob controle judaico. Então, em 70 d.C., os romanos voltaram. Depois de um breve cerco a Jerusalém, os soldados violaram as muralhas da cidade e desencadearam uma orgia de violência contra seus residentes. Eles massacraram todos em seu caminho, acumulando cadáveres sobre o Monte do Templo. Um rio de sangue corria pelas ruas de paralelepípedos. Quando o massacre foi completado, os soldados atearam fogo ao Templo de Deus. Os incêndios se espalharam para além do Monte do Templo, envolvendo os prados de Jerusalém, as terras cultivadas, as oliveiras. Tudo queimado. Tão completa foi a devastação praticada sobre a Cidade Santa que Josefo escreve que nada fora deixado que provasse que Jerusalém já tinha sido habitada. Dezenas de milhares de judeus foram massacrados. O resto foi levado acorrentado para fora da cidade.

O trauma espiritual enfrentado pelos judeus após esse evento catastrófico é difícil de imaginar. Exilados da terra a eles prometida por Deus, forçados a viver como párias entre os pagãos do Império Romano, os rabinos do século II gradual e deliberadamente divorciaram o judaísmo do nacionalismo messiânico radical que tinha iniciado a guerra malfadada com Roma. A Torá substituiu o Templo no centro da vida judaica, e surgiu o judaísmo rabínico.

Os cristãos também sentiram necessidade de se distanciarem do fervor revolucionário que levara ao saque de Jerusalém, não só porque isso permitia à Igreja primitiva afastar a ira de uma Roma profundamente vingativa, mas também porque, tendo a religião judaica se tornado pária, os romanos tinham se transformado no principal alvo de evangelismo da Igreja. Assim começou o longo processo de transformar Jesus de um nacionalista judeu revolucionário em um líder espiritual pacífico, sem nenhum interesse em qualquer assunto terreno. Esse era um Jesus que os romanos podiam aceitar, e de fato aceitaram três séculos mais tarde, quando o imperador romano Flávio Teodósio (morto em 395) fez do movimento do pregador judeu itinerante a religião oficial do Estado, e nascia o que hoje reconhecemos como o cristianismo ortodoxo.

Este livro é uma tentativa de recuperar, tanto quanto possível, o Jesus da história, o Jesus *antes* do cristianismo: o revolucionário judeu politicamente consciente que, há 2 mil anos, atravessou o campo galileu reunindo seguidores para um movimento messiânico com o objetivo de estabelecer o Reino de Deus, mas cuja missão fracassou quando – depois de uma entrada provocadora em Jerusalém e um audacioso ataque ao Templo – ele foi preso e executado por Roma pelo crime de sedição. É também sobre como, após Jesus ter fracassado em estabelecer o Reino de Deus na terra, seus seguidores reinterpretaram não só a missão e a identidade de Jesus, mas também a própria natureza e definição do messias judeu.

Há aqueles que consideram essa tentativa perda de tempo, acreditando que o Jesus da história está irremediavelmente perdido e é impossível de ser recuperado. Longe vão os dias de glória da "busca pelo Jesus histórico", quando os estudiosos proclamavam confiantes que as ferramentas científicas modernas e a pesquisa histórica nos permitiriam descobrir a verdadeira identidade de Jesus. O *verdadeiro* Jesus já não importa, argumentam esses estudiosos. Devemos concentrar-nos no único Jesus que é acessível para nós: Jesus, *o Cristo*.

De fato, escrever uma biografia de Jesus de Nazaré não é como escrever uma biografia de Napoleão Bonaparte. A tarefa é um pouco parecida com a montagem de um quebra-cabeça enorme, com apenas algumas das peças na mão; não se tem escolha senão a de preencher o resto do quebra-cabeça baseado na melhor das hipóteses, na mais bem-informada suposição de como a imagem completa deveria ser. O grande teólogo cristão Rudolf Bultmann gostava de dizer que a busca pelo Jesus histórico é, no fim das contas, uma busca interna. Os estudiosos tendem a ver o Jesus que eles querem ver. Muitas vezes eles veem *a si próprios*, seu próprio reflexo na imagem que construíram de Jesus.

Mesmo assim, essa melhor e mais bem-informada hipótese pode ser suficiente para, no mínimo, questionar nossas suposições mais básicas a respeito de Jesus de Nazaré. Se expusermos as reivindicações dos evangelhos ao calor de análise histórica, podemos limpar as escrituras de seus floreios literários e teológicos e forjar uma imagem muito mais precisa do Jesus histórico. De fato, se nos comprometermos a colocar Jesus firmemente dentro do contexto social, religioso e político da época em que ele viveu – uma época marcada por uma persistente revolta contra Roma que iria transformar para sempre a fé e a prática do judaísmo –, então, de certa forma, sua biografia se escreve por si própria.

O Jesus que é revelado nesse processo pode não ser o Jesus que esperamos, e ele certamente não será o Jesus que os cristãos mais modernos reconheceriam. Mas, no final, ele é o único Jesus que podemos acessar por meios históricos.

Todo o resto é uma questão de fé.

Cronologia

164 a.C.	Revolta dos macabeus
140	Início da dinastia dos macabeus
63	Pompeu Magno conquista Jerusalém
37	Herodes, o Grande, é nomeado rei dos judeus
4	Morte de Herodes, o Grande
4	Revolta de Judas, o Galileu
4 a.C./6 d.C.	Nascimento de Jesus de Nazaré
6 d.C.	A Judeia se torna oficialmente província romana
10	Séforis se torna a primeira sede real de Herodes Antipas
18	José Caifás é nomeado sumo sacerdote
20	Tiberíades se torna a segunda sede real de Herodes Antipas
26	Pôncio Pilatos se torna governador (prefeito) em Jerusalém
26-28	Início do ministério de João Batista
28-30	Início do ministério de Jesus de Nazaré
30-33	Morte de Jesus de Nazaré
36	Revolta dos samaritanos
37	Conversão de Saulo de Tarso (Paulo)
44	Revolta de Teudas
46	Revolta de Jacó e de Simão, filhos de Judas, o Galileu
48	Paulo escreve a primeira epístola: 1 Tessalônicos
56	Assassinato do sumo sacerdote Jônatas
56	Paulo escreve a última epístola: Romanos
57	Revolta dos egípcios
62	Morte de Tiago, irmão de Jesus
66	Morte de Paulo e do apóstolo Pedro em Roma
66	Revolta judaica
70	Destruição de Jerusalém
70-71	O evangelho de Marcos é escrito

73	Os romanos capturam Masada
80-90	É escrita a epístola de Tiago
90-100	São escritos os evangelhos de Mateus e Lucas
94	Josefo escreve a obra *Antiguidades*
100-120	É escrito o evangelho de João
132	Revolta de Simão, filho de Kochba
300	As *Pseudo-Clementinas* são compiladas
313	O imperador Constantino assina o Edito de Milão
325	Concílio de Niceia
398	Concílio de Hippo Regius

Parte I

Levanta-te! Levanta-te!
Investe-te de tua força, ó Sião!
Coloca tuas belas vestes, Jerusalém, a Cidade Santa;
Pois o incircunciso e o impuro
Nunca novamente deverão entrar em ti.
Sacode o pó de ti mesma, ponha-te de pé,
Ó cativa Jerusalém;
Libera as amarras de teu pescoço,
Ó cativa filha de Sião.

(Isaías 52:1-2)

Part I

Prólogo: Um tipo diferente de sacrifício

A GUERRA CONTRA ROMA não começa com o som estridente das espadas, mas com o ruído suave do cabo de um punhal sendo tirado da capa de um assassino.

Temporada de festival em Jerusalém: um momento em que os judeus de todo o Mediterrâneo convergem para a Cidade Santa levando oferendas perfumadas a Deus. Há na antiga religião judaica uma série de costumes e celebrações anuais que só podem ser realizados aqui, dentro do Templo de Jerusalém, e na presença do sumo sacerdote, que reserva os dias das festas mais sagradas – Pêssach (a Páscoa judaica), Pentecostes, a festa da colheita de Sucot – para si próprio, ao mesmo tempo embolsando uma boa taxa, ou *dízimo*, como ele prefere, pelo seu incômodo. E que incômodo! Nesses dias, a população da cidade pode chegar a mais de 1 milhão de pessoas. É preciso toda a força dos porteiros e sacerdotes menores para espremer a massa de peregrinos através dos Portões Hulda, na parede sul do Templo, para conduzi-la ao longo das galerias escuras e cavernosas sob a praça do Templo e guiá-la até o duplo lance de escadas que leva à praça pública e ao mercado conhecido como Pátio dos Gentios.

O Templo de Jerusalém é uma estrutura mais ou menos retangular, de cerca de quinhentos metros de comprimento por trezentos de largura, equilibrada no topo do monte Moriá, no extremo leste da Cidade Santa. Suas paredes externas são bordejadas por pórticos cobertos, cujos tetos de lajes, suportados por lances de colunas de pedra branca brilhante, protegem as massas do sol impiedoso. No lado sul do Templo situa-se o maior e mais ornamentado dos pórticos, o Pórtico Real – um salão alto, de dois andares, do tipo de uma basílica, construído no estilo habitual romano.

Esse é o espaço administrativo do Sinédrio, o corpo religioso supremo e o mais alto tribunal judiciário da nação judaica. É também onde comerciantes e cambistas desmazelados ficam ruidosamente à espera enquanto você percorre o caminho até as escadas subterrâneas e alcança a espaçosa praça ensolarada.

Os cambistas desempenham um papel vital no Templo. Por uma taxa, eles trocam moedas estrangeiras pelo shekel hebraico, a única moeda permitida pelas autoridades do Templo. Os trocadores de dinheiro também cobrarão o meio shekel de imposto do Templo que todos os homens adultos devem pagar para preservar a pompa e espetáculo de tudo que se vê ao redor: as montanhas de incenso queimando e os incessantes sacrifícios, as libações de vinho e as ofertas das primeiras frutas colhidas, o coro levita cantando salmos de louvor e a orquestra que o acompanha vibrando liras e batendo pratos. Alguém tem que pagar por essas necessidades. Alguém tem que arcar com o custo dos holocaustos que tanto agradam ao Senhor.

Com a nova moeda na mão, você agora está livre para examinar as gaiolas que forram as paredes periféricas e comprar o seu sacrifício: um pombo, uma ovelha – depende do peso que você tem no bolso, ou do peso de seus pecados. Se o último for maior que o primeiro, não se desespere. Os cambistas estão dispostos a oferecer o crédito de que você precisa para melhorar o sacrifício. Existe um código legal rígido que regulamenta quais animais podem ser adquiridos para a ocasião abençoada. Eles devem estar livres de machucados. Devem ser domésticos, não selvagens. Não podem ser animais de carga. Seja boi ou touro, carneiro ou ovelha, devem ter sido criados para esse fim. E não são baratos. Por que deveriam sê-lo? O sacrifício é o principal objetivo do Templo. Essa é a própria razão de ser do Templo. As músicas, as orações, as leituras – todos os rituais que acontecem aqui surgiram a serviço desse ritual singular e mais vital. A libação de sangue não só limpa os pecados, ela limpa a terra. Ela alimenta a terra, renovando-a e sustentando-a, protegendo-nos a todos da seca ou da fome, ou de coisa pior. O ciclo de vida e morte que o Senhor em sua onificência decretou é totalmente dependente do sacrifício que você fará. Este não é o momento para poupar.

Então, compre sua oferenda, e que seja boa. Entregue-a a qualquer um dos sacerdotes vestidos de branco que circulam pela praça do Templo. Eles são os descendentes de Aarão, irmão de Moisés, responsáveis pela manutenção dos ritos diários do Templo: a queima de incenso, o acender das lâmpadas, o soar de cornetas e, claro, o sacrifício das oferendas. O sacerdócio é uma posição hereditária, mas não há falta de sacerdotes, certamente não durante a temporada de festival, quando chegam em massa de terras distantes para ajudar nas festividades. Eles se acumulam no Templo em turnos de 24 horas para garantir que os fogos para o sacrifício sejam mantidos acesos dia e noite.

O Templo é construído como uma série de pátios em sequência, cada um menor, mais elevado e mais restrito do que o anterior. O pátio mais externo, o Pátio dos Gentios, onde você comprou sua oferenda, é uma ampla praça aberta a todos, independentemente de raça ou religião. Se você é judeu – um judeu sem qualquer problema físico (sem feridas, sem paralisias) e devidamente purificado por um banho ritual –, pode seguir o sacerdote com a sua oferenda através de uma espécie de grade de pedra e avançar para o próximo pátio, o Pátio das Mulheres (a placa em cima do muro avisa todos os demais para não irem além do átrio exterior, sob pena de morte). Aqui é onde o óleo e a madeira para os sacrifícios são armazenados. É também o ponto mais interno do Templo onde qualquer mulher judia pode chegar; homens judeus podem continuar até um pequeno lance semicircular de escadas através do Portão Nicanor e chegar ao Pátio dos Israelitas.

Isso é o mais próximo que você poderá chegar da presença de Deus. O cheiro de carnificina é impossível de se ignorar. Ele se agarra à pele, ao cabelo, tornando-se um fardo desagradável do qual você não vai se livrar tão cedo. Os sacerdotes queimam incenso para afastar o fedor e a doença, mas a mistura de mirra e canela, açafrão e olíbano não conseguem mascarar o insuportável mau cheiro da matança. Ainda assim, é importante manter-se onde você está e testemunhar seu sacrifício acontecer no próximo pátio, o Pátio dos Sacerdotes. A entrada nesse pátio é permitida unicamente aos sacerdotes e funcionários do Templo, pois é onde fica o altar do Templo: um pedestal de quatro chifres feito de bronze e madeira – de cinco côvados de comprimento, cinco côvados de largura – arrotando grossas nuvens pretas de fumaça no ar.

O sacerdote leva o seu sacrifício para um canto e se purifica numa bacia próxima. Então, com uma simples oração, ele rasga a garganta do animal. Um assistente coleta o sangue em uma tigela para espargir sobre os quatro cantos cornudos do altar, enquanto o sacerdote cuidadosamente estripa e desmembra a carcaça. A pele do animal é para ele; ela alcançará um bom preço no mercado. As entranhas e o tecido adiposo são arrancados do cadáver, levados por uma rampa para o altar e colocados diretamente sobre o fogo eterno. A carne do animal é cuidadosamente retirada e colocada de lado para os sacerdotes se banquetearem após a cerimônia.

Toda a liturgia é realizada diante do pátio mais interior do Templo, o Santo dos Santos – um santuário com colunas, banhado a ouro, no coração do complexo do Templo. O Santo dos Santos é o mais alto ponto em toda Jerusalém. Suas portas são cobertas de tapeçarias de cor roxa e escarlate bordadas com uma roda do zodíaco e um panorama dos céus. Este é o lugar onde a glória de Deus habita fisicamente. É o ponto de encontro entre os reinos terreno e celestial, o centro de toda a criação.

A Arca da Aliança, contendo os mandamentos de Deus, uma vez esteve aqui, mas ela foi perdida há muito tempo. Nada existe agora dentro do santuário. É um vasto espaço vazio, que serve como um conduto para a presença de Deus, canalizando seu espírito divino dos céus, fazendo-o fluir para fora em ondas concêntricas, por todas as câmaras do Templo, através do Pátio dos Sacerdotes e do Pátio dos Israelitas, do Pátio das Mulheres e do Pátio dos Gentios, por sobre as paredes com pórticos e descendo para a cidade de Jerusalém, por toda a região da Judeia, para a Samaria e Edom, Pereia e Galileia, através do império sem limites da poderosa Roma e para o resto do mundo, a todos os povos e nações, todos eles – judeus e gentios igualmente – nutridos e sustentados pelo espírito do Senhor da Criação, um espírito que tem uma única fonte e nenhuma outra: o santuário interior, o Santo dos Santos, encravado dentro do Templo, na cidade sagrada de Jerusalém.

A entrada para o Santo dos Santos é barrada a todos, exceto ao sumo sacerdote – que, nessa época, 56 d.C., é um jovem chamado Jônatas, filho de Ananus. Como a maioria de seus antecessores recentes, Jônatas comprou o cargo diretamente de Roma, e sem dúvida por um preço elevado. O cargo de sumo sacerdote é lucrativo, reservado a um punhado de famílias nobres que passam a posição entre si como um legado (os sacerdotes menores geralmente vêm de origens mais modestas).

O papel do Templo na vida judaica não pode ser exagerado. O Templo serve como calendário e relógio para os judeus, seus rituais marcam o ciclo do ano e moldam as atividades do dia a dia de todo habitante de Jerusalém. É o centro de comércio para toda a Judeia, sua principal instituição financeira e seu maior banco. O Templo é tanto a morada do Deus de Israel quanto a sede das aspirações nacionalistas de Israel; ele não só abriga os escritos sagrados e pergaminhos das leis que mantêm a religião judaica, como também é o repositório principal dos documentos legais, notas históricas e registros genealógicos da nação judaica.

Ao contrário de seus vizinhos pagãos, os judeus não têm uma multiplicidade de templos espalhados por todo o país. Há apenas um centro de culto, uma fonte única para a presença divina, um lugar singular e nenhum outro onde um judeu pode comungar com o Deus vivo. A Judeia é, para todos os efeitos, um templo-Estado. O próprio termo "teocracia" foi cunhado especificamente para descrever Jerusalém. "Algumas pessoas têm confiado o poder político supremo a monarquias", escreveu no século I o historiador judeu Flávio Josefo, "outros a oligarquias, outros ainda às massas [a democracia]. Nosso legislador [Deus], no entanto, não foi atraído por nenhuma dessas formas de política, mas deu a sua constituição sob a forma que – se uma expressão forçada for permitida – pode ser chamada de 'teocracia' [*theokratia*], colocando toda a soberania e autoridade nas mãos de Deus."

Pense no Templo como uma espécie de Estado feudal, empregando milhares de padres, cantores, porteiros, servos e ministros, mantendo vastas extensões de terras férteis cultivadas por escravos em nome do sumo sacerdote e em seu benefício. Adicione a isso a receita arrecadada pelos impostos do Templo e o fluxo constante de dádivas e ofertas de visitantes e peregrinos, para não mencionar as enormes somas que passam pelas mãos dos comerciantes e cambistas, das quais o Templo tira uma parte, e é fácil ver por que tantos judeus – citando Josefo – veem toda a nobreza sacerdotal, e o sumo sacerdote em particular, como nada mais que um bando de avarentos "amantes de luxo".

Imagine o sumo sacerdote Jônatas de pé diante do altar, o incenso ardendo lentamente na mão, e é fácil ver de onde essa inimizade vem. Até mesmo suas vestes sacerdotais, recebidas de ricos antecessores, atestam sua opulência. O longo manto sem mangas tingido de púrpura (a cor dos reis) e bordejado por franjas delicadas e pequenos sinos dourados costurados na orla, o pesado peitoral, salpicado com doze pedras preciosas, uma para cada uma das tribos de Israel; o turbante imaculado sobre a cabeça, como uma tiara, encimado por uma placa de ouro em que está gravado o indizível nome de Deus; o Urim e o Tumim, uma espécie de dados sagrados feitos de madeira e osso que o sumo sacerdote carrega em uma bolsa perto do peito e através dos quais revela a vontade de Deus tirando a sorte – todos esses símbolos de ostentação se destinam a representar o acesso exclusivo do sumo sacerdote a Deus. Eles são o que torna o sumo sacerdote diferente, pois eles o distinguem de todos os outros judeus do mundo.

É por essa razão que só o sumo sacerdote pode entrar no Santo dos Santos, e só em um dia por ano, no Yom Kippur, o Dia da Expiação, quando todos os pecados de Israel são limpos. Nesse dia, o sumo sacerdote vai à presença de Deus para expiar pela nação inteira. Se ele for digno da bênção de Deus, os pecados de Israel estão perdoados. Se não for, uma corda amarrada à cintura garante que, quando Deus tocá-lo com a morte, ele poderá ser arrastado para fora do Santo dos Santos sem ninguém macular o santuário.

É claro que, nesse dia em particular, o sumo sacerdote morre, mas não, ao que parece, pela mão de Deus.

As bênçãos sacerdotais completas e o shemá cantado ("Ouve, ó Israel: o Senhor é nosso Deus, apenas o Senhor"), o sumo sacerdote Jônatas afasta-se do altar e desce a rampa para os pátios exteriores do Templo. No momento em que ele chega ao Pátio dos Gentios, é engolido por um frenesi de exaltação. Os guardas do Templo formam uma barreira de pureza em torno dele, protegendo-o das mãos contaminadas das massas. No entanto, é fácil para o assassino segui-lo. Ele não precisa seguir o brilho ofuscante de suas vestes enfeitadas. Precisa apenas seguir o som dos sinos pendurados na barra do manto. A melodia peculiar é o sinal mais seguro de que o sumo sacerdote está chegando. O sumo sacerdote está próximo.

O assassino abre caminho através da multidão, apertando-se perto de Jônatas o suficiente para avançar uma mão invisível, agarrar as vestes sagradas, puxá-lo para fora do alcance dos guardas do Templo e mantê-lo firme, apenas por um instante, tempo suficiente para desembainhar o punhal e deslizá-lo por sua garganta. Um tipo diferente de sacrifício.

Antes que o sangue do sumo sacerdote se derrame sobre o piso do Templo, antes que os guardas possam reagir ao ritmo interrompido de seu passo, antes que alguém no pátio saiba o que aconteceu, o assassino já se misturou de volta na multidão.

Você não deve se surpreender se ele for o primeiro a gritar: "Assassinato!"

1. Um buraco no canto

QUEM MATOU JÔNATAS, filho de Ananus, quando ele atravessava o Monte do Templo no ano 56 d.C.? Sem dúvida, havia muitos em Jerusalém que ansiavam por matar o voraz sumo sacerdote, e outros mais que teriam gostado de acabar com o inchado sacerdócio do Templo em sua totalidade. Pois o que nunca deve ser esquecido quando se fala da Palestina do século I é que essa terra – essa terra sagrada da qual o espírito de Deus fluía para o resto do mundo – era território ocupado. Legiões de soldados romanos estavam posicionadas em toda a Judeia. Cerca de seiscentos soldados romanos residiam no topo do próprio Monte do Templo, dentro dos altos muros de pedra da fortaleza Antônia, que escorava o canto noroeste da parede do Templo. O centurião impuro de capa vermelha e couraça lustrosa que desfilava pelo Pátio dos Gentios, a mão pairando sobre o punho da espada, era um lembrete pouco sutil, se tal fosse necessário, de quem realmente governava aquele lugar sagrado.

O domínio romano sobre Jerusalém começou em 63 a.C., quando o mestre estrategista de Roma, Pompeu Magno, entrou na cidade com suas legiões conquistadoras e sitiou o Templo. Nessa época, Jerusalém havia passado há muito de seu apogeu econômico e cultural. O povoado cananeu que o rei Davi tinha remodelado como sede de seu reino, a cidade que ele tinha legado a seu filho rebelde, Salomão, que construiu o Templo de Deus – saqueado e destruído pelos babilônios em 586 a.C. –, a cidade que tinha sido a capital religiosa, econômica e política da nação judaica por mil anos era, no momento em que Pompeu atravessou os portões, reconhecida menos por sua beleza e grandiosidade do que pelo fervor religioso de sua incômoda população.

Situada no planalto sul das ásperas montanhas da Judeia, entre os picos gêmeos monte Scopus e Monte das Oliveiras, e ladeada pelo vale do Cedron, a leste, e o íngreme, proibitivo vale de Geena, ao sul, Jerusalém, no momento da invasão romana, abrigava uma população de cerca de 100 mil pessoas. Para os romanos, era um inconsequente pontinho no mapa imperial, uma cidade que o prolixo estadista Cícero classificou como "um buraco no canto". Mas, para os judeus, esse era o umbigo do mundo, o eixo do universo. Não houve cidade mais original, mais santa, mais venerada em todo o mundo do que Jerusalém.

As vinhas roxas, cujas videiras se retorciam e se arrastavam através das planícies, os campos bem cultivados e verdes pomares repletos de amendoeiras, figueiras e oliveiras, as camas verdes de papiro flutuando preguiçosamente ao longo do rio Jordão – os judeus não só conheciam e amavam profundamente todas as características dessa terra consagrada, eles reivindicavam tudo isso. Tudo, desde as terras cultivadas da Galileia até as colinas baixas da Samaria e as periferias mais distantes do Edom, onde a Bíblia diz que as cidades amaldiçoadas de Sodoma e Gomorra uma vez existiram, foi dado por Deus aos judeus, embora, de fato, os judeus não governassem nenhuma parte disso, nem mesmo Jerusalém, onde o verdadeiro Deus era adorado. A cidade que o Senhor tinha vestido em esplendor e glória e colocado, como o profeta Ezequiel declarou, "no centro de todas as nações", a sede eterna do Reino de Deus na terra, era, no alvorecer do século I, apenas uma província menor e, além disso, irritante, no canto mais distante do poderoso Império Romano.

Não é que Jerusalém não estivesse acostumada a invasões e ocupações. Apesar de seu status exaltado nos corações dos judeus, a verdade é que Jerusalém era pouco mais que uma insignificância a passar por uma sucessão de reis e imperadores que se revezavam pilhando e saqueando a cidade sagrada em seu caminho para ambições bem mais grandiosas. Em 586 a.C., os babilônios – senhores da Mesopotâmia – invadiram a Judeia, arrasando até o chão tanto Jerusalém quanto o Templo. Os babilônios foram conquistados pelos persas, que permitiram que os judeus retornassem à sua amada cidade e reconstruíssem seu templo, não porque admirassem os judeus ou levassem sua religião a sério, mas porque consideravam Jerusalém um local irrelevante, de pouco interesse ou preocupação para um império que se estendia por todo o comprimento da Ásia Central (ainda assim, o profeta Isaías agradeceu ao rei persa Ciro, ungindo-o como messias).

O Império Persa, e Jerusalém com ele, caiu diante dos exércitos de Alexandre, o Grande, cujos descendentes imbuíram a cidade e seus habitantes com a cultura e as ideias gregas. Após a prematura morte de Alexandre, em 323 a.C., Jerusalém foi passada como despojo para a dinastia ptolomaica e governada a partir do distante Egito, embora apenas por pouco tempo. Em 198 a.C., a cidade foi arrancada do controle ptolomaico pelo rei selêucida Antíoco, o Grande, cujo filho Antíoco Epifânio se imaginava Deus encarnado e esforçou-se para pôr fim de uma vez por todas ao culto da divindade judaica em Jerusalém. Mas os judeus responderam a tal blasfêmia com uma implacável guerra de guerrilha liderada pelos valentes filhos de Matatias, o Hasmoneu – os macabeus –, que recuperaram a Cidade Santa do controle selêucida em 164 a.C. e, pela primeira vez em quatro séculos, restauraram a hegemonia judaica sobre a Judeia.

Pelos cem anos seguintes, os macabeus governaram a terra de Deus com punho de ferro. Eles eram reis-sacerdotes, cada um servindo tanto como rei dos judeus como sumo sacerdote do Templo. Mas quando a guerra civil eclodiu entre os irmãos Hircano e Aristóbulo pelo controle do trono, cada irmão tolamente pediu apoio a Roma. Pompeu tomou as súplicas dos irmãos como um convite para tomar Jerusalém para si mesmo, assim colocando fim ao breve período de domínio judaico direto sobre a cidade de Deus. Em 63 a.C., a Judeia tornou-se um protetorado romano, e os judeus tornaram-se mais uma vez um povo dominado.

O domínio romano, ocorrendo, como aconteceu, depois de um século de independência, não foi recebido calorosamente pelos judeus. A dinastia dos macabeus foi abolida, mas Pompeu permitiu que Hircano mantivesse a posição de sumo sacerdote. Isso não agradou aos partidários de Aristóbulo, que lançaram uma série de revoltas às quais os romanos responderam com a costumeira selvageria – queimando cidades, massacrando rebeldes, escravizando populações. Enquanto isso, o abismo entre os famintos e pobres endividados labutando no campo e a classe provincial abastada governando em Jerusalém cresceu ainda mais. Era a política romana padrão forjar alianças, em cada cidade capturada, com a aristocracia fundiária, tornando-a dependente dos senhores romanos para ter poder e riqueza. Ao alinhar seus interesses com os da classe dominante, Roma garantia que os líderes locais permanecessem totalmente investidos na manutenção do sistema imperial.

Claro que, em Jerusalém, "aristocracia fundiária" significava basicamente a classe sacerdotal e, especificamente, um punhado de ricas famílias sacerdotais que mantinham o Templo. Como resultado, tais famílias foram encarregadas por Roma de coletar os impostos e tributos e de manter a ordem entre a população cada vez mais inquieta – tarefas pelas quais eram ricamente compensadas.

A fluidez que existia em Jerusalém entre os poderes religiosos e políticos tornou necessário para Roma manter uma estreita vigilância sobre o culto judaico e, em particular, sobre o sumo sacerdote. Como chefe do Sinédrio e "líder da nação", o sumo sacerdote era uma figura tanto de prestígio político como religioso, famoso pelo poder de decidir sobre todas as questões religiosas, de fazer cumprir a lei de Deus e até mesmo de efetuar prisões, embora apenas nas proximidades do Templo. Se os romanos queriam controlar os judeus, tinham que controlar o Templo. E se queriam controlar o Templo, tinham que controlar o sumo sacerdote, sendo por isso que, logo depois de tomar o controle da Judeia, Roma tomou para si a responsabilidade de nomear e destituir (de forma direta ou indireta) o ocupante desse cargo, transformando-o essencialmente em um funcionário romano. Roma mantinha até mesmo a custódia das vestes sagradas, entregando-as somente nas festas sagradas e confiscando-as imediatamente após o término das cerimônias.

Ainda assim, os judeus estavam em melhor situação do que alguns outros súditos romanos. De maneira geral, os romanos aceitavam os judeus, permitindo que realizassem sem interferência seus rituais e sacrifícios. Os judeus foram até mesmo dispensados da adoração direta do imperador, que Roma impunha a quase todas as outras comunidades religiosas sob o seu domínio. Tudo o que Roma pedia de Jerusalém era o sacrifício de um touro e dois cordeiros em nome do imperador e por sua boa saúde, duas vezes por dia. Continue fazendo o sacrifício, mantenha-se em dia com os impostos e tributos, siga as leis provinciais e Roma estará feliz em deixá-la em paz, bem como ao seu deus e ao seu templo.

Os romanos tinham, afinal, razoável consciência das crenças e práticas religiosas dos povos dominados. A maior parte das terras que conquistaram foi autorizada a manter seus templos sem ser molestada. Deuses rivais, longe de serem vencidos ou destruídos, muitas vezes foram assimilados no culto romano (foi assim que, por exemplo, o cananeu deus Baal tornou-se associado ao deus romano Saturno). Em alguns casos, sob uma prática chamada *evocatio*, os romanos poderiam tomar posse do templo de um inimigo – e, portanto, de seu deus, pois os dois eram inseparáveis no mundo antigo – e transferi-lo para Roma, onde ele seria coberto de riquezas e generosos sacrifícios. Tais demonstrações visavam enviar um sinal claro de que as hostilidades eram dirigidas não contra o deus do inimigo, mas contra seus combatentes; o deus continuaria a ser honrado e adorado em Roma, bastando que seus devotos depusessem as armas e se deixassem ser absorvidos pelo Império.

Se geralmente eram tolerantes em relação aos cultos estrangeiros, os romanos eram ainda mais lenientes com os judeus e sua fidelidade ao seu único Deus – o que Cícero menosprezava como "bárbaras superstições" do monoteísmo judaico. Os romanos podem não ter entendido a religião judaica, com suas estranhas regras e sua obsessão exagerada com pureza ritual – "Os judeus consideram profano tudo o que para nós é sagrado, enquanto permitem tudo o que abominamos", escreveu Tácito –, mas, no entanto, o toleravam.

O que mais confundia Roma sobre os judeus não eram os seus ritos desconhecidos ou sua estrita devoção às leis, mas sim o que os romanos consideravam ser o seu incomensurável complexo de superioridade. A noção de que uma tribo semita insignificante, residente em um canto distante do poderoso Império Romano exigisse, e de fato recebesse, tratamento especial do imperador era, para muitos romanos, simplesmente incompreensível. Como eles se atreviam a considerar o seu Deus o único deus no universo? Como eles se atreviam a manter-se separados de todas as outras nações? Quem esses atrasados e supersticiosos homens tribais pensavam que eram? O filósofo estoico Sêneca não foi o único entre a elite romana querendo saber como tinha sido possível que, em Jerusalém, "o vencido tivesse imposto leis aos vencedores".

Para os judeus, no entanto, essa sensação de excepcionalidade não era uma questão de arrogância ou orgulho. Era um mandamento direto de um Deus cioso, que não tolerava a presença de estrangeiros na terra que ele tinha reservado para o seu povo escolhido. É por isso que, quando os judeus chegaram a essa terra, mil anos antes dos romanos, Deus havia decretado que eles massacrassem cada homem, mulher e criança que encontrassem, que abatessem cada boi, cabra, ovelha que lhes cruzasse o caminho, que queimassem cada fazenda, cada campo, cada cultivo, cada coisa viva sem exceção, de modo a assegurar que a terra pertencesse exclusivamente aos que adoravam esse Deus e nenhum outro.

"Quanto às cidades dessas pessoas que o Senhor vosso Deus vos está dando como herança", disse Deus aos israelitas, "vós não deveis deixar que nada que respire permaneça vivo. Vós aniquilareis todos eles – os hititas e os amorritas, os cananeus e os perizeus, os hivitas e os jebuseus, assim como o Senhor vosso Deus ordenou." (Deuteronômio 20:17-18) A Bíblia afirma que foi só depois que os exércitos judeus tinham "totalmente destruído tudo o que respirava" nas cidades de Libna e Lachish e Eglom e Hebron e Debir, na região montanhosa e no Neguebe, nas planícies e nas encostas, somente depois de cada antigo habitante dessa terra ter sido erradicado, "como o Senhor Deus de Israel havia ordenado" (Josué 10:28-42), que os judeus foram autorizados a se estabelecerem ali.

E, no entanto, mil anos mais tarde, essa mesma tribo que tinha derramado tanto sangue para purificar a Terra Prometida de todo elemento estrangeiro, de modo a governá-la em nome de seu Deus, agora se encontrava sofrendo sob a bota de um poder imperial pagão, forçada a compartilhar a Cidade Santa com gauleses, espanhóis, romanos, gregos e sírios – todos eles estrangeiros, todos eles pagãos, obrigada por lei a fazer sacrifícios no próprio Templo de Deus em nome de um idólatra romano que vivia a mais de mil quilômetros de distância.

Como os heróis de antigamente responderiam a tal humilhação e degradação? O que Josué ou Aarão ou Fineias ou Samuel fariam aos incrédulos que haviam maculado as terras separadas por Deus para o seu povo escolhido?

Eles iriam inundar a terra com sangue. Iriam esmagar as cabeças dos pagãos e dos gentios, queimar seus ídolos até a base, chacinar suas esposas e seus filhos. Iriam matar os idólatras e banhar os pés no sangue dos inimigos, exatamente como o Senhor ordenara. Eles clamariam para que o Deus de Israel irrompesse dos céus em seu carro de guerra, para esmagar as nações pecadoras e fazer as montanhas se contorcerem diante de sua fúria. E quanto ao sumo sacerdote, o desgraçado que traiu o povo escolhido de Deus, entregando-o a Roma por algumas moedas e pelo direito de exibir-se em suas roupas brilhantes? Sua existência mesma era um insulto a Deus. Era uma praga sobre toda a terra. Tinha de ser extirpado.

2. Rei dos judeus

Nos anos de tumulto que se seguiram à ocupação romana da Judeia, enquanto Roma enredava-se em uma guerra civil debilitante entre Pompeu Magno e seu antigo aliado Júlio César, até mesmo enquanto os restos da dinastia dos macabeus continuavam disputando os favores de ambos os homens, a situação para os agricultores e camponeses judeus que aravam e semeavam a terra de Deus piorava notavelmente.

As pequenas chácaras familiares que durante séculos tinham servido como a principal base da economia rural foram gradualmente engolidas pelas grandes propriedades administradas por aristocracias, sob o brilho de recém-cunhadas moedas romanas. A rápida urbanização sob o domínio romano alimentou a migração interna em massa do campo para as cidades. A agricultura que tinha sustentado as parcas populações das vilas estava agora quase totalmente voltada para alimentar os inchados centros urbanos, deixando os camponeses rurais na fome e na miséria. O campesinato não só era obrigado a continuar pagando seus impostos e dízimos para o sacerdócio do Templo, como era forçado a pagar um pesado tributo a Roma. Para os agricultores, o total dos encargos poderia chegar a quase metade do seu rendimento anual.

Ao mesmo tempo, as secas sucessivas deixaram vastas áreas do campo sem cultivo e em ruínas, já que grande parte do campesinato judaico tinha sido reduzida à escravidão. Aqueles que conseguiram manter-se em seus campos arruinados muitas vezes não tinham escolha a não ser pedir emprestadas grandes somas à aristocracia fundiária, com taxas de juros exorbitantes. Pouco importava que a lei judaica proibisse a cobrança de juros sobre empréstimos – as pesadas multas que foram lançadas sobre os pobres para pagamentos em atraso tiveram, basicamente, o mesmo efeito. Em todo caso, a aristocracia fundiária esperava que os camponeses não pagassem seus empréstimos, pois estes eram um investimento. De fato, se o empréstimo não fosse pronta e totalmente reembolsado, a terra do camponês poderia ser confiscada e o camponês mantido na propriedade como um rendeiro trabalhando em nome do novo proprietário.

Poucos anos após a conquista de Jerusalém pelos romanos, uma massa de camponeses sem terra encontrou-se despojada de suas propriedades, sem nenhum meio para alimentar-se ou a suas famílias. Muitos desses camponeses migraram para as cidades em busca de trabalho. Mas, na Galileia, um punhado de agricultores e proprietários que tinham perdido suas terras trocaram os arados por espadas e começaram a lutar contra aqueles que consideravam os responsáveis por suas desgraças. De seus esconderijos em cavernas e grutas da zona rural da Galileia, esses camponeses guerreiros lançaram uma onda de ataques contra a aristocracia judaica e os agentes da república romana.

Eles vagavam pelas províncias, reunindo ao grupo os aflitos, os que foram expropriados e estavam atolados em dívidas. Como Robin Hoods judeus, eles roubavam dos ricos e, às vezes, davam aos pobres. Para os fiéis, essas gangues camponesas eram nada mais nada menos que a personificação física da raiva e do sofrimento dos pobres. Eles eram heróis: símbolos de fervor contra a agressão romana, dispensadores da justiça divina para os judeus traidores. Os romanos tinham um termo diferente para eles. Eles os chamavam de *lestai*. Bandidos.

"Bandido" era o termo genérico para qualquer rebelde ou sublevado que empregava a violência armada contra Roma ou contra os colaboradores judeus. Para os romanos, a palavra "bandido" era sinônimo de "ladrão" ou "agitador". Mas estes não eram criminosos comuns. Os bandidos representavam os primeiros sinais do que viria a tornar-se um movimento de resistência nacionalista contra a ocupação romana. Essa pode ter sido uma revolta camponesa – as quadrilhas de bandidos precipitavam-se de aldeias pobres como Emaús, Beth-Horom e Belém. Mas ela foi outra coisa, também. Os bandidos alegavam ser agentes da vingança de Deus. Eles vestiam seus líderes com emblemas dos reis e heróis bíblicos e apresentavam suas ações como um prelúdio para a restauração do Reino de Deus na terra. Os bandidos aproveitavam-se da generalizada expectativa apocalíptica que tinha tomado os judeus da Palestina depois da invasão romana. Um dos mais temíveis de todos os bandidos, o carismático chefe Ezequias, abertamente declarou ser o messias, o prometido, aquele que iria restaurar os judeus para a glória.

Messias significa "ungido". O título alude à prática de derramar ou pingar óleo sobre alguém encarregado de um ofício divino: um rei, como Saul ou Davi ou Salomão; um sacerdote, como Aarão e seus filhos, que foram consagrados para fazer a obra de Deus; um profeta, como Isaías ou Eliseu, que tinham uma relação especial com Deus, uma intimidade que vem de ter sido designado representante de Deus na terra. A principal tarefa do messias – que, segundo a crença popular, era descendente do rei Davi – era reconstruir o reino de Davi e restabelecer a nação de Israel. Assim, chamar a si mesmo de messias, na época da ocupação romana, era equivalente a declarar guerra a Roma. Na verdade, o dia viria em que esses bandos de camponeses raivosos formariam a espinha dorsal de um exército apocalíptico de revolucionários fervorosos, que forçariam os romanos a fugir humilhados de Jerusalém. Naqueles primeiros anos de ocupação, no entanto, os bandidos eram pouco mais do que um incômodo. Ainda assim, eles precisavam ser contidos; alguém tinha que restaurar a ordem no campo.

Esse alguém acabou por ser um inteligente jovem nobre judeu de Edom chamado Herodes. O pai de Herodes, Antípater, teve a sorte de estar no lado certo da guerra civil entre Pompeu Magno e Júlio César. César recompensou Antípater por sua lealdade, concedendo-lhe a cidadania romana em 48 a.C. e dando-lhe poderes administrativos em nome de Roma sobre toda a Judeia. Antes de morrer, alguns anos depois, Antípater cimentou sua posição entre os judeus, nomeando seus filhos Fasael e Herodes como governadores de Jerusalém e da Galileia, respectivamente. É provável que Herodes tivesse apenas quinze anos de idade na época, mas logo distinguiu-se como líder eficaz e defensor enérgico de Roma, lançando uma cruzada sangrenta contra as quadrilhas de bandidos. Ele capturou o chefe dos bandidos Ezequias e cortou-lhe a cabeça, colocando um fim (temporário) à ameaça rebelde.

Enquanto Herodes livrava a Galileia das quadrilhas de bandidos, Antígono, filho de Aristóbulo, que havia perdido o trono e o sumo sacerdócio para seu irmão Hircano após a invasão romana, estava criando problemas em Jerusalém. Com a ajuda dos partos, inimigos declarados de Roma, Antígono sitiou a Cidade Santa em 40 a.C., tomando como prisioneiros tanto o sumo sacerdote Hircano como Fasael, irmão de Herodes. Hircano foi mutilado, o que o tornou inelegível, de acordo com a lei judaica, para continuar servindo como sumo sacerdote; o irmão de Herodes, Fasael, cometeu suicídio no cativeiro.

O Senado romano determinou que a maneira mais eficaz de retomar Jerusalém do controle parta era fazer Herodes seu rei-cliente e deixá-lo realizar a tarefa em nome de Roma. A nomeação de reis-clientes era prática comum durante os primeiros anos do Império Romano, permitindo a Roma expandir suas fronteiras sem gastar recursos valiosos para administrar diretamente as províncias conquistadas.

Em 37 a.C., Herodes marchou para Jerusalém com um enorme exército romano sob seu comando. Ele expulsou as forças partas da cidade e eliminou o que restava da dinastia dos macabeus. Em reconhecimento por seus serviços, Roma o nomeou "rei dos judeus", concedendo-lhe um reino que acabaria por crescer mais do que o do rei Salomão.

Herodes era um governante perdulário e tirânico, marcado por excessos ridículos e atos bestiais de crueldade. Era implacável com seus inimigos e não tolerava nenhum indício de revolta dos judeus sob seu reinado. Ao subir ao trono, ele massacrou quase todos os membros do Sinédrio e substituiu os sacerdotes do Templo por uma claque de admiradores e bajuladores que compraram suas posições diretamente dele. Esse ato efetivamente neutralizou a influência política do Templo e redistribuiu o poder a uma nova classe de judeus, cuja dependência dos favores do rei os transformou em uma espécie de aristocracia *nouveau riche*. A propensão de Herodes para a violência e suas disputas domésticas amplamente divulgadas, que beiravam o burlesco, levaram-no a executar tantos membros de sua própria família que César Augusto certa vez fez um comentário que se tornou famoso: "Eu preferia ser um porco de Herodes do que seu filho."

Na verdade, ser o rei dos judeus, no tempo de Herodes, não era tarefa invejável. Havia, de acordo com Josefo, 24 seitas judaicas rebeldes em Jerusalém e ao seu redor. Embora nenhuma tivesse domínio completo sobre as outras, três seitas, ou melhor, *escolas*, foram particularmente influentes na formação do pensamento judaico na época: os fariseus, que eram principalmente rabinos e estudiosos de classe baixa e média que interpretavam as leis para as massas; os saduceus, mais conservadores e, no que diz respeito a Roma, sacerdotes mais complacentes, provenientes de famílias mais ricas, de proprietários de terras; e os essênios, um movimento predominantemente sacerdotal que se separou da autoridade do Templo e fez sua base em uma estéril colina no vale do mar Morto chamada Qumran.

Encarregado de pacificar e administrar uma indisciplinada e heterogênea população de judeus, gregos, samaritanos, sírios e árabes – que o odiavam mais do que se odiavam uns aos outros –, Herodes fez um trabalho magistral de manter a ordem em nome de Roma. Seu reinado marcou o início de uma era de estabilidade política entre os judeus que não tinha sido vista por séculos. Ele iniciou uma construção monumental e projetos de obras públicas que empregavam dezenas de milhares dos camponeses e diaristas, alterando permanentemente a paisagem física de Jerusalém. Construiu mercados e teatros, palácios e portos, tudo inspirado no estilo grego clássico.

Para pagar por seus colossais projetos de construção e satisfazer sua própria extravagância, Herodes cobrava impostos esmagadores de seus súditos, a partir dos quais continuava a mandar um pesado tributo para Roma, e com prazer, como expressão de sua estima pelos senhores romanos. Herodes não era apenas um rei-cliente do imperador; era um amigo próximo e pessoal, um cidadão leal da República que queria mais que imitar Roma – queria refazê-la nas areias da Judeia. Ele instituiu um programa de helenização forçada para os judeus, trazendo ginásios, anfiteatros gregos e banhos romanos para Jerusalém. Fez do grego a linguagem da corte e cunhou moedas com letras gregas e insígnias pagãs.*

No entanto, Herodes também era judeu e, como tal, entendia a importância de apelar para as sensibilidades religiosas de seus súditos. Foi por isso que embarcou em seu projeto mais ambicioso: a reconstrução e ampliação do Templo de Jerusalém. Foi Herodes quem ergueu o Templo em uma plataforma no topo do monte Moriá, o mais alto ponto da cidade, e o embelezou com largas colunatas romanas e pilastras de mármore enormes que brilhavam sob o sol. O Templo de Herodes foi concebido para impressionar seus patronos em Roma, mas ele também queria agradar a seus companheiros judeus, muitos dos quais não consideravam o rei dos judeus como sendo um judeu ele próprio. Herodes era um convertido, afinal de contas. Sua mãe era árabe. Seu povo, os edomitas, tinha se convertido ao judaísmo apenas uma ou duas gerações antes. A reconstrução do Templo era, para Herodes, não apenas um meio de solidificar sua dominação política, era um apelo desesperado para ser aceito por seus súditos judeus. Não funcionou.

Apesar da reconstrução do Templo, o ousado helenismo de Herodes e suas agressivas tentativas de "romanizar" Jerusalém enfureceram os judeus religiosos, que parecem nunca ter deixado de ver o rei como um escravo de senhores estrangeiros e um devoto dos deuses estrangeiros. Nem mesmo o Templo, o símbolo supremo da identidade judaica, poderia mascarar o encantamento de Herodes com Roma. Pouco antes da conclusão da obra, Herodes colocou sobre o portal principal uma águia dourada, símbolo do domínio romano, e obrigou o sumo sacerdote que ele mesmo selecionara a oferecer dois sacrifícios por dia em nome de César Augusto como "o Filho de Deus". No entanto, é um sinal de quão firmemente Herodes mantinha seu reino sob controle o fato de que o ódio geral dos judeus em relação a seu reinado nunca chegou ao nível de insurreição, pelo menos não durante sua vida.

---

* A cultura grega, dominante no Mediterrâneo ocidental a partir do século V a.C., integrou-se à cultura romana desde seus primeiros contatos, por volta de 150 a.C. O domínio de Roma sobre a Grécia, a partir de 120 a.C., ampliou a difusão da cultura grega. A língua culta era o grego, e isso perdurou longamente. (N.T.)

Quando Herodes, o Grande, morreu, em 4 a.C., Augusto dividiu o reino entre os três filhos do antigo rei: Arquelau recebeu a Judeia, a Samaria e Edom; Herodes Antipas, conhecido como "a Raposa", reinava sobre a Galileia e a Pereia (uma região na Transjordânia, a nordeste do mar Morto), e a Filipe foi entregue o controle sobre Gaulanitis (hoje, Golan) e as terras a nordeste do mar da Galileia. A nenhum dos três filhos de Herodes foi dado o título de rei: Antipas e Filipe foram nomeados tetrarcas, que significa "governante de um trimestre", e Arquelau foi nomeado etnarca, ou "governante de um povo"; ambos os títulos foram deliberadamente destinados a assinalar o fim da monarquia unificada sobre os judeus.

A divisão do reino de Herodes acabou sendo um desastre para Roma, pois toda a raiva e o ressentimento que haviam sido represados durante seu longo e opressivo reinado explodiram em uma inundação de tumultos e violentos protestos que seus fracos filhos, entorpecidos por uma vida de ociosidade e langor, dificilmente poderiam conter. Os manifestantes queimaram um dos palácios de Herodes, às margens do rio Jordão. Por duas vezes, o próprio Templo foi invadido: primeiro durante o Pêssach, em seguida no Shavuot, ou Festival das Semanas. No campo, as quadrilhas de bandidos que Herodes tinha dominado mais uma vez começaram a atravessar a Galileia, matando os partidários do antigo rei. Em Edom, a região de origem de Herodes, 2 mil dos seus soldados se amotinaram. Até mesmo aliados de Herodes, inclusive seu próprio primo Achiab, juntaram-se à rebelião.

Essas revoltas foram, sem dúvida, alimentadas pelas expectativas messiânicas dos judeus. Na Pereia, um ex-escravo de Herodes – um imponente e gigantesco homem chamado Simão – coroou a si próprio como messias e juntou um grupo de bandidos para saquear os palácios reais em Jericó. A rebelião terminou quando Simão foi capturado e decapitado. Um pouco mais tarde, outro aspirante messiânico, um pobre jovem pastor chamado Atronges, colocou uma coroa sobre a cabeça e lançou um ataque temerário contra as forças romanas. Ele, também, foi capturado e executado.

O caos e o derramamento de sangue continuaram sem diminuir até que César Augusto finalmente mandou suas próprias tropas para a Judeia para pôr fim ao levante. Embora o imperador tivesse permitido que Filipe e Antipas permanecessem em seus cargos, ele mandou Arquelau para o exílio, colocou Jerusalém sob um governador romano e, no ano 6 d.C., converteu toda a Judeia em uma província governada diretamente por Roma. Não haveria mais semi-independência. Não mais reis-clientes. Não mais rei dos judeus. Jerusalém agora pertencia totalmente a Roma.

Segundo a tradição, Herodes, o Grande, morreu na véspera do Pêssach em 4 a.C., com a idade madura de setenta anos, tendo reinado sobre os judeus por 37 anos. Josefo escreve que no dia da morte de Herodes houve um eclipse da Lua, um sinal de mau agouro, talvez pressagiando o tumulto que viria a seguir. Existe, claro, uma outra tradição que trata da morte de Herodes, o Grande: que em algum momento entre a sua morte, em 4 a.C., e a tomada de controle de Roma sobre a Judeia, em 6 d.C., em uma obscura aldeia ao pé de uma montanha na Galileia, nasceu uma criança que um dia reivindicaria para si o manto de Herodes como rei dos judeus.

3. Vós sabeis de onde venho

A ANTIGA NAZARÉ REPOUSA sobre o cume irregular de um morro batido pelos ventos na baixa Galileia. Não mais do que uma centena de famílias judias vivem nessa pequena aldeia. Não há estradas, não há edifícios públicos. Não há sinagoga. Os moradores compartilham um único poço de onde tirar água fresca. Uma única casa de banho, alimentada por um fio de chuva captado e armazenado em cisternas subterrâneas, serve toda a população. É uma aldeia de camponeses em sua maioria analfabetos, agricultores e diaristas, um lugar que não existe em nenhum mapa.

As casas de Nazaré são simples, com uma única sala sem janelas dividida em dois – um espaço para a família, outro para os animais –, feitas de barro caiado e pedras e coroadas com um telhado plano, onde os moradores se reúnem para rezar, onde espalham sua roupa para secar, onde fazem suas refeições nas noites mais quentes e onde, nos meses de verão, desenrolam suas esteiras empoeiradas e dormem. Os habitantes com sorte têm um pátio e um pequeno pedaço de terra para cultivar legumes, pois não importa a profissão ou habilidade, cada nazareno é um agricultor. Os camponeses que chamam essa aldeia isolada de lar são, sem exceção, cultivadores da terra. É a agricultura que alimenta e sustenta a escassa população. Todo mundo cria seus próprios animais, todos plantam seus próprios cultivos: um pouco de cevada, algum trigo, alguns talos de painço e aveia. O estrume recolhido dos animais alimenta a terra, que por sua vez alimenta os moradores que, em seguida, alimentam o gado. A autossuficiência é a regra.

Nazaré, essa aldeia na encosta do morro, é tão pequena e tão obscura que seu nome não aparece em nenhuma fonte judaica antiga antes do século III d.C., nem na Bíblia Hebraica, nem no Talmude, nem no Midrash, nem em Josefo. Ela é, em suma, um lugar irrelevante e totalmente esquecível. Ela é, também, a cidade em que Jesus provavelmente nasceu e cresceu. Que ele veio dessa aldeia bastante isolada, de algumas centenas de judeus empobrecidos, pode ser muito bem a única verdade sobre a infância de Jesus sobre a qual podemos estar razoavelmente confiantes. Jesus era tão identificado com Nazaré que foi conhecido em toda a sua vida simplesmente como "o Nazareno". Considerando o quão comum Jesus era como primeiro nome, a cidade de seu nascimento tornou-se sua principal alcunha. Era a única coisa sobre a qual todos os que o conheciam, seus amigos e seus inimigos igualmente, pareciam concordar.

Por que, então, Mateus e Lucas – e *apenas* Mateus (2:1-9) e Lucas (2:1-21) – afirmam que Jesus nasceu não em Nazaré, mas em Belém, mesmo que o nome Belém não apareça em nenhum outro lugar em todo o Novo Testamento (nem em qualquer outro lugar em Mateus ou Lucas, sendo que ambos referem-se repetidamente a Jesus como "o Nazareno"), a não ser por um único versículo no evangelho de João (7:42)?

A resposta pode ser encontrada justamente nesse verso de João.

Era, escreve o evangelista, no início do ministério de Jesus. Até esse ponto, Jesus, de maneira geral, restringira-se a pregar sua mensagem para os pobres agricultores e pescadores da Galileia – seus amigos e vizinhos. Mas agora que a Festa dos Tabernáculos chegou, a família de Jesus insiste que ele viaje com eles para a Judeia a fim de celebrar o alegre festival da colheita juntos, e para que ele se revele às massas.

"Vem", dizem eles. "Mostra-te para o mundo." Jesus recusa. "Ide vós", ele diz. "Eu não vou a esse festival. Ainda não é o meu momento."

A família de Jesus o deixa para trás e dirige-se junta para a Judeia. No entanto, sem o conhecimento deles, Jesus decide segui-los até lá, se não por outra razão que a de vagar secretamente no meio da multidão reunida e ouvir o que as pessoas estão dizendo sobre ele.

"Ele é um bom homem", alguém sussurra.

"Não. Ele está desencaminhando o povo", diz outro.

Algum tempo mais tarde, depois que Jesus se revela à multidão, alguns começam a fazer suposições sobre sua identidade. "Certamente, é um profeta."

E então alguém finalmente o diz. Todo mundo está claramente pensando isso; como poderiam não estar, com Jesus de pé no meio da multidão, declarando: "Que venham a mim e bebam aqueles que têm sede?" Como eles deveriam entender tais palavras heréticas? Quem mais se atreveria a dizer tal coisa abertamente e ao alcance da escuta dos escribas e doutores da lei, muitos dos quais, segundo nos dizem, não gostariam de mais nada além de silenciar e prender esse irritante pregador?

"Este homem é o messias!"

Essa não é uma simples declaração. É, na verdade, um ato de traição. Na Palestina do século I, simplesmente dizer as palavras "este é o messias" em voz alta e em público poderia ser um crime, punível por crucificação. É verdade que os judeus do tempo de Jesus tinham uma visão um tanto conflitante sobre o papel e a função do messias, alimentada por várias tradições messiânicas e contos folclóricos populares flutuando pela Terra Santa. Alguns acreditavam que o messias seria uma figura restauradora que devolveria os judeus à sua posição anterior de poder e glória. Outros viam o messias em termos mais apocalípticos e utópicos, como alguém que aniquilaria o mundo presente e construiria um novo mundo mais justo sobre as ruínas.

Havia aqueles que pensavam que o messias seria um rei, e aqueles que pensavam que ele seria um sacerdote. Os essênios, aparentemente, esperavam por dois messias separados – um real, outro sacerdotal –, embora a maioria dos judeus achasse que o messias possuiria uma combinação de ambas as características. No entanto, entre a multidão de judeus reunidos para a Festa dos Tabernáculos teria havido um consenso razoável sobre quem o messias deveria ser, e o que o messias deveria fazer: ele é o descendente do rei Davi, ele vem para restaurar Israel, para libertar os judeus do jugo da ocupação e estabelecer o poder de Deus em Jerusalém. Chamar Jesus de messias, portanto, era colocá-lo inexoravelmente em um caminho – já bem trilhado por vários messias que falharam, vindos antes dele – para o conflito, a revolução e a guerra contra os poderes dominantes. Onde esse caminho acabaria por levar, ninguém no festival poderia saber com certeza. Mas parecia haver algum acordo sobre onde o caminho deveria começar.

"Não diz a Escritura que o messias é da descendência de Davi?" Alguém na multidão pergunta. "Que ele vem da aldeia onde Davi morava? De Belém?" "Mas sabemos de onde vem esse homem", afirma outro. Na verdade, a multidão parece conhecer bem Jesus. Eles conhecem seus irmãos, que estão lá com ele. Toda a sua família está presente. Eles viajaram para o festival juntos, de sua casa, na Galileia. De Nazaré.

"Atentai para isso", diz um fariseu, com a confiança que vem de uma vida a examinar as escrituras. "Vós ireis ver: o profeta não vem da Galileia."

Jesus não nega a alegação. "Sim, todos vós me conheceis", ele admite. "E vós sabeis de onde venho." Em vez disso, ele desvia inteiramente o assunto de sua casa terrena, preferindo enfatizar suas origens celestiais. "Eu não vim aqui por conta própria; aquele que me enviou é verdadeiro. E ele, vós não conheceis. Mas eu o conheço. Eu sou dele. Foi ele quem me enviou." (João 7:1-29)

Tais declarações são comuns em João, o último dos quatro evangelhos canônicos, composto entre 100 e 120 d.C. João não mostra nenhum interesse sobre o nascimento físico de Jesus, embora ele mesmo reconheça que Jesus era um "Nazareno" (João 18:5-7). Na visão de João, Jesus é um ser eterno, o *logos*, que estava com Deus desde o início dos tempos, a força primordial por meio da qual toda a criação surgiu e sem a qual nada foi criado (João 1:3).

A mesma falta de preocupação sobre as origens terrenas de Jesus pode ser encontrada no primeiro evangelho, Marcos, escrito logo após 70 d.C. O foco de Marcos é mantido basicamente no ministério de Jesus; ele não está interessado nem no nascimento de Jesus, nem, talvez surpreendentemente, na ressurreição de Jesus, já que não escreve nada sobre nenhum dos dois eventos.

A comunidade cristã primitiva não parece ter estado particularmente preocupada com qualquer aspecto da vida de Jesus antes do lançamento de seu ministério. Histórias sobre seu nascimento e infância estão conspicuamente ausentes dos primeiros documentos escritos. O material Q, que foi compilado por volta de 50 d.C., não faz nenhuma menção a qualquer coisa que tenha acontecido antes do batismo de Jesus por João

Batista. As cartas de Paulo, que compõem a maior parte do Novo Testamento, são totalmente desvinculadas de qualquer acontecimento na vida de Jesus, a não ser pela sua crucificação e ressurreição (embora Paulo mencione a Última Ceia).

Mas como o interesse na pessoa de Jesus cresceu após sua morte, surgiu entre alguns membros da comunidade cristã primitiva uma necessidade urgente de preencher as lacunas dos primeiros anos de Jesus e, em particular, de resolver a questão de seu nascimento em Nazaré, que parece ter sido utilizada por seus detratores judeus para provar que ele não poderia ter sido o messias, pelo menos não de acordo com as profecias. Algum tipo de solução criativa foi necessário para superar essa crítica, alguma maneira de levar os pais de Jesus a Belém para que ele pudesse ter nascido na mesma cidade que Davi.

Para Lucas, a resposta está em um censo. "Naqueles dias", escreve ele, "chegou um decreto da parte de César Augusto para que o mundo romano inteiro fosse registrado. Esse foi o primeiro registro a ocorrer quando Quirino era governador da Síria. Todo mundo foi para a sua cidade natal a fim de ser registrado. José também subiu da cidade de Nazaré, na Galileia, para a Judeia, para Belém, a cidade de Davi." Então, caso seus leitores tivessem perdido o ponto, Lucas acrescenta, "porque José pertencia à casa e à linhagem de Davi" (Lucas 2:1-4).

Lucas está certo sobre uma coisa e apenas uma coisa. Dez anos depois da morte de Herodes, o Grande, no ano 6 d.C., quando a Judeia tornou-se oficialmente uma província romana, o governador da Síria, Quirino, convocou um censo para todas as pessoas, bens e escravos na Judeia, Samaria e Edom – não "todo o mundo romano", como Lucas reivindica, e definitivamente não a Galileia, onde a família de Jesus vivia (Lucas também está errado ao associar o censo de Quirino, em 6 d.C., com o nascimento de Jesus, que a maioria dos estudiosos coloca próximo de 4 a.C., o ano mencionado no evangelho de Mateus). Além disso, como o único propósito de um censo era fiscal, o direito romano avaliava a propriedade de um indivíduo no local de residência, e não no lugar do nascimento de alguém. Não há nada escrito em nenhum documento romano da época (e os romanos eram muito hábeis em documentação, particularmente quando se tratava de impostos) para indicar o contrário. A sugestão de Lucas, de que toda a economia romana periodicamente seria colocada em espera, pois todo súdito romano era forçado a arrancar a si mesmo e a toda sua família de casa a fim de viajar grandes distâncias até o local de nascimento de seu pai, e então esperar pacientemente, talvez por meses, para que um funcionário fizesse um balanço de sua família e de seus bens, os quais, em qualquer caso, ele teria deixado para trás em seu lugar de residência, é, em uma palavra, um disparate.

O que é importante entender a respeito da narrativa de Lucas sobre a infância de Jesus é que seus leitores, ainda vivendo sob domínio romano, teriam sabido que o relato do censo de Quirino era factualmente impreciso. O próprio Lucas, escrevendo pouco mais de uma geração após os eventos que descreve, sabia que o que estava escrevendo era tecnicamente falso. Esta é uma questão extremamente difícil para os leitores modernos dos evangelhos entenderem, mas Lucas nunca quis que a sua história sobre o nascimento de Jesus em Belém fosse entendida como um fato histórico. Lucas não tinha nenhuma ideia do que nós, no mundo moderno, queremos dizer com a palavra "história". A noção de história como uma análise crítica dos fatos observáveis e verificáveis do passado é um produto da era moderna; teria sido um conceito totalmente estranho para os escritores dos evangelhos, para quem a história não era uma questão de descobrir *fatos*, mas de revelar *verdades*.

Os leitores do evangelho de Lucas, como a maioria das pessoas do mundo antigo, não faziam uma distinção nítida entre mito e realidade; os dois estavam intimamente ligados em sua experiência espiritual. Ou seja, eles estavam menos interessados no que realmente acontecera do que naquilo que significava. Teria sido perfeitamente normal – na verdade, era o que se esperava – que um escritor do mundo antigo narrasse contos de deuses e heróis cujos fatos fundamentais eram reconhecidos como irreais, mas cuja mensagem subjacente seria vista como verdadeira.

Isso explica a igualmente fantasiosa narrativa de Mateus sobre a fuga de Jesus para o Egito, aparentemente para escapar ao massacre de todos os filhos nascidos dentro e ao redor de Belém, em uma busca infrutífera pelo bebê Jesus. Tal evento não tem um pingo de evidência que o corrobore em qualquer crônica ou história da época, seja judia, cristã ou romana – um fato notável, considerando-se as muitas crônicas e narrativas escritas sobre Herodes, o Grande, que era, afinal, o mais famoso judeu em todo o Império Romano (o rei dos judeus, nada menos!).

Tal como acontece com o relato de Lucas sobre o censo de Quirino, o relato de Mateus sobre o massacre de Herodes não foi concebido para ser lido como o que hoje consideramos *história*, certamente não pela sua própria comunidade, que com certeza se lembraria de um evento tão inesquecível como o massacre de seus próprios filhos. Mateus precisa que Jesus saia do Egito pela mesma razão que precisa que ele nasça em Belém: para cumprir as várias profecias deixadas por seus antepassados para que ele e seus companheiros judeus decifrassem, para colocar Jesus nas pegadas dos reis e profetas que vieram antes dele e, acima de tudo, para responder ao desafio feito por detratores de Jesus, que questionavam se esse simples camponês, que morreu sem cumprir a única e mais importante das profecias messiânicas – a da restauração de Israel – era de fato "o ungido".

O problema enfrentado por Mateus e Lucas é que simplesmente não existe narrativa profética única e coesa sobre o messias nas Escrituras Hebraicas. A passagem do evangelho de João citada acima é um exemplo perfeito da confusão geral que existia entre os judeus em relação às profecias messiânicas. Pois mesmo quando os escribas e professores da lei proclamam de forma confiante que Jesus não poderia ser o messias porque não é, como as profecias exigem, de Belém, outros na multidão argumentam que o Nazareno não poderia ser o messias pois as profecias dizem que "quando o messias chegar, ninguém saberá de onde ele vem" (João 7:27).

A verdade é que as profecias dizem as *duas* coisas. De fato, se fosse seguido o conselho dado para a multidão do festival pelo cético fariseu, de "atentar para isso", seria descoberta uma série de profecias contraditórias sobre o messias, recolhidas ao longo de centenas de anos por dezenas de mãos diferentes. Muitas dessas profecias não são nem mesmo profecias. Profetas como Miqueias, Amós e Jeremias, que parecem estar prevendo a vinda de um futuro personagem salvador da linhagem do rei Davi, que um dia iria restaurar Israel à sua antiga glória, estão de fato fazendo críticas veladas a seu rei *atual* e à ordem *daquele momento*, que os profetas sugerem ter caído aquém do ideal de Davi. (Há, no entanto, uma coisa sobre a qual todas as profecias parecem concordar: o messias é um ser humano, não divino. A crença em um messias divino teria sido um anátema para tudo o que representa o judaísmo, razão pela qual, sem exceção, todos os textos na Bíblia Hebraica que tratam do messias o apresentam no exercício das suas funções messiânicas na terra, não no céu.) Assim sendo, se você quiser encaixar seu candidato messiânico preferido nessa confusa tradição profética, deve primeiro decidir quais dos muitos textos, tradições orais, histórias e contos populares quer considerar. Como você responde a essa pergunta depende em grande parte do que você quer dizer sobre o seu messias.

Mateus faz Jesus fugir para o Egito para escapar do massacre de Herodes, não porque isso aconteceu, mas porque cumpre as palavras do profeta Oseias: "Do Egito chamei meu filho." (Oseias 11:1) A narrativa não tem a intenção de revelar qualquer fato a respeito de Jesus; ela pretende revelar esta verdade: que Jesus é o novo Moisés, que sobreviveu ao massacre dos filhos dos israelitas pelo faraó e saiu do Egito com uma nova lei de Deus (Êxodo 1:22).

Lucas coloca o nascimento de Jesus em Belém não porque ele ali ocorreu, mas por causa das palavras do profeta Miqueias: "E tu, Belém... de ti sairá para mim um governante em Israel." (Miqueias 5:2) Lucas quer dizer que Jesus é o novo Davi, o rei dos judeus, colocado no trono de Deus para reinar sobre a Terra Prometida. Simplificando, as narrativas da infância nos evangelhos não são relatos históricos, nem foram feitas para serem lidas como tal. São afirmações teológicas do status de Jesus como o ungido de Deus. O descendente do rei Davi. O messias prometido.

Esse Jesus – o eterno *logos* de quem surgiu a criação, o Cristo, que está sentado à direita de Deus – você vai encontrar enrolado em uma manjedoura imunda em Belém, cercado por simples pastores e por sábios que trazem presentes do oriente.

Mas o verdadeiro Jesus, o pobre camponês judeu que nasceu em algum momento entre 4 a.C. e 6 d.C., na desordem da área rural da Galileia – busque-o nas casas de barro esfarelento e tijolos soltos aninhadas em uma pequena aldeia varrida pelos ventos, Nazaré.

4. A Quarta Filosofia

AQUI ESTÁ O QUE sabemos sobre Nazaré no momento do nascimento de Jesus: havia pouco lá para um carpinteiro fazer. Isto é, afinal, o que a tradição diz ser a ocupação de Jesus: um *tekton* – um carpinteiro ou construtor –, embora valha a pena mencionar que há apenas um versículo em todo o Novo Testamento em que é feita essa afirmação sobre ele (Marcos 6:3). Se essa afirmação é verdadeira, então, como um trabalhador artesanal e diarista, Jesus teria pertencido à classe mais baixa de camponeses na Palestina do século I, um pouco acima do indigente, do mendigo e do escravo. Os romanos usavam o termo *tekton* como gíria para qualquer camponês ignorante ou analfabeto, e Jesus foi muito provavelmente as duas coisas.

As taxas de analfabetismo na Palestina do século I eram incrivelmente altas, sobretudo entre os pobres. Estima-se que cerca de 97% dos camponeses judeus não sabiam ler nem escrever, um número não inesperado para as sociedades predominantemente orais como a em que Jesus viveu. Certamente as Escrituras Hebraicas desempenharam um papel proeminente na vida do povo judeu. Mas a esmagadora maioria dos judeus no tempo de Jesus teria tido apenas uma compreensão rudimentar do hebraico, apenas o suficiente para compreender as escrituras quando lhes eram lidas na sinagoga. O hebraico era a língua dos escribas e estudiosos da lei, a língua do conhecimento. Camponeses como Jesus teriam tido enorme dificuldade em comunicar-se em hebraico, mesmo em sua forma coloquial, razão pela qual a maior parte das escrituras foi traduzida para o aramaico, o idioma principal do campesinato judaico: a língua de Jesus. É possível que Jesus tivesse algum conhecimento básico de grego, a língua franca do Império Romano (ironicamente, o latim era a língua menos utilizada nas terras ocupadas por Roma) –, o suficiente, talvez, para negociar contratos e lidar com os clientes, mas com certeza não o suficiente para pregar. Os únicos judeus que podiam se comunicar confortavelmente em grego eram da elite helenizada de Herodes, a aristocracia sacerdotal da Judeia, e os mais educados judeus da diáspora, mas não os camponeses e trabalhadores diaristas da Galileia.

Sejam quais forem os idiomas que Jesus possa ter falado, não há nenhuma razão para pensar que ele pudesse ler ou escrever em qualquer um deles, nem mesmo o aramaico. O relato que Lucas faz de Jesus aos doze anos, no Templo de Jerusalém, debatendo os pontos mais delicados das Escrituras Hebraicas com rabinos e escribas (Lucas 2:42-52), ou sua narrativa de Jesus na sinagoga (inexistente) de Nazaré, lendo o pergaminho de Isaías para espanto dos fariseus (Lucas 4:16-22), são elaborações fabulosas concebidas pelo próprio evangelista. Jesus não teve acesso ao tipo de educação formal necessário para tornar o relato de Lucas mesmo remotamente passível de crédito. Não havia escolas em Nazaré para crianças camponesas frequentarem. A educação que Jesus recebeu teria vindo direto de sua família e, considerando seu status de trabalhador artesanal e diarista, ela teria sido quase exclusivamente centrada em aprender o ofício de seu pai e de seus irmãos.

Que Jesus *tinha* irmãos é praticamente indiscutível, apesar da doutrina católica sobre a virgindade perpétua de Maria, sua mãe. Trata-se de um fato comprovado várias vezes tanto pelos evangelhos como pelas cartas de Paulo. Até mesmo Josefo faz referência a Tiago, irmão de Jesus que se tornaria o mais importante líder da Igreja cristã primitiva, após a morte de Jesus. Não há nenhum argumento racional contra a noção de que Jesus era parte de uma grande família, que incluía pelo menos quatro irmãos nomeados nos evangelhos – Tiago, José, Simão e Judas – e um número desconhecido de irmãs que, embora os evangelhos mencionem, infelizmente não são nomeadas.

Muito menos se sabe sobre o pai de Jesus, José, que rapidamente desaparece dos evangelhos após as narrativas da infância. O consenso é que José morreu enquanto Jesus era ainda criança. Mas há aqueles que acreditam que José nunca realmente existiu, que ele era uma criação de Mateus e Lucas – os dois únicos evangelistas que o mencionam – para dar conta de uma criação muito mais controversa: o nascimento virginal.

Por um lado, o fato de que ambos, Mateus e Lucas, narram o nascimento virginal em suas respectivas narrativas da infância, apesar da crença de que eles não tinham nenhuma consciência do trabalho um do outro, indica que a tradição do nascimento virginal era bem antiga, talvez antes mesmo do primeiro evangelho, o de Marcos. Por outro lado, além das narrativas da infância de Mateus e de Lucas, o nascimento virginal não é nunca sequer insinuado por qualquer outra pessoa no Novo Testamento: não o é pelo evangelista João, que apresenta Jesus como um espírito sobrenatural, sem origens terrenas, nem por Paulo, que pensa em Jesus como literalmente Deus encarnado. Essa ausência levou a uma grande dose de especulação entre os estudiosos sobre se a história do nascimento virginal foi inventada para mascarar uma verdade desconfortável sobre a paternidade de Jesus, ou seja, que ele nasceu fora do casamento.

Este é na realidade um velho argumento, apresentado por adversários do movimento de Jesus desde os seus primeiros dias. O escritor do século II Celso narra uma história indecente; ele conta ter ouvido de um judeu palestino que a mãe de Jesus foi engravidada por um soldado chamado Panthera. A história de Celso é tão claramente polêmica que não pode ser levada a sério. No entanto, ela indica que, menos de cem anos após a morte de Jesus, já circulavam na Palestina rumores sobre o seu nascimento ilegítimo. Esses rumores podem ter sido correntes mesmo durante a vida de Jesus. Quando ele começa a pregar em sua cidade natal de Nazaré, é confrontado com o murmúrio dos vizinhos, e um deles pergunta sem rodeios: "Não é este o filho de Maria?" (Marcos 6:3) Esta é uma declaração surpreendente, que não pode ser facilmente descartada. Chamar um homem primogênito judeu na Palestina pelo nome da mãe – Jesus *bar* Maria, em vez de Jesus *bar* José – não é apenas incomum, é escandaloso. No mínimo, é uma ofensa deliberada com implicações tão óbvias que redações posteriores de Marcos foram obrigadas a inserir no verso a frase "filho do carpinteiro, e de Maria".

Um mistério ainda mais controverso sobre Jesus envolve seu estado civil. Embora não haja nenhuma evidência no Novo Testamento para indicar que Jesus fosse casado, teria sido quase impensável para um homem judeu de trinta anos de idade, no tempo de Jesus, não ter uma esposa. O celibato era um fenômeno extremamente raro na Palestina do século I. Um punhado de seitas, como a dos já mencionados essênios ou uma dos chamados terapeutas, praticavam o celibato, mas eram ordens quase monásticas; eles não só se recusavam a se casar como se divorciavam totalmente da sociedade. Jesus não fez nada do tipo. No entanto, embora possa ser tentador presumir que ele era casado, não se pode ignorar o fato de que em nenhum lugar, entre todas as palavras já escritas sobre Jesus de Nazaré, dos evangelhos canônicos aos evangelhos gnósticos e às cartas de Paulo, ou mesmo nas polêmicas judaicas e pagãs escritas contra ele, há qualquer menção a uma esposa ou filhos.

No fim das contas, é simplesmente impossível dizer muito sobre o início da vida de Jesus em Nazaré. Isso porque, antes de Jesus ser declarado messias, não importava que tipo de infância um camponês judeu de um vilarejo insignificante na Galileia pudesse ou não ter tido. Depois que Jesus foi declarado messias, os únicos aspectos de sua infância e adolescência que contavam eram os que poderiam ser criativamente imaginados para sustentar qualquer pretensão teológica que se estivesse tentando fazer sobre a identidade de Jesus como Cristo. Para melhor ou pior, o único acesso que se pode ter ao verdadeiro Jesus não vem das histórias que foram contadas sobre ele após sua morte, mas sim do conhecimento de uma série de fatos que podemos reunir de sua vida, como parte de uma grande família judaica de carpinteiros/construtores lutando para sobreviver na pequena aldeia galileia de Nazaré.

O problema com Nazaré é que ela era uma cidade de barro e tijolos. Mesmo as construções mais elaboradas, por assim dizer, teriam sido feitas de pedra – mas havia vigas de madeira nos telhados e, certamente, as portas teriam sido feitas desse material. Um punhado de nazarenos poderia ter sido capaz de pagar mobiliário de madeira – uma mesa, alguns bancos, e talvez alguns poderiam ter possuído jugos e arados de madeira com que semear suas magras parcelas de terra. Mas, mesmo se considerarmos que *tekton* significa um artesão que trabalha com qualquer aspecto dos negócios de construção, as cerca de cem famílias empobrecidas de um vilarejo modesto e totalmente esquecível como Nazaré, a maioria das quais vivia pouco acima do nível de subsistência, não poderiam, de nenhuma forma, ter sustentado a família de Jesus. Tal como acontece com a maioria dos artesãos e diaristas, Jesus e seus irmãos tiveram que ir para vilarejos ou cidades maiores para oferecer seu trabalho. Felizmente, Nazaré estava a uma curta caminhada de uma das maiores e mais ricas cidades da Galileia – sua capital, Séforis.

Séforis era uma metrópole urbana sofisticada, tão rica quanto Nazaré era pobre. Enquanto Nazaré não tinha uma única estrada pavimentada, as estradas em Séforis eram largas avenidas calçadas com lajes de pedra polida e ladeadas por casas de dois andares ostentando pátios abertos e cisternas privativas escavadas na rocha. Os nazarenos compartilhavam um único banheiro público. Em Séforis, dois aquedutos separados fundiam-se no centro da cidade, fornecendo água suficiente para os grandes banhos luxuosos e latrinas públicas que serviam quase toda a população de cerca de 40 mil habitantes. Havia vilas romanas e mansões palacianas, algumas cobertas de mosaicos coloridos representando alegres homens nus caçando aves, mulheres com guirlandas carregando cestas de frutas, meninos dançando e tocando instrumentos musicais. Um teatro romano, no centro da cidade, tinha 4.500 assentos, e uma intrincada teia de estradas e rotas de comércio ligava Séforis à Judeia e ao resto das cidades da Galileia, fazendo dela um importante polo de cultura e comércio.

Embora Séforis fosse uma cidade predominantemente judaica, como evidenciado pelas sinagogas e casas de banho ritual lá descobertas, ela era habitada por um tipo de judeus totalmente diferente dos que eram encontrados em grande parte da Galileia. Rica, cosmopolita, profundamente influenciada pela cultura grega e cercada por uma panóplia de raças e religiões, os judeus de Séforis eram o produto da revolução social de Herodes – os novos-ricos que ganharam destaque após o massacre da velha aristocracia sacerdotal. A cidade em si foi um grande marco por muitos anos – depois de Jerusalém, é a cidade mais citada na literatura rabínica. Séforis foi o centro administrativo da Galileia durante a dinastia dos macabeus. Durante o reinado de Herodes, o Grande, tornou-se um posto militar vital, onde as armas e provisões de guerra eram armazenadas. No entanto, não foi senão após Antipas (a "Raposa"), filho de Herodes, tê-la escolhido como sede real de sua tetrarquia, provavelmente por volta da virada do século I d.C., que a valente cidade de Séforis se tornou conhecida em toda a Palestina como "o ornamento da Galileia".

Como seu pai, Antipas tinha uma paixão por projetos de construção em grande escala, e em Séforis ele encontrou uma folha em branco sobre a qual projetar uma cidade com o seu perfil. Isso porque, quando Antipas chegou a Séforis com um grupo de soldados romanos a tiracolo, a cidade já não era mais o ponto central da Galileia, como tinha sido sob o governo de seu pai. Era ainda um amontoado fumegante de cinzas e pedra, uma vítima da retaliação romana às rebeliões que tinham estourado em toda a Palestina na esteira da morte de Herodes, o Grande, em 4 a.C.

Quando Herodes morreu, deixou para trás muito mais do que uma população fervilhante ansiosa para se vingar de seus amigos e aliados. Ele também deixou uma multidão de desempregados pobres que tinha inundado Jerusalém, vinda das aldeias rurais para construir seus palácios e teatros. A diversão de Herodes com as construções monumentais, e especialmente o seu projeto de expansão do Templo, havia empregado dezenas de milhares de camponeses e diaristas, muitos dos quais haviam sido expulsos de suas terras pela seca ou pela fome ou, muitas vezes, pela persistência malévola dos cobradores de dívidas. Mas com o fim do *boom* da construção em Jerusalém e a conclusão do Templo pouco antes da morte de Herodes, esses camponeses e trabalhadores diaristas de repente se viram desempregados e expulsos da Cidade Santa para se virarem sozinhos. Como resultado, o campo mais uma vez tornou-se um foco de atividade revolucionária, tal como acontecera antes de Herodes ter sido declarado rei.

Foi nessa época que um novo e muito mais temível grupo de bandidos surgiu na Galileia, liderado por um professor carismático e revolucionário conhecido como Judas, o Galileu. As tradições dizem que Judas era filho do famoso chefe dos bandidos Ezequias, o messias fracassado que Herodes havia capturado e decapitado quarenta anos antes como parte de sua campanha para limpar o campo da ameaça dos bandidos. Depois da morte de Herodes, Judas, o Galileu, juntou forças com um misterioso fariseu de nome Zadoque para lançar um movimento de independência totalmente novo que Josefo chama de a "Quarta Filosofia", para diferenciá-la das outras três "filosofias": os fariseus, os saduceus e os essênios. O que colocava os membros da Quarta Filosofia à parte do resto era seu compromisso inabalável com a libertação de Israel do jugo estrangeiro e sua insistência fervorosa, até a morte, de que eles serviriam a nenhum senhor, mas apenas ao Deus Único. Havia um termo bem-definido para esse tipo de crença, um termo que todos os judeus piedosos, independentemente da posição política, teriam reconhecido e orgulhosamente reivindicado para si: *zelo*.

    Zelo implicava uma adesão estrita à Torá e à Lei, uma recusa em servir a qualquer mestre estrangeiro – servir a qualquer mestre humano de maneira geral – e uma devoção intransigente à soberania de Deus. Ser zeloso ao Senhor era andar nas pegadas ardentes dos profetas e heróis do passado, homens e mulheres que não toleraram ninguém que quisesse se associar a Deus, que não se curvaram a nenhum rei exceto o Rei do Mundo e que lidaram cruelmente com a idolatria e com aqueles que transgrediram a lei de Deus. A própria terra de Israel tinha sido conquistada através do zelo, pois foram os guerreiros zelosos de Deus que a purificaram de todos os estrangeiros e dos idólatras, assim como Deus tinha exigido. "Quem sacrificar a qualquer deus que não ao Senhor será totalmente aniquilado." (Êxodo 22:20)

    Muitos judeus na Palestina do século I se esforçaram para viver uma vida de zelo, cada um à sua própria maneira. Mas houve alguns que, a fim de preservar os seus ideais zelosos, estavam dispostos a recorrer a atos extremos de violência se necessário, não apenas contra os romanos e as massas não circuncidadas, mas contra os compatriotas judeus, aqueles que ousaram se submeter a Roma. Eles foram chamados de *zelotas*.

Esses "zelotas" não devem ser confundidos com o partido zelota que surgiria sessenta anos mais tarde, após a revolta judaica em 66 d.C. Durante a vida de Jesus, o zelotismo não significava uma clara designação sectária ou um partido político. Era uma ideia, uma aspiração, um modelo de piedade indissoluvelmente ligado ao sentimento generalizado de expectativa apocalíptica que tinha tomado os judeus na esteira da ocupação romana. Havia um sentimento, especialmente entre os camponeses e os pobres devotos, de que a presente ordem das coisas estava chegando ao fim, de que uma ordem nova e de inspiração divina estava prestes a revelar-se. O Reino de Deus estava próximo. Todos falavam sobre isso. Mas esse Reino só poderia ser anunciado pelos que tivessem o *zelo* de lutar por ele.

Tais ideias já existiam muito antes de aparecer Judas, o Galileu. Mas Judas foi talvez o primeiro líder revolucionário a fundir banditismo e fanatismo zelota em uma única força revolucionária, fazendo da resistência a Roma um dever religioso de todos os judeus. Foi a feroz determinação de Judas de fazer o que fosse preciso para libertar os judeus do jugo estrangeiro e limpar a terra em nome do Deus de Israel que fez da Quarta Filosofia um modelo de resistência zelosa para os inúmeros revolucionários apocalípticos que, algumas décadas mais tarde, uniriam forças para expulsar os romanos da Terra Santa.

Em 4 a.C., com Herodes, o Grande, morto e enterrado, Judas e seu pequeno exército de zelotas fizeram um assalto ousado em Séforis. Eles invadiram o arsenal real da cidade e apreenderam para si as armas e provisões que estavam armazenadas no interior. Agora totalmente armados e acompanhados por alguns simpatizantes seforianos, os membros da Quarta Filosofia lançaram uma guerra de guerrilha em toda a Galileia, saqueando as casas dos ricos e poderosos, incendiando aldeias e repartindo a justiça de Deus sobre a aristocracia judaica e os que continuavam a declarar sua lealdade a Roma.

O movimento cresceu em tamanho e ferocidade durante toda a década seguinte, marcada por violência e instabilidade. Então, no ano 6 d.C., quando a Judeia tornou-se oficialmente uma província romana e o governador da Síria, Quirino, pediu um censo para registrar, cadastrar e taxar devidamente as pessoas e os bens em algumas partes da região recém-adquirida, os membros da Quarta Filosofia aproveitaram a oportunidade. Eles usaram o censo para fazer um apelo final aos judeus para que se unissem a eles contra Roma e lutassem por sua liberdade. O censo, argumentavam, era uma abominação. Era a afirmação da escravidão dos judeus. Ser voluntariamente registrado, como ovelhas, era, na visão de Judas, equivalente a declarar fidelidade a Roma. Era uma admissão de que os judeus não eram a tribo escolhida de Deus, mas a propriedade pessoal do imperador.

Não era o censo propriamente que tanto enfurecia Judas e seus seguidores; era a própria ideia de pagar qualquer imposto ou tributo a Roma. Que sinal mais evidente da subserviência dos judeus seria necessário? O tributo era particularmente ofensivo, uma vez que implicava que a terra pertencia a Roma, e não a Deus. De fato, o pagamento do tributo tornou-se, para os zelotas, um teste de religiosidade e de fidelidade a Deus. Simplificando: se você pensa que é lícito pagar tributo a César, então você é um traidor e um apóstata. Você merece morrer.

Inadvertidamente ajudando a causa de Judas havia o canhestro sumo sacerdote na época, um lacaio romano chamado Joazar, que de bom grado concordou com o censo de Quirino e encorajou seus companheiros judeus a fazerem o mesmo. A conivência do sumo sacerdote era toda a prova de que Judas e seus seguidores necessitavam de que o próprio Templo tinha sido contaminado e deveria ser forçosamente resgatado das mãos pecadoras da aristocracia sacerdotal. Do ponto de vista dos zelotas de Judas, a aceitação do censo por Joazar foi sua sentença de morte. O destino da nação judaica dependia de matar o sumo sacerdote. O zelo assim o exigia. Assim como os filhos de Matatias "mostraram zelo pela lei" ao matar os judeus que faziam sacrifícios a qualquer um que não a Deus (Macabeus 2:19-28), assim como Josias, rei de Judá, massacrou todos os homens não circuncidados em sua terra por causa do "zelo pelo Poderoso" (2 Baruque 66:5), agora esses zelotas deviam fazer voltar a ira de Deus sobre Israel, livrando a terra dos judeus traidores – como o sumo sacerdote.

Fica claro, a partir do fato de que os romanos removeram o sumo sacerdote Joazar de seu posto não muito tempo depois de ter ele incentivado os judeus a obedecerem ao censo, que o argumento de Judas prevaleceu. Josefo, que tinha muito pouco de positivo a dizer sobre Judas, o Galileu (ele o chama de "sofista", um pejorativo que para Josefo significava um encrenqueiro, um perturbador da paz, um enganador dos jovens), observa um tanto enigmaticamente que Joazar foi "derrubado" pelo argumento dos zelotas.

O problema de Josefo com Judas parece não ter sido sua "sofística" ou seu uso da violência, mas sim o que ele chama, ironicamente, as "aspirações reais de Judas". O que Josefo quer dizer é que ao lutar contra a subjugação dos judeus e preparar o caminho para o estabelecimento do Reino de Deus na terra, Judas, como seu pai, Ezequias, antes dele, estava reivindicando para si o manto do messias, o trono do rei Davi. E, como seu pai antes dele, Judas iria pagar o preço de sua ambição.

Pouco depois de ter liderado o ataque contra o censo, Judas, o Galileu, foi capturado por Roma e morto. Como retribuição por terem cedido suas armas para os seguidores de Judas, os romanos marcharam sobre Séforis e a queimaram até o chão. Os homens foram massacrados, as mulheres e crianças, leiloadas como escravas. Mais de 2 mil rebeldes e simpatizantes foram crucificados em massa. Pouco tempo depois, Herodes Antipas chegou e começou a trabalhar imediatamente para transformar as esmagadas ruínas de Séforis em uma extravagante cidade, digna de um rei.

Jesus de Nazaré provavelmente nasceu no mesmo ano em que Judas, o Galileu – Judas, o messias fracassado, filho de Ezequias, o messias fracassado –, tumultava o campo, ardendo de zelo. Ele teria cerca de dez anos de idade quando os romanos capturaram Judas, crucificaram seus seguidores e destruíram Séforis. Quando Antipas começou a reconstruir a cidade com toda a dedicação, Jesus era um homem jovem, pronto para trabalhar no comércio de seu pai. Nessa época, praticamente todos os trabalhadores artesanais e diaristas da província teriam afluído a Séforis para tomar parte no que foi o maior projeto de restauração do período, e pode-se estar certo de que Jesus e seus irmãos, que viviam a uma curta distância, em Nazaré, teriam estado entre eles. De fato, desde o momento em que começou seu aprendizado como *tekton* até o dia em que lançou seu ministério como pregador itinerante, Jesus teria passado a maior parte de sua vida não na pequena aldeia de Nazaré, mas na capital cosmopolita que era Séforis: o menino camponês em uma cidade grande.

Seis dias por semana, de sol a sol, Jesus teria trabalhado na cidade real, construindo casas principescas para a aristocracia judaica durante o dia, retornando à sua arruinada casa de paredes de barro à noite. Ele teria testemunhado por si mesmo a rápida e crescente divisão entre os absurdamente ricos e os pobres endividados. Teria se misturado com a população helenizada e romanizada da cidade: aqueles ricos, desobedientes judeus que passavam tanto tempo elogiando o imperador de Roma como o faziam ao Senhor do Universo. E certamente teria conhecido as façanhas de Judas, o Galileu.

Pois enquanto a população de Séforis parecia ter sido domesticada e transformada, após a rebelião de Judas, em um modelo de cooperação romana – tanto que, em 66 d.C., quando a maioria da Galileia juntou-se à revolta contra Roma, Séforis imediatamente declarou sua lealdade ao imperador e tornou-se uma guarnição romana durante a batalha para recuperar Jerusalém –, a memória de Judas, o Galileu, e do que ele realizou não desapareceram de Séforis. Essa memória não desapareceu entre os trabalhadores braçais e os despossuídos, entre aqueles que, como Jesus, passavam seus dias assentando tijolos para construir outra mansão para mais um nobre judeu. Sem dúvida, Jesus também teria tido conhecimento das aventuras de Herodes Antipas, "aquela Raposa", como Jesus o chama (Lucas 13:31), que viveu em Séforis até por volta de 20 d.C., quando se mudou para Tiberíades, na costa do mar da Galileia. De fato, Jesus pode ter visto regularmente o homem que um dia iria cortar a cabeça de seu amigo e mentor João Batista, e que procuraria fazer o mesmo com ele.

5. Onde está sua frota para varrer os mares romanos?

O PREFEITO PÔNCIO PILATOS chegou a Jerusalém no ano 26 d.C. Ele era o quinto prefeito, ou governador, que Roma enviava para supervisionar a ocupação da Judeia. Após a morte de Herodes, o Grande, e a demissão de seu filho Arquelau como etnarca em Jerusalém, Roma decidiu que seria melhor governar a província diretamente, ao invés de fazê-lo novamente por meio de outro rei-cliente judeu.

Os Pôncio eram samnitas, descendentes da região montanhosa do Samnio, ao sul de Roma, uma nação resistente, de pedra e sangue e de homens brutais que haviam sido vencidos e absorvidos à força pela República Romana no século III a.C. Pilatos era um epíteto que significa "hábil com uma lança", um tributo talvez ao pai de Pilatos, cuja glória como soldado romano sob Júlio César tinha permitido aos Pôncio subir de suas origens humildes para a classe de cavaleiros romanos. Pilatos, como todos os cavaleiros romanos, cumpria seu dever militar esperado para com o Império. Mas ele não era um soldado como o pai – era um administrador, mais confortável com contas e registros do que com espadas e lanças. No entanto, não era um homem menos duro. As fontes o descrevem como sendo cruel, insensível e rígido: um orgulhoso e imperioso romano, com pouca atenção para as sensibilidades dos povos submetidos.

O desprezo de Pilatos para com os judeus ficou óbvio desde o primeiro dia em que chegou a Jerusalém, adornado com túnica branca e couraça dourada, uma capa vermelha sobre os ombros. O novo governador anunciou sua presença na Cidade Santa marchando pelos portões de Jerusalém seguido por uma legião de soldados romanos carregando estandartes com a imagem do imperador, uma ostentação de desprezo para com as sensibilidades judaicas. Mais tarde, ele introduziu um conjunto de escudos romanos dourados dedicados a Tibério, "filho do divino Augusto", no Templo de Jerusalém. Os escudos eram uma oferenda em nome dos deuses romanos, a sua presença no Templo judeu um ato deliberado de blasfêmia. Informado por seus engenheiros que Jerusalém precisava reconstruir seus velhos aquedutos, Pilatos simplesmente pegou o dinheiro para pagar o projeto do tesouro do Templo. Quando os judeus protestaram, Pilatos enviou suas tropas para matá-los nas ruas.

Os evangelhos apresentam Pilatos como um homem justo, mas sem força de vontade e tão perturbado pela dúvida de condenar Jesus de Nazaré à morte que faz tudo em seu poder para salvá-lo, finalmente lavando as mãos de todo o episódio quando os judeus exigem seu sangue. Isso é pura ficção. Pilatos era mais conhecido por sua extrema depravação, seu total desrespeito pela lei e as tradições judaicas, sua aversão mal disfarçada pela nação judaica como um todo. Durante seu mandato em Jerusalém, ele tão avidamente enviou milhares e milhares de judeus para a cruz, e sem julgamento, que o povo de Jerusalém se sentiu obrigado a apresentar uma queixa formal ao imperador romano.

Apesar disso, ou talvez por causa dessa fria e dura crueldade para com os judeus, Pôncio Pilatos se tornou um dos mais longevos governadores romanos na Judeia. Era um trabalho perigoso e volátil. A tarefa mais importante do governador era garantir o fluxo ininterrupto de receitas fiscais para Roma. Mas, para isso, ele tinha que manter um relacionamento funcional, embora frágil, com o sumo sacerdote; o governador administraria os assuntos civis e econômicos da Judeia, enquanto o sumo sacerdote manteria o culto do Templo. A ligação tênue entre os dois cargos significava que nenhum governador romano ou sumo sacerdote judeu durava muito tempo, especialmente nas primeiras décadas após a morte de Herodes. Os cinco governadores antes de Pilatos serviram apenas poucos anos cada um, a única exceção sendo o antecessor imediato de Pilatos, Valério Grato. Mas, enquanto Grato nomeou e exonerou cinco diferentes sumos sacerdotes em seu tempo como governador, ao longo do mandato de uma década de Pilatos ele teve apenas um sumo sacerdote com quem tratar: José Caifás.

Como a maioria dos sumos sacerdotes, Caifás era um homem extremamente rico, embora essa riqueza possa ter vindo de sua esposa, filha de um sumo sacerdote anterior chamado Ananus. Caifás provavelmente foi nomeado para o cargo não por seu próprio mérito, mas por meio da influência do sogro, um personagem surpreendente, que conseguiu passar a posição para cinco de seus filhos, permanecendo uma força significativa durante toda a administração de Caifás. De acordo com o evangelho de João, depois que Jesus foi preso no Jardim do Getsêmani, ele foi levado até Ananus para interrogatório antes de ser arrastado até Caifás para o julgamento (João 18:13).

Grato havia designado Caifás como sumo sacerdote no ano 18 d.C., ou seja, ele já cumprira oito anos no cargo quando Pilatos chegou a Jerusalém. Parte da razão de Caifás ter sido capaz de ocupar o posto por inéditos dezoito anos foi a estreita relação que acabou forjando com Pôncio Pilatos. Os dois homens trabalhavam bem juntos. O período de seu governo combinado, de 26 d.C. a 36 d.C., coincidiu com o período mais estável em todo o século I. Juntos, eles conseguiram manter inoperante o impulso revolucionário dos judeus, tratando cruelmente qualquer indício de perturbação política, não importa quão pequena.

No entanto, apesar de seus melhores esforços, Pilatos e Caifás foram incapazes de extinguir o zelo que tinha sido aceso nos corações dos judeus pelos levantes messiânicos que ocorreram na virada do século, os de Ezequias, o chefe dos bandidos, Simão da Pereia, Atronges, o menino pastor, e Judas, o Galileu. Não muito tempo depois de Pilatos ter chegado a Jerusalém, uma nova safra de pregadores, profetas, bandidos e messias começou a perambular pela Terra Santa, reunindo discípulos, pregando a libertação de Roma e prometendo a vinda do Reino de Deus. Em 28 d.C., um pregador asceta chamado João começou a batizar as pessoas nas águas do rio Jordão, iniciando-as no que ele acreditava ser a verdadeira nação de Israel. Quando a popularidade de João Batista tornou-se grande demais para ser controlada, o tetrarca de Pilatos na

Pereia, Herodes Antipas, mandou prendê-lo e o executou por volta de 30 d.C. Poucos anos mais tarde, um carpinteiro de Nazaré chamado Jesus guiou um grupo de discípulos em uma procissão triunfante para dentro de Jerusalém, onde ele atacou o Templo, virou as mesas dos cambistas e soltou de suas gaiolas os animais para sacrifício. Ele também foi capturado e sentenciado à morte por Pilatos. Três anos depois, em 36 d.C., um messias conhecido apenas como "o Samaritano" reuniu um grupo de seguidores no topo do monte Gerizim, onde alegou que revelaria "vasos sagrados" escondidos lá por Moisés. Pilatos respondeu com um destacamento de soldados romanos que escalaram Gerizim e cortaram em pedaços a fiel multidão do samaritano.

Foi esse ato final de violência desenfreada no monte Gerizim que encerrou o mandato de governador de Pilatos em Jerusalém. Convocado a Roma para explicar suas ações ao imperador Tibério, Pilatos nunca mais voltou para a Judeia. Ele foi exilado para a Gália em 36 d.C. Considerando sua estreita relação de trabalho, pode não ser por acaso que José Caifás foi demitido do cargo de sumo sacerdote no mesmo ano.

Sem Pilatos e Caifás, não havia mais qualquer esperança de sufocar as paixões revolucionárias dos judeus. Na metade do século, toda a Palestina estava cheia de energia messiânica. Em 44 d.C., um profeta milagroso chamado Teudas coroou-se messias e trouxe centenas de seguidores ao Jordão, prometendo dividir as águas do rio, assim como Moisés tinha feito no mar Vermelho mil anos antes. Isso, segundo ele, seria o primeiro passo para recuperar a Terra Prometida de Roma. Os romanos, em resposta, enviaram um exército para cortar a cabeça de Teudas e dispersar seus seguidores no deserto. Em 46 d.C., dois filhos de Judas, o Galileu, Jacó e Simão, lançaram seu próprio movimento revolucionário nos passos de seu pai e avô; ambos foram crucificados por suas ações.

O que Roma necessitava para manter essas agitações messiânicas sob controle era de uma mão firme e sensível, alguém que iria responder aos protestos dos judeus e ainda manter a paz e a ordem na região da Judeia e nos campos da Galileia. O que Roma enviou a Jerusalém em vez disso foi uma série de governadores despreparados, cada um mais cruel e ganancioso do que o anterior, cuja corrupção e inépcia transformariam a raiva, o ressentimento e a mania apocalíptica que vinha se acumulando em toda a Palestina em uma revolução em grande escala.

Tudo começou com Ventídio Cumano, que estava baseado em Jerusalém em 48 d.C., dois anos após a revolta dos filhos de Judas ter sido debelada. Como governador, Cumano era pouco mais que um ladrão e um tolo. Um de seus primeiros atos foi alocar soldados romanos sobre os telhados dos pórticos do Templo para ostensivamente evitar o caos e a desordem durante a festa do Pêssach. No meio das celebrações sagradas, um desses soldados pensou que seria divertido baixar a roupa e mostrar as nádegas nuas para a congregação abaixo, ao mesmo tempo gritando palavras que Josefo, em seu decoro, descreve como "palavras que se poderia esperar de tal postura".

A multidão ficou furiosa. Um motim eclodiu na praça do Templo. Em vez de acalmar a situação, Cumano enviou um grupo de soldados romanos até o Monte do Templo para massacrar a turba em pânico. Os peregrinos que escaparam do assassinato ficaram imprensados nas saídas estreitas do pátio do Templo. Centenas de pessoas foram pisoteadas. As tensões aumentaram ainda mais quando um dos legionários de Cumano agarrou um rolo da Torá e o rasgou em pedaços na frente de uma assembleia judaica. Cumano executou o soldado às pressas, mas não foi o suficiente para acabar com a crescente raiva e descontentamento entre os judeus.

A crise se acentuou quando um grupo de viajantes judeus da Galileia foi atacado ao passar pela Samaria a caminho de Jerusalém. Quando Cumano negou o apelo dos judeus por justiça, supostamente porque os samaritanos o tinham subornado, um grupo de bandidos, liderados por um homem chamado Eleazar, filho de Dinaeus, tomou a justiça nas próprias mãos e partiu para o ataque na Samaria, matando cada samaritano que encontrava. Isso era mais do que um ato de vingança sangrenta: era uma afirmação de liberdade de um povo farto de permitir que a lei e a ordem ficassem nas mãos de um administrador de Roma desonesto e inconstante. O surto de violência entre os judeus e os samaritanos foi a gota d'água para o imperador. Em 52 d.C., Ventídio Cumano foi enviado para o exílio e Antônio Félix foi mandado para Jerusalém em seu lugar.

Como governador, Félix não se saiu melhor que o antecessor. Assim como Cumano, tratou os judeus sob seu comando com total desprezo. Usou o poder do dinheiro para jogar as diferentes facções judaicas em Jerusalém umas contra as outras, sempre a seu favor. Parecia, a princípio, desfrutar uma relação estreita com o sumo sacerdote Jônatas, um dos cinco filhos de Ananus que serviram na posição. Félix e Jônatas trabalharam em conjunto para reprimir as quadrilhas de bandidos na região da Judeia; Jônatas pode até mesmo ter desempenhado um papel na captura, por Félix, do chefe dos bandidos Eleazar, filho de Dinaeus, que foi enviado a Roma e crucificado. Mas, uma vez que o sumo sacerdote tinha servido ao propósito de Félix, foi deixado de lado. Alguns dizem que Félix teve influência no que aconteceu em seguida, pois foi sob seu governo que um novo tipo de bandido surgiu em Jerusalém: um obscuro grupo de rebeldes judeus que os romanos chamaram de sicários, ou "homens dos punhais", devido à sua propensão para as armas pequenas, fáceis de esconder, chamadas *sicae*, com os quais eles assassinavam os inimigos de Deus.

Os sicários eram zelotas alimentados pela visão apocalíptica do mundo e uma fervorosa devoção em estabelecer o governo de Deus na terra. Eles eram fanáticos em sua oposição à ocupação romana, embora reservassem sua vingança para os judeus, especialmente entre os ricos da aristocracia sacerdotal, que se submetiam ao domínio romano. Destemidos e incontroláveis, os sicários assassinavam seus adversários com impunidade: no meio da cidade, em plena luz do dia, no meio de grandes multidões, durante os dias de festa e festivais. Eles se misturavam às massas, os punhais escondidos dentro das capas, até que estivessem próximos o suficiente para atacar. Então, quando o homem morto caía no chão, coberto de sangue, os sicários embainhavam o punhal furtivamente e juntavam suas vozes aos gritos de indignação da multidão em pânico.

O líder dos sicários à época era um jovem judeu revolucionário chamado Menahem, neto de ninguém menos que o messias fracassado Judas, o Galileu. Menahem compartilhava o ódio do avô pela rica aristocracia sacerdotal em geral, e os untuosos sumos sacerdotes em particular. Para os sicários, Jônatas, filho de Ananus, era um impostor: um ladrão e um vigarista que tinha crescido rico, explorando o sofrimento das pessoas. Ele era tão responsável pela escravidão dos judeus como o imperador pagão em Roma. Sua presença no Monte do Templo contaminava toda a nação. Sua existência era uma abominação ao Senhor. Ele tinha que morrer.

No ano 56 d.C., os sicários, sob a liderança de Menahem, finalmente foram capazes de conseguir o que Judas, o Galileu, só tinha podido sonhar em realizar. Durante a festa do Pêssach, um assassino sicário abriu caminho através da massa de peregrinos que lotavam o Monte do Templo até chegar perto o suficiente do sumo sacerdote Jônatas para sacar um punhal e passá-lo em sua garganta. Depois, dissolveu-se de novo na multidão.

O assassinato do sumo sacerdote lançou Jerusalém em pânico. Como poderia o líder da nação judaica, o representante de Deus na terra, ser morto em plena luz do dia, no meio do pátio do Templo e, aparentemente, com impunidade? Muitos se recusavam a acreditar que o culpado poderia ter sido um judeu. Havia rumores de que o governador romano, Félix, tinha encomendado o assassinato ele próprio. Quem mais poderia ter sido tão profano a ponto de derramar o sangue do sumo sacerdote no terreno do Templo?

No entanto, os sicários tinham apenas começado seu reinado de terror. Gritando a palavra de ordem "Nenhum senhor senão Deus!", eles começaram a atacar os membros da classe dirigente judaica, saqueando seus bens, sequestrando seus familiares e queimando suas casas. Com essas táticas, eles semearam o terror nos corações dos judeus, de modo que, como Josefo escreve: "Mais terrível que seus crimes era o medo que eles despertavam, cada homem esperando a morte a qualquer momento, como na guerra."

Com a morte de Jônatas, o ardor messiânico em Jerusalém atingiu o auge. Havia um sentimento generalizado entre os judeus de que algo profundo estava acontecendo, uma sensação nascida do desespero, alimentada pelo anseio de um povo pela libertação do domínio estrangeiro. Zelo, o espírito que tinha alimentado o fervor revolucionário dos bandidos, profetas e messias, estava agora percorrendo a população como um vírus avançando pelo corpo. Já não podia ser contido no campo; sua influência foi sentida nas cidades, mesmo em Jerusalém. Não eram apenas os camponeses e marginais que estavam cochichando sobre os grandes reis e profetas que tinham libertado Israel de seus inimigos no passado. Os ricos e os que estavam em ascensão também foram se tornando cada vez mais animados pelo ardente desejo de purificar a Terra Santa da ocupação romana. Os sinais estavam por toda parte. As escrituras estavam prestes a ser cumpridas. O fim dos dias estava próximo.

Em Jerusalém, um homem santo chamado Jesus, filho de Ananias, apareceu de repente, profetizando a destruição da cidade e o iminente retorno do messias. Outro homem, um feiticeiro judeu misterioso chamado de "o Egípcio", declarou-se rei dos judeus e reuniu milhares de seguidores no Monte das Oliveiras, onde prometeu que, como Josué em Jericó, faria os muros de Jerusalém desmoronarem a seu comando. A multidão foi massacrada pelas tropas romanas, mas, até onde se sabe, o Egípcio escapou.

A reação atrapalhada de Félix a esses acontecimentos levou, finalmente, à sua demissão e substituição por outro homem, Pórcio Festo. Mas Festo não se saiu melhor do que Félix em lidar com a população judaica rebelde, seja no campo, onde o número de profetas e messias reunindo seguidores e pregando a libertação de Roma estava crescendo fora de controle, seja em Jerusalém, onde os sicários, impulsionados pelo sucesso em matar o sumo sacerdote Jônatas, estavam agora assassinando e saqueando à vontade. Festo ficou tão sobrecarregado pelo estresse da posição que morreu logo depois de tomar posse do cargo. Ele foi seguido por Luceio Albino, um notório degenerado, vigarista e incompetente que passou seus dois anos em Jerusalém enriquecendo, saqueando a riqueza da população. Depois de Albino veio Gessio Floro, cuja breve e turbulenta gestão é lembrada porque, primeiro, fez os anos sob Albino parecerem pacíficos em comparação, e segundo, porque ele seria o último governador romano que Jerusalém teria.

Era agora 64 d.C. Em dois anos a raiva, o ressentimento e o zelo messiânico que vinham crescendo em todo o país iriam entrar em erupção, em uma revolta em grande escala contra Roma. Cumano, Félix, Festo, Albino, Floro, cada um desses governadores havia contribuído, por meio de prevaricação, para a revolta judaica. A própria Roma tinha culpa, por sua má gestão e tributação excessiva da população sitiada. Certamente, a aristocracia judaica, com seus conflitos incessantes e seus esforços bajuladores para ganhar poder e influência, subornando autoridades romanas, compartilhava a responsabilidade pela deterioração da ordem social. E, sem dúvida, a liderança do Templo desempenhou um papel importante na promoção do sentimento generalizado de injustiça e pobreza esmagadora que tinha deixado tantos judeus sem escolha a não ser apelar para a violência. Adicione a tudo isso o confisco de terras privadas, os altos níveis de desemprego, o deslocamento e a urbanização forçada dos camponeses e a seca e a fome que devastaram os campos da Judeia e da Galileia, e era só uma questão de tempo antes que os fogos da rebelião engolissem toda a Palestina. Parecia que toda a nação judaica estava pronta para explodir em revolta aberta à menor provocação – que Floro foi tolo o suficiente para fazer.

Em maio de 66 d.C., Floro anunciou de repente que os judeus deviam a Roma 100 mil denários em impostos não pagos. Seguido por um exército de guarda-costas, o governador romano marchou para o Templo e invadiu a tesouraria, saqueando o dinheiro que os judeus tinham oferecido como um sacrifício a Deus. Tumultos se seguiram, e Floro respondeu enviando milhares de soldados romanos para a cidade alta para matar à vontade. Os soldados mataram mulheres e crianças. Invadiram casas e abateram pessoas em suas camas. A cidade tornou-se um caos. A guerra estava no horizonte.

Para acalmar a situação, os romanos enviaram aos judeus um deles: Agripa II, cujo pai, Agripa I, era um amado líder judeu que tinha conseguido manter estreita ligação com Roma. Embora o filho não compartilhasse a popularidade do falecido pai, era a melhor esperança que os romanos tinham para diminuir a tensão em Jerusalém. O jovem Agripa foi levado às pressas para a Cidade Santa em um último esforço para evitar a guerra. De pé no telhado do palácio real, com sua irmã Berenice a seu lado, ele suplicou aos judeus que encarassem a realidade da situação. "Vocês vão desafiar todo o Império Romano?", perguntou. "Qual é o exército, onde estão as armas? Onde está a sua frota para varrer os mares romanos? Onde está o seu tesouro para cobrir o custo das campanhas? Vocês realmente acham que estão indo para a guerra contra egípcios ou árabes? Vocês vão fechar os olhos para o poder do Império Romano? Vocês não vão medir sua própria fraqueza? Vocês são mais ricos que os gauleses, mais fortes que os germanos, mais inteligentes que os gregos, mais numerosos do que todos os povos do mundo? O que é que inspira vocês com tanta confiança para desafiar os romanos?"

Claro, os revolucionários tinham uma resposta à pergunta de Agripa. Era o zelo que os inspirava. O mesmo zelo que levou os macabeus a se livrarem do controle selêucida dois séculos antes, o zelo que tinha ajudado os israelitas a conquistar a Terra Prometida, em primeiro lugar, e que agora ajudava o bando desorganizado de revolucionários judeus a quebrar os grilhões da ocupação romana.

Ridicularizados e ignorados pela multidão, Agripa e Berenice não tinham escolha senão fugir da cidade. Ainda assim, até esse ponto, a guerra contra Roma poderia ter sido evitada se não fosse pelas ações de um jovem chamado Eleazar, que, como capitão do Templo, era o oficial sacerdotal com poderes para policiar os distúrbios nas imediações. Apoiado por um grupo de sacerdotes de classe baixa, Eleazar assumiu o controle do Templo e colocou um fim aos sacrifícios diários em nome do imperador. O sinal enviado a Roma era claro: Jerusalém havia declarado sua independência. Em um curto espaço de tempo, o resto da Judeia e da Galileia, Edom e Pereia, Samaria e todas as aldeias espalhadas pelo vale do mar Morto a seguiriam.

Menahem e os sicários uniram-se ao capitão do Templo. Juntos, expulsaram todos os não judeus de Jerusalém, como exigiam as escrituras. Eles localizaram e mataram o sumo sacerdote, que se escondera assim que a luta começou. Então, em um ato de profundo simbolismo, atearam fogo aos arquivos públicos. Os livros dos cobradores de dívidas e agiotas, as ações de propriedade e registros públicos, tudo ficou em chamas. Não haveria mais registro de quem era rico e quem era pobre. Todos nessa nova e divinamente inspirada ordem mundial iriam começar de novo.

Com a cidade baixa sob seu controle, os rebeldes começaram a fortificar-se para o inevitável ataque romano. No entanto, ao invés de enviar um enorme exército para retomar Jerusalém, Roma, inexplicavelmente, enviou uma pequena força, que os rebeldes facilmente repeliram antes de voltar sua atenção para a cidade alta, onde os poucos soldados restantes deixados em Jerusalém estavam escondidos em uma guarnição romana. Os soldados concordaram em se render em troca de passagem segura para fora da cidade. Mas quando depuseram as armas e saíram do seu reduto, os rebeldes se voltaram contra eles, matando todos até o último soldado, removendo completamente o flagelo da ocupação romana da cidade de Deus.

Depois disso, não havia como voltar atrás. Os judeus tinham acabado de declarar guerra ao maior império que o mundo já conheceu.

6. Ano Um

No FINAL, restaram apenas mil homens, mulheres e crianças – os últimos rebeldes a sobreviverem ao ataque romano. Era o ano de 73 d.C. Fazia sentido que o que se iniciara com os sicários terminasse com os sicários. A cidade de Jerusalém já havia sido queimada até o chão, suas paredes, derrubadas, sua população, massacrada. Toda a Palestina estava uma vez mais sob o controle romano. Tudo o que restava da rebelião eram esses últimos sicários que haviam fugido de Jerusalém com suas esposas e filhos e se enfiado no interior da fortaleza de Masada, na costa ocidental do mar Morto. Agora, aqui estavam eles, presos no topo de um penhasco isolado no meio de um deserto estéril, assistindo, impotentes, a uma falange de soldados romanos gradualmente abrir caminho até a face do rochedo – escudos levantados, espadas desembainhadas –, pronta para colocar um ponto final à rebelião que havia começado sete anos antes.

Os sicários vieram originalmente para Masada logo nos primeiros dias após o início da guerra contra Roma. Como uma fortaleza naturalmente fortificada e quase inexpugnável situada mais de mil metros acima do mar Morto, Masada tinha servido por muito tempo como refúgio para os judeus. Davi veio aqui para se esconder do rei Saul, quando este enviou seus homens para caçar o menino pastor que um dia iria tomar sua coroa. Os macabeus usaram Masada como base militar durante a revolta contra a dinastia selêucida. Um século depois, Herodes, o Grande, transformara Masada em uma verdadeira cidade-fortaleza, achatando a cúpula em forma de barco e a circundando com um muro maciço feito com as pedras brancas de Jerusalém. Herodes acrescentou armazéns e silos, cisternas para a água da chuva e até uma piscina. Ele também escondeu em

Masada armas suficientes, dizia-se, para armar um milhar de homens. Para si e sua família, Herodes construiu um monumental palácio em três níveis que pendia da proa norte do penhasco, logo abaixo da borda do cume, completo com salas de banho, fileiras de colunas cintilantes, mosaicos multicoloridos e uma deslumbrante vista de 180 graus do vale branco e salgado do mar Morto.

Depois da morte de Herodes, a fortaleza e os palácios em Masada, e o esconderijo de armas ali armazenadas, caíram nas mãos dos romanos. Quando a rebelião judaica começou em 66 d.C., os sicários, sob a liderança de Menahem, retomaram Masada e levaram suas armas de volta a Jerusalém, para unir forças com Eleazar, o capitão do Templo. Depois de ter tomado o controle da cidade e destruído os arquivos do Templo, os rebeldes começaram a cunhar moedas para celebrar a independência duramente conquistada. Elas foram gravadas com os símbolos da vitória – cálices e ramos de palmeira – e inscritas com divisas como "Liberdade de Sião" e "Jerusalém é santa", escritas não em grego, a língua dos pagãos e idólatras, mas em hebraico. Cada moeda foi conscientemente datada de "Ano Um", como se toda uma nova era tivesse começado. Os profetas tinham razão. Certamente, esse era o Reino de Deus.

No entanto, em meio às celebrações, enquanto Jerusalém ia sendo mantida e uma frágil calma ia descendo lentamente sobre a cidade, Menahem fez algo inesperado. Vestindo-se de roxo, ele fez uma entrada triunfal no pátio do Templo, onde, ladeado por seus devotos entre os sicários, todos armados, declarou-se abertamente o messias, rei dos judeus.

De certa forma, as ações de Menahem faziam todo sentido. Afinal, se o Reino de Deus de fato tinha sido estabelecido, então era hora de o messias aparecer, a fim de governá-lo em nome de Deus. E quem mais deveria usar as vestes reais e sentar-se no trono senão Menahem, neto de Judas, o Galileu, bisneto de Ezequias, o chefe dos bandidos? A suposição messiânica de Menahem era, para seus seguidores, apenas a realização das profecias: a etapa final na inauguração dos últimos dias.

Mas não foi assim que Eleazar, o capitão do Templo, viu a situação. Ele e os sacerdotes menores que lhe eram associados ficaram furiosos com o que viam como uma tomada de poder flagrante pelos sicários. Montaram, então, um plano para matar o autoproclamado messias e livrar a cidade de seus violentos seguidores. Enquanto Menahem desfilava pelo Templo em sua vestimenta real, os homens de Eleazar correram para o Monte do Templo e dominaram seus guardas. Eles arrastaram Menahem para fora e o torturaram até a morte. Os sicários sobreviventes mal conseguiram fugir vivos de Jerusalém. Eles se reuniram em sua base, no topo da fortaleza de Masada, onde esperaram durante o resto da guerra.

Os sicários esperaram por sete anos. Quando os romanos se reagruparam e voltaram para arrancar a Palestina do controle rebelde, à medida que as cidades e aldeias da Judeia e da Galileia eram arrasadas uma após a outra e suas populações domadas pela espada – e enquanto a própria Jerusalém era cercada e seus habitantes lentamente morriam de fome –, os sicários esperaram em sua fortaleza nas montanhas. Só depois de todas as cidades rebeldes terem sido destruídas e a terra, mais uma vez, estar sob seu controle é que os romanos voltaram suas vistas para Masada.

O regimento romano chegou ao pé de Masada em 73 d.C., três anos depois da queda de Jerusalém. Como os soldados não podiam atacar a fortaleza diretamente, eles primeiro construíram um muro maciço em volta de toda a base da montanha, para garantir que nenhum rebelde pudesse escapar sem ser detectado. Com a área protegida, os romanos construíram uma rampa íngreme até o abismo, no lado ocidental da face do penhasco, raspando lentamente dezenas de milhares de quilos de terra e pedra durante semanas a fio, mesmo com os rebeldes atirando-lhes pedras lá do alto. Em seguida, empurraram uma enorme torre de cerco até a rampa, a partir da qual passaram dias bombardeando os rebeldes com flechas e bolas de balista. Quando o perímetro do muro de Herodes finalmente cedeu, tudo que separava os romanos do último dos rebeldes judeus era uma parede interior apressadamente construída. Os romanos atearam fogo à parede e voltaram para seus acampamentos, para esperar pacientemente que ela entrasse em colapso por conta própria.

Amontoados dentro do palácio de Herodes, os sicários sabiam que o fim havia chegado. Os romanos certamente fariam com eles e suas famílias o que tinham feito com os habitantes de Jerusalém. Em meio ao silêncio de aço, um dos líderes sicários levantou-se e dirigiu-se a todos.

"Meus amigos, já que resolvemos há muito tempo nunca ser servos dos romanos, nem de ninguém mais além do próprio Deus, que é o único Senhor verdadeiro e justo da humanidade, chegou o momento de tornar essa resolução verdadeira na prática." Desembainhando o punhal, ele fez um último apelo. "Deus concedeu-nos o poder de morrer bravamente, e em estado de liberdade, o que não foi o caso para aqueles [em Jerusalém] que foram conquistados de forma inesperada."

O discurso teve o efeito desejado. Enquanto os romanos preparavam-se para o assalto final a Masada, os rebeldes sortearam entre eles para decidir a ordem com que prosseguiriam com o seu plano macabro. Então, pegaram seus punhais, os mesmos punhais que lhes tinham dado identidade, os punhais que tinham, com um golpe na garganta do sumo sacerdote, iniciado a guerra malfadada contra Roma, e começaram a matar suas esposas e seus filhos, antes de dirigir as lâminas uns contra os outros. Os últimos dez homens escolheram um dentre eles para matar os outros nove. O último homem incendiou o palácio inteiro. Em seguida, se matou.

Na manhã seguinte, quando os romanos pisaram triunfantes sobre a até então inexpugnável fortaleza de Masada, tudo o que encontraram foi uma calma fantasmagórica: 960 homens, mulheres e crianças mortos. A guerra finalmente terminara.

A questão é: por que demorou tanto tempo?

A notícia da revolta judaica tinha viajado rapidamente ao imperador Nero, que de imediato mandou um de seus homens de maior confiança, Tito Flávio Vespasiano, para retomar Jerusalém. Assumindo o comando de um enorme exército de mais de 60 mil combatentes, Vespasiano partiu imediatamente para a Síria, enquanto seu filho Tito foi para o Egito convocar as legiões romanas estacionadas em Alexandria. Tito iria levar suas tropas para o norte através de Edom, enquanto Vespasiano avançaria na direção sul, até a Galileia. O plano era pai e filho espremerem os judeus entre os dois exércitos e sufocarem a rebelião.

Uma a uma as cidades rebeldes cederam ao poderio de Roma enquanto Tito e Vespasiano esculpiam um rastro de destruição em toda a Terra Santa. Em 68 d.C., toda a Galileia, bem como Samaria, Edom, Pereia e toda a região do mar Morto, exceto Masada, estavam firmemente de volta ao controle romano. Tudo o que restava a Vespasiano fazer era enviar seus exércitos para a Judeia e devastar a sede da rebelião: Jerusalém.

Quando estava se preparando para o ataque final, porém, Vespasiano recebeu a notícia de que Nero havia cometido suicídio. Roma estava em tumulto. A guerra civil estava dilacerando a capital. No espaço de poucos meses, três homens diferentes – Galba, Oto e Vitélio – tinham se declarado imperador, cada um, por sua vez, violentamente derrubado por um sucessor. Houve um colapso total da lei e da ordem em Roma, com ladrões e vândalos saqueando a população, sem medo de consequências. Desde a guerra entre Otávio e Marco Antônio cem anos antes, os romanos não experimentavam tal agitação civil. Tácito descreveu o período como "rico em desastres, terrível, com batalhas, dilacerado por lutas civis, horrível mesmo em paz".

Estimulado pelas legiões sob seu comando, Vespasiano interrompeu a campanha na Judeia e voltou apressadamente a Roma para fazer valer seu próprio direito ao trono. A pressa, ao que parece, era desnecessária. Muito antes de chegar à capital, no verão de 70 d.C., seus seguidores haviam tomado o controle da cidade, assassinado seus rivais e declarado Vespasiano imperador único.

No entanto, a Roma que Vespasiano agora governava havia passado por uma profunda transformação. A agitação civil em massa dera origem a uma enorme consternação quanto ao declínio do poder e da influência romana. A situação na distante Judeia era particularmente irritante. Já era ruim o suficiente que os judeus inferiores tivessem se rebelado em primeiro lugar, e era inconcebível que, depois de três longos anos, a rebelião ainda não tivesse sido esmagada. Outros povos dominados tinham se revoltado, é claro. Mas aqueles não eram gauleses ou bretões; eram camponeses supersticiosos atirando pedras. A própria escalada da revolta judaica, e o fato de que ela havia chegado em um momento de profunda angústia social e política em Roma, criara algo semelhante a uma crise de identidade entre os cidadãos romanos.

Vespasiano sabia que, para consolidar sua autoridade e resolver o mal-estar que se abatera sobre Roma, precisava desviar a atenção das pessoas para longe de seus problemas domésticos e em direção a uma conquista estrangeira espetacular. Uma pequena vitória não serviria. O que o imperador precisava era de uma vitória absoluta contra uma força inimiga. Ele precisava de um triunfo: a exibição fabulosa do poderio de Roma, repleta de prisioneiros, escravos e despojos para conquistar os cidadãos descontentes e infundir terror nos corações dos súditos. Assim, logo ao assumir o trono, Vespasiano decidiu-se por completar a tarefa que havia deixado inacabada na Judeia. Ele não iria simplesmente anular a rebelião judaica – isso seria insuficiente para seu objetivo. Ele iria aniquilar totalmente os judeus. Iria varrê-los da face da terra. Devastar seus territórios. Queimar seu templo. Destruir seu culto. Matar seu deus.

De sua elevada posição em Roma, Vespasiano mandou dizer a seu filho Tito que marchasse imediatamente para Jerusalém e não poupasse nenhuma despesa para levar a rebelião dos judeus a um fim rápido e decisivo. O que o imperador não poderia saber era que a rebelião estava à beira de entrar em colapso por conta própria. Não muito tempo depois do assassinato de Menahem e de os sicários terem sido banidos de Jerusalém, os rebeldes começaram a se preparar para a invasão romana que eles previam como certa. Os muros que cercavam a cidade foram fortificados e preparativos foram feitos para reunir tanto equipamento militar quanto estava disponível. Espadas e flechas foram coletadas, armaduras, forjadas, catapultas e bolas de balista, empilhadas ao longo do perímetro da cidade. Os rapazes foram rapidamente treinados em combate corpo a corpo. Toda a cidade estava em pânico enquanto os rebeldes tomavam suas posições e esperavam que os romanos voltassem para recuperar Jerusalém.

Mas os romanos nunca vieram. Os rebeldes certamente estavam cientes da devastação ocorrendo ao seu redor. Cada dia uma horda de refugiados feridos e sangrando chegava a Jerusalém – a cidade mal cabia em suas fronteiras. Mas as represálias romanas tinham sido, até então, dirigidas exclusivamente ao campo e aos principais redutos rebeldes, como Tiberíades, Gamala e Gischala. Quanto mais tempo os rebeldes esperavam pela chegada dos romanos a Jerusalém, mais fracionada e instável se tornava a liderança da cidade.

Logo no início, formara-se um tipo de governo de transição, composto principalmente por membros da aristocracia sacerdotal que tinham se juntado à rebelião, muitos deles com relutância. Essa chamada facção "moderada" era a favor de chegar a um acordo com Roma, se isso ainda fosse possível. Eles queriam render-se incondicionalmente, implorar por misericórdia e apresentar-se mais uma vez ao domínio romano. Os moderados desfrutavam de uma boa dose de apoio em Jerusalém, especialmente entre os judeus mais ricos, que estavam procurando uma maneira de preservar o seu status e sua propriedade, para não falar da própria vida.

Mas uma facção ainda maior e com mais voz estava convencida de que Deus havia levado os judeus à guerra contra Roma, e que Deus os levaria à vitória. As coisas poderiam parecer sombrias no momento, e o inimigo, invencível. Mas isso fazia parte do plano divino de Deus. Os profetas não tinham advertido que nos últimos dias "os lugares semeados devem parecer não semeados e os depósitos deverão ser encontrados vazios" (2 Esdras 6:22)? No entanto, se os judeus permanecessem fiéis ao Senhor, então muito em breve veriam Jerusalém vestida de glória. As trombetas soariam e todos os que as ouvissem seriam atingidos pelo medo. As montanhas se achatariam e a terra se abriria para engolir os inimigos de Deus. Tudo o que era necessário era fé. Fé e zelo.

À frente desse grupo existia uma coalizão de camponeses, sacerdotes de ordens inferiores, gangues de bandidos e refugiados recém-chegados que se juntaram para formar uma facção revolucionária chamada partido zelota. Pobres, piedosos e antiaristocráticos, os membros do partido zelota queriam permanecer fiéis à intenção original da revolta: purificar a Terra Santa e estabelecer o governo de Deus na terra. Eles eram violentamente contrários ao governo de transição e seus planos para a rendição da cidade a Roma. Aquilo era uma blasfêmia. Era traição. E o partido zelota conhecia bem a punição para ambas.

O partido zelota dominou o pátio interior do Templo, que era permitido apenas aos sacerdotes, e a partir daí desencadeou uma onda de terror contra os que eram considerados insuficientemente leais à rebelião: a aristocracia rica, os judeus de classe alta, os antigos nobres herodianos e os ex-líderes do Templo, os sumos sacerdotes e todos aqueles que fossem do lado moderado. Os líderes do partido zelota formaram seu próprio governo paralelo e sortearam qual deles seria o próximo sumo sacerdote. A sorte saiu para um camponês analfabeto chamado Fanni, filho de Samuel, que, trajado com as vestes vistosas do sumo sacerdote, foi colocado diante da entrada do Santo dos Santos para que lhe ensinassem como realizar os sacrifícios, enquanto os remanescentes da nobreza sacerdotal assistiam de longe, chorando com o que eles entendiam como a profanação de sua santa linhagem.

À medida que o derramamento de sangue e as batalhas internas entre grupos rivais continuavam, mais refugiados inundavam a cidade, jogando lenha na fogueira de sectarismo e discórdia que ameaçava engolir toda Jerusalém. Com os moderados silenciados, havia agora três principais lados que disputavam entre si o controle da cidade. Enquanto o partido zelota, com cerca de 2.500 homens, mantinha o pátio interior do Templo, os pátios exteriores caíram nas mãos do ex-líder da rebelião em Gischala, um rico urbanita chamado João, que por pouco havia escapado da destruição romana em sua cidade.

No começo, João de Gischala juntou seu bando ao partido zelota, com o qual compartilhava a devoção aos princípios religiosos da revolução. Se o próprio João poderia ser chamado de zelota é difícil dizer. Era, sem dúvida, um nacionalista feroz, com um ódio profundo de Roma em um momento em que o sentimento nacional e a expectativa messiânica eram indissociáveis. Ele chegou a derreter os vasos sagrados do Templo para transformá-los em instrumentos de guerra com os quais combater os exércitos de Roma. Mas uma luta pelo controle do Templo finalmente forçou João a romper com o partido zelota e formar sua própria coalizão, que consistia em cerca de 6 mil combatentes.

O terceiro e maior grupo rebelde em Jerusalém era liderado por Simão, filho de Giora, um dos chefes dos bandidos que lutaram contra o assalto inicial a Jerusalém por Céstio Galo. Simão passara o primeiro ano da revolta judaica vasculhando a região da Judeia, saqueando as terras dos ricos, libertando escravos e ganhando reputação como defensor dos pobres. Após uma breve estada com os sicários em Masada, Simão chegou a Jerusalém com um enorme exército pessoal de 10 mil homens. No início, a cidade acolheu-o, esperando que ele pudesse controlar os excessos do partido zelota e cortar as asas de João de Gischala, que estava se tornando cada vez mais autoritário. Embora Simão não tivesse sido capaz de arrebatar o Templo de qualquer um dos seus rivais, ele conseguiu tomar o controle sobre a maior parte das cidades alta e baixa.

No entanto, o que realmente separava Simão do resto dos líderes rebeldes em Jerusalém é que, desde o início, ele descaradamente apresentou-se como messias e rei. Como Menahem antes dele, Simão vestiu mantos reais e desfilou pela cidade como seu salvador. Declarou-se "Mestre de Jerusalém" e usou sua posição divinamente ungida para começar a acertar as contas e executar os judeus de classe alta a quem suspeitava de traição. Como resultado, Simão, filho de Giora, acabou por ser reconhecido como o comandante supremo da fraturada rebelião – e bem na hora. Pois tão logo Simão tinha consolidado sua autoridade sobre o resto dos grupos rebeldes, Tito apareceu às portas da cidade, com quatro legiões romanas a reboque, exigindo a rendição imediata de Jerusalém.

De repente, o sectarismo e as rixas entre os judeus deram lugar aos preparativos frenéticos para o ataque romano iminente. Mas Tito não tinha pressa em atacar. Em vez disso, ordenou a seus homens a construção de um muro de pedra ao redor de Jerusalém, prendendo todos lá dentro e cortando todo o acesso à comida e à água. Ele, então, montou acampamento no Monte das Oliveiras, de onde tinha uma visão desobstruída da população da cidade enquanto ela lentamente morria de fome.

E a fome que se seguiu foi horrível. Famílias inteiras morreram em suas casas. As ruas estavam cheias de corpos de mortos; não havia espaço nem força para enterrá-los corretamente. Os habitantes de Jerusalém se arrastavam através dos esgotos em busca de alimento. As pessoas comiam estrume de vaca e tufos de capim seco. Rasgavam e mastigavam o couro de cintos e sapatos. Houve relatos dispersos de judeus que sucumbiram e comeram os mortos. Aqueles que tentavam fugir da cidade eram facilmente capturados e crucificados no Monte das Oliveiras, para que todos pudessem ver.

Teria sido suficiente para Tito simplesmente esperar que a população morresse por conta própria. Ele não teria necessidade de desembainhar a espada para derrotar Jerusalém e acabar com a rebelião. Mas não foi para fazer isso que seu pai o enviara. Sua tarefa não era submeter os judeus pela fome, era erradicá-los da terra que alegavam como sua. E assim, no final de abril de 70 d.C., quando a morte espreitava a cidade e a população perecia às centenas de fome e sede, Tito reuniu suas legiões e invadiu Jerusalém.

Os romanos lançaram plataformas ao longo das paredes da cidade alta e começaram a bombardear os rebeldes com artilharia pesada. Construíram um grande aríete que facilmente violou o primeiro muro que circundava Jerusalém. Quando os rebeldes retiraram-se para uma segunda parede interior, esta também foi violada e as portas, incendiadas. Enquanto as chamas lentamente feneciam, a cidade foi exposta, nua, para as tropas de Tito.

Os soldados lançaram-se sobre todos – homem, mulher, criança, ricos, pobres, os que haviam se juntado à rebelião, os que se mantiveram fiéis a Roma, os aristocratas, os sacerdotes. Não fazia diferença. Eles queimaram tudo. A cidade inteira estava em chamas. O rugido do fogo se misturava aos gritos de agonia à medida que o enxame romano varria a cidade alta e a baixa, espalhando corpos pelo chão, chapinhando através de correntes de sangue, literalmente escalando montes de cadáveres em busca dos rebeldes, até que por fim o Templo estava diante deles. Com o último dos combatentes rebeldes preso no pátio interno, os romanos incendiaram todo o complexo, fazendo parecer que o Monte do Templo estivesse fervendo em sua base com sangue e fogo. As chamas envolveram o Santo dos Santos, a morada do Deus de Israel, e o fez cair no chão em uma pilha de cinzas e pó. Quando o fogo finalmente diminuiu, Tito deu ordens para destruir o que restava da cidade, para que nenhuma geração futura sequer lembrasse o nome de Jerusalém.

Milhares pereceram, embora Simão, filho de Giora – Simão, o fracassado messias –, tenha sido capturado vivo para poder ser arrastado de volta a Roma, acorrentado, para o Triunfo que Vespasiano tinha prometido a seu povo. Junto com Simão seguiram os tesouros sagrados do Templo: a mesa de ouro e os pães da proposição oferecidos ao Senhor, o candelabro e a menorá de sete braços, os queimadores de incenso e os copos, as trombetas e os vasos sagrados. Tudo isso foi carregado em procissão triunfal pelas ruas de Roma, enquanto Vespasiano e Tito, coroados de louros e vestidos com vestes roxas, assistiam com silenciosa determinação. Finalmente, no final da procissão, o último dos despojos era carregado para que todos pudessem ver: uma cópia da Torá, o símbolo supremo da religião judaica.

O ponto de Vespasiano era bem claro: esta tinha sido uma vitória não sobre um povo, mas sobre o seu deus. Não era a Judeia, mas o judaísmo que havia sido derrotado. Tito apresentou publicamente a destruição de Jerusalém como um ato de piedade e uma oferenda aos deuses romanos. Não tinha sido ele a realizar tal tarefa, alegou. Ele tinha apenas entregado suas armas para o seu deus, que tinha mostrado sua ira contra o deus dos judeus.

Extraordinariamente, Vespasiano decidiu renunciar à prática habitual do *evocatio*, pela qual um inimigo vencido tinha a opção de adorar o seu deus em Roma. Não só os judeus seriam proibidos de reconstruir o seu templo, direito oferecido a quase todos os outros povos dominados do Império, como seriam obrigados a pagar um imposto de duas dracmas por ano, a quantidade exata que homens judeus antes pagavam, em shekels, para o Templo em Jerusalém, a fim de ajudar a reconstruir o Templo de Júpiter, acidentalmente incendiado durante a guerra civil romana. Todos os judeus – não importa onde no Império vivessem, não importa o quanto tivessem permanecido leais a Roma, não importa se tinham tomado parte na rebelião ou não –, todos os judeus, incluindo mulheres e crianças, eram agora obrigados a pagar para a manutenção do culto pagão central de Roma.

Daí em diante, o judaísmo não seria mais considerado um culto respeitável. Os judeus eram agora o eterno inimigo de Roma. Embora a transferência de população em massa nunca tivesse sido uma política romana, Roma expulsou todos os judeus sobreviventes de Jerusalém e de seus subúrbios, vindo a renomear a cidade como Aelia Capitolina, e colocou toda a região sob direto controle imperial. Toda a Palestina tornou-se propriedade pessoal de Vespasiano, e os romanos se esforçaram para criar a impressão de que nunca houvera qualquer judeu em Jerusalém. Por volta do ano 135 d.C., o nome de Jerusalém deixou de existir em todos os documentos oficiais romanos.

Para os judeus que sobreviveram ao banho de sangue – aqueles amontoados nus e esfomeados atrás dos muros desabados das cidades, assistindo com horror aos soldados romanos urinarem sobre as cinzas fumegantes da Casa de Deus –, era perfeitamente claro quem era o culpado pela morte e a devastação. Com certeza não tinha sido o Senhor dos Exércitos* que havia trazido tanta destruição sobre a cidade sagrada. Não. Foram os *lestai*, os bandidos e os rebeldes, os zelotas e os sicários, os revolucionários nacionalistas que haviam pregado a independência de Roma, os chamados profetas e falsos messias, que haviam prometido a salvação de Deus em troca de sua lealdade e zelo. Eles foram os responsáveis pelo ataque romano. Eles foram os únicos a quem Deus havia abandonado.

Nos anos seguintes, os judeus começaram a distanciar-se tanto quanto possível do idealismo revolucionário que levou à guerra com Roma. Eles não abandonariam completamente as expectativas apocalípticas. Pelo contrário, escritos apocalípticos floresceriam durante o próximo século, refletindo o desejo contínuo de libertação divina do domínio romano. Os efeitos prolongados desse fervor messiânico levaram mesmo à eclosão de uma breve segunda guerra judaica contra Roma, em 132 d.C., liderada pelo messias conhecido como Simão, filho de Kochba. Na maior parte das vezes, no entanto, os rabinos do século II eram compelidos pelas circunstâncias e pelo medo de represália romana a desenvolverem uma interpretação do judaísmo que se desviava do nacionalismo. Eles passariam a ver a Terra Santa em termos mais transcendentais, promovendo uma teologia messiânica que negava ambições políticas evidentes, à medida que os atos de

---

* Um termo bastante frequente, no Velho Testamento, para Yahweh, Deus. (N.T.)

piedade e o estudo da lei tomavam o lugar dos sacrifícios no Templo na vida dos judeus observantes.

Mas isso estava a muitos anos de distância. Naquele dia – o dia em que os restos espancados e ensanguentados da antiga nação judaica foram arrancados de suas casas, de seu Templo, de seu Deus, e obrigados a sair da Terra Prometida para a terra dos pagãos e idólatras –, tudo o que parecia certo é que o mundo como eles o conheciam tinha chegado ao fim.

Enquanto isso, na Roma triunfante, pouco tempo depois que o Templo do Senhor tinha sido profanado, a nação judaica espalhada aos ventos e a religião transformada em pária, a tradição diz que um judeu chamado João Marcos pegou sua pena e compôs as primeiras palavras do primeiro evangelho escrito sobre o messias conhecido como Jesus de Nazaré – e não em hebraico, a língua de Deus, nem em aramaico, a língua de Jesus, mas em grego, a língua dos pagãos. A língua do impuro. A língua dos vencedores.

Este é o começo das boas-novas de Jesus, o Cristo.

Parte II

O espírito do Senhor Deus está sobre mim
Porque o Senhor me ungiu
Para trazer uma boa notícia para os mansos;
Enviou-me para curar os de coração partido,
Para proclamar a liberdade dos cativos
E libertar os prisioneiros que estão amarrados;
Para proclamar o ano da graça do Senhor,
E o dia da vingança para nosso Deus.

(Isaías 61:1-2)

Prólogo: Zele por sua casa

DE TODAS AS HISTÓRIAS contadas sobre a vida de Jesus de Nazaré, há uma – retratada em inúmeras peças de teatro, filmes, pinturas e sermões de domingo – que, mais do que qualquer outra palavra ou ação, ajuda a revelar quem era Jesus e o que Jesus quis dizer. É um dos poucos eventos do ministério de Jesus atestado por todos os quatro evangelhos canonizados, Mateus, Marcos, Lucas e João – o que acrescenta alguma medida de peso para sua historicidade. No entanto, todos os quatro evangelistas apresentam esse momento grandioso de forma casual, quase fugaz, como se fossem alheios ao seu significado ou, mais provavelmente, deliberadamente subestimassem um episódio cujas implicações radicais teriam sido imediatamente reconhecidas por todos que o testemunharam. Tão revelador é esse momento único na breve vida de Jesus que por si só pode ser usado para esclarecer sua missão, sua teologia, sua política, sua relação com as autoridades judaicas, sua relação com o judaísmo em geral e sua atitude em relação à ocupação romana. Acima de tudo, esse evento singular explica por que um simples camponês das baixas colinas da Galileia era visto como uma ameaça ao sistema estabelecido a ponto de ser caçado, preso, torturado e executado.

O ano é 30 d.C. e Jesus acaba de entrar em Jerusalém, montado num jumento e ladeado por uma multidão frenética gritando: "Hosana! Bendito o que vem em nome do Senhor! Bendito seja o reino vindouro de nosso pai Davi!" O povo, em êxtase, canta hinos de louvor a Deus. Alguns espalham capas na rua para Jesus passar por cima, assim como os israelitas fizeram para Jeú quando foi declarado rei (2 Reis 9:12-13). Outros cortam palmas e as acenam no ar, em memória dos macabeus heroicos que libertaram Israel do domínio estrangeiro dois séculos antes (1 Macabeus 13:49-53). Todo o espetáculo foi meticulosamente orquestrado por Jesus e seus seguidores, em cumprimento da profecia de Zacarias: "Alegra-te muito, ó filha de Sião; grite, filha de Jerusalém! Eis que o teu rei vem a ti, justo e vitorioso, humilde e montado sobre um jumento, sobre um jumentinho, filho de um jumento." (Zacarias 9:9)

A mensagem transmitida aos habitantes da cidade é inconfundível: o aguardado messias – o *verdadeiro* rei dos judeus – veio para libertar Israel da escravidão.

Tão provocante como essa sua entrada em Jerusalém possa ser, isso não é nada em comparação ao que Jesus faz no dia seguinte. Com seus discípulos e, supõe-se, com a multidão a louvá-lo a reboque, Jesus entra no pátio público do Templo – o Pátio dos Gentios – e começa a "limpá-lo". Num acesso de raiva, ele derruba as mesas dos cambistas e expulsa os vendedores de comida barata e souvenirs. Solta as ovelhas e o gado prontos a serem vendidos para sacrifício e abre as gaiolas de pombas e pombos, colocando as aves em fuga. "Tirai essas coisas daqui!", ele grita.

Com a ajuda de seus discípulos, ele bloqueia a entrada do pátio, proibindo qualquer pessoa que transporte mercadorias para venda ou escambo de entrar no Templo. Então, enquanto a multidão de vendedores, fiéis, sacerdotes e curiosos embaralha-se sobre os detritos espalhados, enquanto os animais partem assustados em debandada, perseguidos pelos proprietários em pânico, correndo freneticamente para fora dos portões do Templo e para as ruas lotadas de Jerusalém, enquanto uma tropa de guardas romanos e de policiais do Templo fortemente armados invade o pátio procurando prender quem quer que seja responsável pelo caos, lá está Jesus, segundo os evangelhos, distante, aparentemente imperturbável, gritando acima do barulho: "Está escrito: a minha casa será chamada casa de oração para todas as nações. Mas vós fizestes dela um covil de ladrões."

As autoridades estão iradas, e com razão. Não há nenhuma lei que proíba a presença de vendedores no Pátio dos Gentios. Outras partes do Templo podem ter sido sacrossantas e fora dos limites para os coxos, os doentes, os impuros e, mais especialmente, para as massas de gentios. Mas o átrio exterior era um local livre para todos, que servia tanto como um bazar movimentado quanto como a sede administrativa do Sinédrio, o conselho judaico supremo. Os comerciantes e os cambistas, que vendem os animais para o sacrifício, os impuros, os gentios e os hereges, todos tinham direito de entrar no Pátio dos Gentios como quisessem e lá fazer negócios. Não é de se estranhar, portanto, que os sacerdotes do Templo exijam saber exatamente quem esse agitador pensa que é. Com que autoridade ele tem a pretensão de limpar o Templo? Que sinal ele pode oferecer para justificar um ato tão descaradamente criminoso?

Jesus, como é seu costume, ignora essas questões completamente e, em vez disso, responde com a sua profecia enigmática. "Destruam este Templo", ele diz, "e em três dias eu o reerguerei."

A multidão fica muda, tanto que aparentemente não percebe Jesus e seus discípulos calmamente saírem do Templo e caminharem para fora da cidade, tendo terminado de tomar parte no que as autoridades romanas teriam considerado uma ofensa capital: sedição, punível por crucificação. Afinal de contas, um ataque aos negócios do Templo é semelhante a um ataque à nobreza sacerdotal, o que, considerando-se a relação emaranhada do Templo com Roma, equivalia a um ataque à própria Roma.

Ponha de lado por um momento os séculos de acrobacias exegéticas que foram lançadas sobre esse episódio confuso no ministério de Jesus, examine o caso a partir de uma perspectiva puramente histórica e a cena simplesmente confunde a mente. Não é a precisão da profecia de Jesus sobre o Templo que nos preocupa. Os evangelhos foram escritos após a destruição do Templo em 70 d.C.; a advertência de Jesus a Jerusalém, de que "dias virão em que teus inimigos criarão muralhas a teu redor e te cercarão e esmagarão no chão – a ti e a teus filhos –, e não deixarão em ti pedra sobre pedra" (Lucas 19:43-44), foi colocada em sua boca pelos evangelistas após o fato. Em vez disso, o que é significativo sobre o episódio – o que é impossível de ignorar – é a forma como são flagrante e inescapavelmente *zelosas* as ações de Jesus no Templo.

Os discípulos certamente reconhecem isso. Observando Jesus quebrar jaulas e chutar mesas em alvoroço, o evangelho de João diz que os discípulos foram lembrados das palavras do rei Davi, que gritou: "Zelar pela tua casa me consumiu" (João 2:17; Salmos 69:9).

As autoridades do Templo também reconhecem o zelo de Jesus e criam um ardiloso enredo para levá-lo a se implicar como um revolucionário zelota. Avançando até Jesus à vista de todos os presentes, eles perguntam: "Mestre, sabemos que és verdadeiro, que ensinas o caminho de Deus segundo a verdade e que não reverencias nenhum homem. Diz-nos: é lícito pagar o tributo a César ou não?"

Essa não é uma pergunta simples, claro. É o teste essencial do pertencimento à crença zelota. Desde a revolta de Judas, o Galileu, a questão de saber se a lei de Moisés permitia pagar tributos a Roma tornou-se a característica distintiva dos que aderiam aos princípios zelotas. O argumento era simples e entendido por todos: a demanda de tributo por Roma demonstrava nada menos do que uma reivindicação de propriedade sobre a terra e seus habitantes. Mas a terra não pertencia a Roma. A terra pertencia a Deus. César não tinha direito a receber tributo, porque não tinha direito à terra. Ao perguntar a Jesus sobre a legalidade do tributo a Roma, as autoridades religiosas estavam fazendo-lhe uma pergunta totalmente diferente: você é ou não é um zelota?

"Mostrai-me um denário", diz Jesus, referindo-se à moeda romana usada para pagar o tributo. "De quem é esta imagem e esta inscrição?"

"É de César", as autoridades respondem.

"Bem, então, devolvei a César a propriedade que pertence a César, e devolvei a Deus a propriedade que pertence a Deus."

É surpreendente que séculos de estudos bíblicos tenham deturpado essas palavras como um apelo de Jesus para pôr de lado as "coisas deste mundo" – os impostos e tributos – e concentrar o coração, em vez disso, nas únicas coisas que importam: a adoração e a obediência a Deus. Tal interpretação acomoda perfeitamente a percepção de Jesus como um espírito celeste destacado, totalmente despreocupado com questões materiais, uma afirmação curiosa sobre um homem que não só viveu em um dos períodos mais politicamente carregados na história de Israel, mas que afirmava ser o prometido messias enviado para libertar os judeus da ocupação romana. Na melhor das hipóteses, a resposta de Jesus foi vista como um débil compromisso entre as posições sacerdotais e as zelotas – entre os que achavam lícito pagar o tributo a Roma e os que não concordavam com isso.

A verdade é que a resposta de Jesus é a declaração mais clara que se pode encontrar nos evangelhos sobre onde, exatamente, ele se situava no debate entre sacerdotes e zelotas, e não sobre a questão do tributo, mas sobre a questão muito mais significativa da soberania de Deus sobre a terra. As palavras de Jesus falam por si: "Devolvei (*apodidomi*) a César a propriedade que pertence a César..." O verbo grego *apodidomi*, muitas vezes traduzido como "tornar-se", é na verdade uma palavra composta: *apo* é uma preposição que nesse caso significa "retorno"; *didomi* é um verbo que significa "dar". *Apodidomi* é usado especificamente quando se paga a alguém uma propriedade sobre a qual se tem direito; a palavra implica que a pessoa que recebe o pagamento é o legítimo proprietário da coisa que está sendo paga. Em outras palavras, de acordo com Jesus, César tem direito a "receber de volta" a moeda de denário não porque ele mereça o tributo, mas porque é a *sua* moeda: seu nome e imagem estão estampados nela. Deus não tem nada a ver com isso. Por extensão, Deus tem o direito de "receber de volta" a terra que os romanos tomaram para si, porque é a terra *de Deus*: "A terra é minha", diz o Senhor (Levítico 25:23). César não tem nada a ver com isso.

Então, devolva a César o que é dele, e devolva a Deus o que pertence a Deus. Esse é o argumento zelota em sua forma mais simples e concisa. E parece ser suficiente para as autoridades em Jerusalém rotularem imediatamente Jesus como *lestes*. Um bandido. Um zelota.

Alguns dias depois, após compartilhar em segredo uma refeição do Pêssach, Jesus e seus discípulos dirigem-se na escuridão da noite para o Jardim do Getsêmani, para se esconder entre os arbustos e as oliveiras retorcidas. É aqui, na encosta ocidental do Monte das Oliveiras, não muito longe de onde, alguns anos mais tarde, o general romano Tito iria lançar o cerco sobre Jerusalém, que as autoridades vão encontrá-lo.

"Vós viestes aqui com espadas e clavas para me prender como a um bandido [*lestes*]?", Jesus pergunta.

Foi por isso exatamente que eles vieram prendê-lo. O evangelho de João diz que uma "coorte" (*speira*) de soldados marchou para o Getsêmani – uma unidade formada por algo entre trezentos e seiscentos guardas romanos – juntamente com a polícia do Templo, todos levando "tochas e armas" (João 18:3). João está obviamente exagerando. Mas os evangelhos concordam ter sido um grupo grande e fortemente armado que veio para prender Jesus no meio da noite. Essa demonstração de força pode explicar por que, antes de ir para o Getsêmani, Jesus fez com que seus seguidores estivessem armados também.

"Se tu não tens uma espada", Jesus instrui seus discípulos imediatamente após a refeição do Pêssach, "vai vender teu manto e compra uma."

"Mestre", os discípulos respondem, "aqui estão duas espadas."

"É o suficiente", diz Jesus (Lucas 22:36-38).

Não seria. Depois de uma breve mas sangrenta disputa com os discípulos, os guardas prendem Jesus e o levam para as autoridades de Jerusalém, onde ele é acusado de sedição, entre outras coisas, "proibindo o pagamento de tributo a Roma", uma acusação que Jesus não nega (Lucas 23:2).

Declarado culpado, Jesus é enviado ao Gólgota para ser crucificado ao lado de dois outros homens, que são especificamente chamados *lestai*, bandidos (Mateus 27:38-44; Marcos 15:27). Tal como acontece com todos os criminosos pendurados em uma cruz, a Jesus é dada uma placa, ou *titulus*, detalhando o crime pelo qual está sendo crucificado. No *titulus* de Jesus se lê REI DOS JUDEUS. Seu crime: lutar pelo poder real – *sedição*. E assim, como todo bandido e revolucionário, todo agitador zelota e profeta apocalíptico que veio antes ou depois dele, como Ezequias e Judas, Teudas e Atronges, o Egípcio e o Samaritano, Simão, filho de Giora, e Simão, filho de Kochba – Jesus de Nazaré é morto por ousar reivindicar o manto de rei e messias.

Para ser claro, Jesus não era um membro do partido zelota que lançou a guerra contra Roma, porque não se pode dizer que tal partido existisse senão trinta anos após sua morte. Nem era Jesus um violento revolucionário defendendo a rebelião armada, embora seus pontos de vista sobre o uso da violência sejam muito mais complexos do que muitas vezes se admite.

Mas olhe atentamente para as palavras e ações de Jesus no Templo em Jerusalém – o episódio que, sem dúvida, precipitou sua prisão e execução – e esse fato torna-se difícil de negar: Jesus foi crucificado por Roma porque suas aspirações messiânicas ameaçavam a ocupação da Palestina e sua exasperada devoção colocava em perigo as autoridades do Templo. Esse fato singular deveria colorir tudo o que lemos nos evangelhos sobre o messias conhecido como Jesus de Nazaré, desde os detalhes de sua morte em uma cruz no Gólgota até o lançamento de seu ministério público, nas margens do rio Jordão.

7. A voz clamando no deserto

João Batista saiu do deserto como uma aparição – um homem selvagem vestido com pelos de camelo, um cinto de couro amarrado na cintura, alimentando-se de gafanhotos e mel silvestre. Ele viajou o comprimento do rio Jordão, através da Judeia e da Pereia, pela Betânia e Aenon, pregando uma mensagem simples e terrível: o fim estava próximo. O Reino de Deus estava próximo. E ai daqueles judeus que pensavam que sua descendência de Abraão iria salvá-los do juízo que se aproximava.

"O machado já está colocado junto à raiz da árvore", alertou João, "e toda árvore que não produz bons frutos será cortada e lançada ao fogo."

Para os ricos que vinham a ele em busca de conselhos, João dizia: "O que tem duas túnicas deve compartilhar com quem não tem nenhuma, aquele que tiver alimentos deve fazer o mesmo."

Para os coletores de impostos que lhe perguntavam o caminho da salvação, ele dizia: "Não cobrai nada além daquilo que foi estabelecido para vós cobrardes."

Para os soldados que pediam orientação, ele dizia: "Não intimidai, não chantageai e contentai-vos com vossos salários."

Notícias do Batista se espalhavam rapidamente por toda a região. As pessoas vinham de tão longe como a Galileia, algumas viajando por dias através do severo deserto da Judeia para ouvi-lo pregar às margens do rio Jordão. Uma vez lá, elas retiravam suas vestes exteriores e atravessavam para a margem leste, onde João esperava para levá-las pela mão. Uma a uma, ele as mergulhava nas águas vivas. Quando saíam, cruzavam de volta para a margem ocidental do rio Jordão, como seus antepassados tinham feito mil anos antes – de volta para a terra prometida por Deus.

Dessa forma, os batizados se tornavam a *nova* nação de Israel: arrependida, redimida e pronta para receber o Reino de Deus.

À medida que as multidões que afluíam para o Jordão se tornavam maiores, as atividades do Batista chamaram a atenção de Antipas ("a Raposa"), filho de Herodes, o Grande, cuja tetrarquia incluía a região da Pereia, na margem oriental do rio. Se acreditarmos na narrativa do evangelho, Antipas prendeu João porque ele criticou seu casamento com Herodias, que era a esposa de seu meio-irmão (também chamado de Herodes). Não satisfeito com apenas encarcerar João, a astuta Herodias arquitetou um plano para matá-lo. Por ocasião do aniversário de Antipas, Herodias obrigou sua filha, a sensual e sedutora Salomé, a executar uma dança lasciva para seu tio e padrasto. Tão excitado ficou o velho libidinoso tetrarca pelos movimentos de Salomé que ele imediatamente lhe fez uma promessa fatal.

"Peça-me o que quiseres", arfou Antipas, "e eu o darei a ti, mesmo que seja a metade do meu reino."

Salomé consultou a mãe. "Que devo pedir?"

"A cabeça de João Batista", respondeu Herodias.

Infelizmente, o relato do evangelho não deve ser acreditado. Por mais deliciosamente escandalosa que a história da execução de João Batista possa ser, ela está repleta de erros e imprecisões históricas. Os evangelistas identificam erradamente o primeiro marido de Herodias como Filipe, e parecem confundir o local da execução de João, a fortaleza de Maqueronte, com a corte de Antipas na cidade de Tibério. Toda a história do evangelho parece um conto fantástico com ecos deliberados do relato bíblico do conflito de Elias com Jezebel, mulher do rei Acabe.

A explicação mais prosaica, porém muito mais confiável, da morte de João Batista pode ser encontrada na obra *Antiguidades*, de Josefo. De acordo com o autor, Antipas temia que a crescente popularidade de João levasse a uma insurreição, "pois as pessoas pareciam dispostas a fazer qualquer coisa que ele aconselhasse". Isso pode ter sido verdade. O aviso de João sobre a chegada da ira de Deus pode não ter sido novo ou original na Palestina do século I, mas a esperança que ele ofereceu àqueles que se purificaram, que se fizeram novos e procuraram o caminho da honradez teve enorme apelo. João prometeu aos judeus que foram a ele uma nova ordem mundial, o Reino de Deus. E embora ele pareça nunca ter desenvolvido o conceito muito além de uma vaga noção de igualdade e justiça, a promessa em si já era suficiente, naquele sombrio e turbulento período, para levar até ele uma onda de judeus de todos os tipos, ricos e pobres, poderosos e fracos. Antipas tinha razão em temer João, pois até os seus soldados estavam se dirigindo a ele. Mandou então que o capturassem, acusou-o de sedição e enviou-o para a fortaleza de Maqueronte, onde o Batista foi morto sem alarde em algum momento entre 28 e 30 d.C.

No entanto, a fama de João sobreviveu em muito a ele. De fato, essa fama sobreviveu a Antipas, pois se acreditava amplamente que a derrota do tetrarca nas mãos do rei nabateu Aretas IV, em 36 d.C., seu exílio subsequente e a perda de seu título e suas propriedades eram um castigo divino por ele ter executado João. Muito tempo depois da morte do Batista, os judeus ainda estavam ponderando sobre o significado de suas palavras e atos; seus discípulos ainda estavam vagando pela Judeia e pela Galileia, batizando as pessoas em seu nome. A vida e a lenda de João foram preservadas em "tradições batistas" independentes, compostas em hebraico e aramaico e divulgadas de cidade em cidade. Muitos pensavam que ele era o messias. Alguns pensavam que ele iria ressuscitar dos mortos.

Apesar de sua fama, no entanto, ninguém parece ter sabido então – como ninguém sabe hoje – quem, exatamente, era João Batista ou de onde ele tinha vindo. O evangelho de Lucas apresenta um relato fantástico da linhagem de João e seu nascimento milagroso, que a maioria dos estudiosos rejeita. Se houver alguma informação histórica a ser obtida a partir do evangelho de Lucas, no entanto, é que João pode ter vindo de uma família sacerdotal; seu pai, diz Lucas, pertencia à ordem sacerdotal de Abias (Lucas 1:5). Se isso fosse verdade, era de esperar que João tivesse aderido à linhagem sacerdotal do pai, embora o pregador apocalíptico que saiu do deserto "não comendo pão nem bebendo vinho" tenha claramente rejeitado suas obrigações de família e seus deveres para com o Templo para levar uma vida de ascetismo no deserto. Talvez fosse essa a fonte da imensa popularidade de João entre as massas: ele mesmo teria se despojado dos privilégios sacerdotais de modo a oferecer aos judeus uma nova fonte de salvação, uma que não tinha nada a ver com o Templo e o detestável sacerdócio: o *batismo*.

Na realidade, batismos e rituais de água eram bastante comuns em todo o antigo Oriente Próximo. Bandos de "grupos de batismo" percorriam a Síria e a Palestina iniciando os fiéis em suas ordens imergindo-os em água. Gentios convertidos ao judaísmo muitas vezes tomavam um banho cerimonial para livrar-se de sua antiga identidade e entrar na tribo escolhida. Os judeus reverenciavam a água por suas qualidades liminares, acreditando que ela tinha o poder de transportar uma pessoa ou objeto de um estado a outro: do sujo ao limpo, do profano ao sagrado. A Bíblia está repleta de práticas de ablução: objetos (uma tenda, uma espada) eram aspergidos com água para serem dedicados ao Senhor, as pessoas (os leprosos, as mulheres menstruadas) eram totalmente imersas em água como um ato de purificação. Os sacerdotes do Templo de Jerusalém derramavam água em suas mãos antes de se aproximarem do altar para fazer sacrifícios. O sumo sacerdote passava por uma imersão ritual antes de entrar no Santo dos Santos no Dia da Expiação (Yom Kippur), e por outra imediatamente depois de tomar sobre si os pecados da nação.

A mais famosa seita da época a praticar abluções era a já mencionada comunidade dos essênios. Estes não eram estritamente um movimento monástico. Alguns viviam em cidades e aldeias por toda a Judeia, enquanto outros se separaram completamente do resto dos judeus, em comunidades como aquela em Qumran, onde praticavam o celibato e mantinham todos os bens em comum (os únicos itens de propriedade pessoal que os essênios em Qumran poderiam ter eram um manto, um pano de linho e uma machadinha para cavar uma latrina no deserto, quando surgisse a necessidade). Como os essênios viam o corpo físico como vil e corrupto, eles desenvolveram um rígido sistema de banhos de imersão total que devia ser completado repetidas vezes para manter um constante estado de pureza ritual. No entanto, os essênios também praticavam um ritual de iniciação com água único, uma espécie de batismo, que era usado para receber novos recrutas em sua comunidade.

Essa pode ter sido a origem do incomum rito batismal de João. O próprio João pode ter sido um essênio. Existem algumas conexões tentadoras entre ambos. Tanto João quanto a comunidade dos essênios estavam baseados na região do deserto da Judeia, aproximadamente na mesma época: João é apresentado como indo para o deserto da Judeia quando pequeno, o que estaria de acordo com a prática dos essênios de adotar e treinar os filhos de sacerdotes. Tanto João quanto os essênios rejeitavam as autoridades do Templo: os essênios mantinham um calendário distinto e suas próprias restrições dietéticas, e recusavam o conceito de sacrifício animal, que era a atividade principal do Templo. Ambos viam a si mesmos e a seus seguidores como a verdadeira tribo de Israel, e ambos estavam se preparando ativamente para o fim dos tempos: os essênios aguardavam ansiosos uma guerra apocalíptica, quando "os Filhos da Luz" (os essênios) iriam combater "os Filhos das Trevas" (os sacerdotes do Templo) para ganhar controle sobre o Templo de Jerusalém, que os essênios iriam purificar e santificar novamente sob a sua liderança. E tanto João quanto os essênios parecem ter se identificado como "a voz que clama no deserto" de que fala o profeta Isaías: "Preparai o caminho do Senhor, endireitai os caminhos do nosso Deus" (Isaías 40:3). Todos os quatro evangelhos atribuem esse versículo a João, enquanto para os essênios o versículo serviu como a passagem mais importante das escrituras para definir seu conceito sobre si mesmos e sua comunidade.

Mesmo assim, há diferenças suficientes entre João e os essênios para sermos cautelosos em estabelecer uma conexão muito firme entre eles. João é apresentado não como membro de uma comunidade, mas como um solitário, uma voz solitária clamando no deserto. A sua não é absolutamente uma mensagem exclusivista, mas sim aberta a todos os judeus dispostos a abandonar seus maus caminhos e viver uma vida de retidão. Mais marcante, João não parece estar obcecado com a pureza ritual – seu batismo parece ter sido projetado especificamente como algo para ser feito uma única vez, e não algo a ser repetido de forma contínua. João pode ter sido influenciado pelos rituais da água de outras seitas judaicas da época, incluindo os essênios, mas parece que o batismo que ele oferecia nas águas do rio Jordão era inspiração exclusivamente sua.

O que, então, significa o batismo de João? O evangelho de Marcos faz a surpreendente afirmação de que o que João estava oferecendo no Jordão era "um batismo de arrependimento para a remissão dos pecados" (Marcos 1:4). A natureza inequivocamente cristã dessa frase lança sérias dúvidas sobre sua historicidade. Soa mais como uma projeção cristã sobre as ações do Batista do que algo que este teria reconhecido como seu – mas, se isso for verdade, é uma afirmação estranha para a Igreja primitiva fazer a respeito de João: que ele teria o poder de perdoar pecados, mesmo antes de conhecer Jesus.

Josefo afirma explicitamente que o batismo de João "não era para a remissão dos pecados, mas para a purificação do corpo". Isso faria do ritual mais um rito de iniciação, um meio de entrar em sua ordem ou seita, tese corroborada no Livro de Atos, em que um grupo de coríntios orgulhosamente afirma ter sido batizado *no* batismo de João (Atos 19:1-3). Mas isso também teria sido problemático para a comunidade cristã primitiva. Porque se há uma coisa sobre a qual todos os quatro evangelhos concordam quando se trata de João Batista é que em algum momento ao redor de seu trigésimo ano, e por razões desconhecidas, Jesus de Nazaré deixou a pequena aldeia montanhesa de Nazaré, na Galileia, abandonou sua casa, sua família e suas obrigações, e caminhou até a Judeia para ser batizado por João no rio Jordão. Na verdade, a vida do Jesus histórico não começa com o seu nascimento milagroso ou sua juventude obscura, mas no momento em que ele encontra pela primeira vez João Batista.

O problema para os primeiros cristãos era que qualquer aceitação dos fatos básicos sobre a interação de João com Jesus teria sido uma admissão tácita de que João era, pelo menos num primeiro momento, uma figura superior. Se o batismo de João fosse para o perdão dos pecados, como afirma Marcos, então a aceitação do batismo por Jesus indicaria a necessidade de ter seus pecados purificados por João. Se o batismo de João era um rito de iniciação, como Josefo sugere, então é claro que Jesus estava sendo admitido no movimento de João como apenas mais um de seus discípulos. Essa foi precisamente a reivindicação feita pelos seguidores de João, que, muito tempo depois que os dois homens tinham sido executados, recusavam-se a ser absorvidos pelo movimento de Jesus, argumentando que o seu mestre, João, era maior do que Jesus. Afinal, quem batizara quem?

A importância histórica de João Batista e o seu papel no lançamento do ministério de Jesus criou um dilema difícil para os escritores dos evangelhos. João era um sacerdote e profeta popular muito respeitado e quase universalmente reconhecido. Sua fama era grande demais para ser ignorada, o seu batismo de Jesus conhecido demais para ser escondido. A história tinha que ser contada. Mas também tinha que ser maquiada e tornada segura. Os papéis dos dois homens tinham que ser invertidos: Jesus devia ser mostrado como superior, e João como inferior. Daí a diminuição progressiva do personagem de João desde o primeiro evangelho, Marcos, onde ele é apresentado como um profeta e mentor de Jesus, até o último evangelho, João, em que o Batista parece não servir para nenhum objetivo, exceto o de reconhecer a divindade de Jesus.

Marcos apresenta João Batista como uma figura totalmente independente que batiza Jesus como um entre muitos que vinham a ele buscar o arrependimento. "Iam ter com ele gente de toda a Judeia, e de Jerusalém, para serem batizados por ele no rio Jordão, e confessar seus pecados … e aconteceu que, naqueles dias, Jesus veio da Galileia, de Nazaré, e ele também foi batizado por João no rio Jordão." (Marcos 1:5, 9) O Batista de Marcos admite que ele próprio não é o messias prometido – "Há um que vem depois de mim que é mais forte do que eu", diz João, "um cujas sandálias não sou digno de desatar" (Marcos 1:7-8) –, mas, estranhamente, João nunca realmente reconhece Jesus como sendo aquele a quem ele se refere. Mesmo depois do batismo formal de Jesus, quando o céu se abre e o Espírito de Deus desce sobre ele na forma de uma pomba, com uma voz celestial dizendo "Tu és meu filho, o amado. Em ti me regozijo", João não nota nem comenta esse momento de intervenção divina. Para João, Jesus é apenas mais um suplicante, outro filho de Abraão que viaja até o Jordão para ser iniciado na renovada tribo de Israel. Ele simplesmente se dirige à próxima pessoa esperando para ser batizada.

Escrevendo cerca de duas décadas mais tarde, Mateus relata o batismo de Jesus quase palavra por palavra a partir de Marcos, mas toma o cuidado de resolver pelo menos uma das omissões gritantes do seu antecessor: no momento em que Jesus chega às margens do Jordão, João o reconhece imediatamente como "aquele que vem depois de mim".

"Eu vos batizo com água", diz o Batista. "Ele vos batizará com o Espírito Santo e com fogo."

No início, o João Batista de Mateus se recusa a batizar Jesus, sugerindo ser ele mesmo quem deveria ser batizado por Jesus. Só depois que Jesus lhe dá permissão é que João ousa batizar o camponês de Nazaré.

Lucas vai um passo além, repetindo a mesma história apresentada em Marcos e Mateus mas escolhendo encobrir o batismo propriamente de Jesus. "Agora, quando todas as pessoas tinham sido batizadas, e Jesus também foi batizado, os céus se abriram..." (Lucas 3:21) Em outras palavras, Lucas omite qualquer agente no batismo de Jesus. Não é João que batiza Jesus. Jesus é batizado, simplesmente. Lucas reforça seu ponto de vista dando a João sua própria narrativa de infância, ao lado da que inventa para Jesus, para provar que, mesmo enquanto fetos, Jesus foi a figura maior: o nascimento de João de uma mulher estéril, Isabel, pode ter sido milagroso, mas não foi tão milagroso como o nascimento de Jesus de uma virgem. Isso tudo é parte de um esforço proposital de Lucas, que o evangelista leva adiante na continuação de seu evangelho, o Livro de Atos, para convencer os discípulos de João a abandonar seu profeta e seguir Jesus em seu lugar.

No momento em que o evangelho de João narra o batismo de Jesus, três décadas depois de Marcos, João Batista não é mais um batista – o título nunca é usado para ele. De fato, Jesus nunca é realmente batizado por João Batista. O único propósito do Batista no quarto evangelho é dar testemunho da divindade de Jesus. Jesus não é apenas "mais forte" do que João Batista. Ele é a luz, o Senhor, o Cordeiro de Deus, o Escolhido. Ele é o *logos* preexistente, que "existia antes de mim", diz o Batista.

"Eu mesmo vi o Espírito Santo descer sobre ele do céu como uma pomba", João afirma de Jesus, corrigindo outra das omissões originais de Marcos, antes de expressamente comandar seus discípulos a deixá-lo e a seguir Jesus em seu lugar. Para João, o evangelista, não era suficiente apenas reduzir o Batista; o Batista tinha que reduzir-se, denegrir-se publicamente perante o verdadeiro profeta e messias.

"Eu não sou o messias", admite João Batista no quarto evangelho. "Eu fui enviado antes dele ... *Ele deve aumentar, assim como eu devo diminuir.*" (João 3:28-30)

Essa tentativa frenética de reduzir o significado de João Batista – para fazê-lo inferior a Jesus, para torná-lo pouco mais do que o arauto de Jesus – trai uma necessidade urgente por parte da comunidade cristã primitiva de contra-atacar o que a evidência histórica sugere claramente: seja quem fosse Batista, viesse de onde viesse, e fosse o que fosse que ele pretendesse em seu ritual de batismo, Jesus muito provavelmente começou seu ministério como apenas mais um de seus discípulos. Antes do encontro com João, Jesus era um camponês desconhecido e diarista labutando na Galileia. O batismo por João não só fez dele parte da nova e redimida nação de Israel, como também o iniciou no círculo íntimo de João. Nem todos que foram batizados por João tornaram-se seus discípulos; muitos simplesmente voltaram para suas casas. Mas Jesus não o fez. Os evangelhos deixam claro que em vez de retornar para a Galileia depois do batismo, ele foi "para o deserto" da Judeia; isto é, Jesus foi diretamente para o lugar de onde João tinha acabado de sair. E ele ficou no deserto por um tempo, não para não ser "tentado por Satanás", como os evangelistas imaginam, mas para aprender com João e comungar com seus seguidores.

As primeiras palavras do ministério público de Jesus ecoam as de João: "O tempo está cumprido. O Reino de Deus está próximo. Arrependei-vos e acreditai nas boas-novas." (Marcos 1:15) O mesmo acontece com a primeira ação pública de Jesus: "Depois disso Jesus e seus discípulos foram para a Judeia e lá eles estavam batizando, e João também estava batizando..." (João 3:22-23) Claro, os primeiros discípulos de Jesus, André e Filipe, não eram de maneira alguma seus discípulos – eram discípulos de João (João 1:35-37). Eles apenas seguiram Jesus depois que João foi preso. Jesus até mesmo se dirige a seus inimigos entre os escribas e fariseus com a mesma frase específica que João usa para eles: "Sua raça de víboras!" (Mateus 12:34)

Jesus permaneceu na Judeia durante algum tempo depois do batismo, movendo-se para dentro e para fora do círculo de João, pregando as palavras de seu mestre e batizando outros ao lado dele, até que Antipas, assustado com o poder e popularidade de João, manda que este seja agarrado e atirado em um calabouço. Só então Jesus deixa a Judeia e volta para casa, para sua família.

Seria de volta na Galileia, entre seu próprio povo, que Jesus vestiria totalmente o manto de João e começaria a pregar sobre o Reino de Deus e o julgamento que estava por vir. No entanto, Jesus não simplesmente imitava João. Sua mensagem seria muito mais revolucionária, sua concepção do Reino de Deus muito mais radical, e seu senso sobre a própria identidade e missão muito mais perigoso do que qualquer coisa que João Batista pudesse ter concebido. João pode ter batizado com água. Mas Jesus batizaria com o Espírito Santo. O Espírito Santo e *o fogo*.

8. Segui-me

A GALILEIA PARA A QUAL Jesus retornou após seu período com João Batista não era aquela em que ele tinha nascido. A Galileia da infância de Jesus tinha sofrido um trauma psíquico profundo, tendo sentido a total força da vingança de Roma contra as revoltas que eclodiram em todo o país após a morte de Herodes, o Grande, em 4 a.C.

A resposta romana à rebelião, não importa onde ela surgisse no reino, era roteirizada e previsível: queimar as aldeias, arrasar as cidades, escravizar a população. Esse foi provavelmente o comando dado às legiões enviadas pelo imperador Augusto, depois da morte de Herodes, para ensinar uma lição aos judeus rebeldes. Os romanos facilmente apagaram as revoltas na Judeia e na Pereia. Mas uma atenção especial foi dada à Galileia, o centro da revolta. Milhares de pessoas foram mortas, o campo foi incendiado. A devastação se espalhou por cada cidade e aldeia, poucos foram poupados. As aldeias de Emaús e Sampho foram devastadas. Séforis, que havia permitido que Judas, o Galileu, assaltasse o arsenal da cidade, foi arrasada. A Galileia inteira foi consumida em fogo e sangue. Mesmo a pequena Nazaré não teria escapado da ira de Roma.

Roma pode ter tido razão em se concentrar de forma tão brutal na Galileia. A região tinha sido um foco de atividade revolucionária por séculos. Muito antes da invasão romana, o termo "galileu" tinha se tornado sinônimo de "rebelde". Josefo fala do povo local como "acostumado à guerra desde a infância", e a própria Galileia, que se beneficiou de uma topografia acidentada, de terreno montanhoso, ele descreve como "sempre resistente à invasão hostil".

Não importa se os invasores eram gentios ou judeus, os galileus não se submetiam à dominação estrangeira. Nem mesmo o rei Salomão pôde domar a Galileia – a região e seus habitantes resistiram ferozmente aos pesados impostos e ao trabalho forçado que ele lhes impôs para completar a construção do primeiro Templo de Jerusalém. Tampouco conseguiram os macabeus – os reis-sacerdotes que governaram a terra de 140 a.C. até a invasão romana em 63 a.C. – induzir completamente os galileus a submeter-se ao Templo-Estado que eles criaram na Judeia. E a Galileia foi um espinho constante para o rei Herodes, que não foi nomeado rei dos judeus senão depois de ter provado que podia livrar a região problemática da ameaça de banditismo.

Parece que os galileus se consideravam um povo totalmente diferente dos demais judeus na Palestina. Josefo refere-se explicitamente a eles como uma etnia ou nação separada; a Mishná* afirma que os galileus tinham regras e costumes diferentes dos judeus quando se tratava de assuntos como casamento ou pesos e medidas. Eles eram pastores, pessoas do campo facilmente identificáveis por seus costumes provinciais e seu sotaque distintamente rústico (foi o sotaque galileu que revelou Simão Pedro como um seguidor de Jesus depois de sua prisão: "Certamente, tu também és um dos [discípulos de Jesus], pois teu sotaque te trai." (Mateus 26:73) A elite urbana na Judeia referia-se aos galileus ironicamente como "povo da terra", um termo usado para indicar sua dependência da agricultura de subsistência. Mas a expressão tinha uma conotação mais sinistra, indicando os ignorantes e ímpios que não cumpriam corretamente a lei, em especial quando se tratava de pagar os dízimos obrigatórios e fazer as ofertas para o Templo. A literatura da época está cheia de queixas de Judá sobre a frouxidão dos galileus em pagar suas dívidas ao Templo dentro do prazo, enquanto uma série de escrituras apócrifas, como *O testamento de Levi* e *O livro de Enoque*, reflete uma crítica distintamente galileia ao estilo de vida luxuoso dos sacerdotes da Judeia, ao modo como exploravam os camponeses e a sua vergonhosa colaboração com Roma.

Sem dúvida os galileus sentiam uma conexão significativa com o Templo como o lugar onde habitava o espírito de Deus, mas eles também evi-

---

* Uma das principais obras do judaísmo rabínico, é a primeira grande redação da tradição oral judaica, chamada a Torá Oral. (N.T.)

denciavam um desprezo profundo em relação aos sacerdotes que viam a si mesmos como os únicos árbitros da vontade divina. Há evidências que sugerem que os galileus foram seguidores menos atentos dos rituais do Templo e, dada a distância de três dias entre a Galileia e Jerusalém, menos propensos a fazer visitas frequentes a ele. Os agricultores e camponeses da Galileia que podiam juntar dinheiro suficiente para dirigirem-se a Jerusalém para as festas sagradas teriam se encontrado na posição humilhante de entregar seus magros sacrifícios para os ricos sacerdotes do Templo, alguns dos quais poderiam ser os proprietários das terras em que esses mesmos camponeses e agricultores trabalhavam em seus vilarejos.

A diferença entre a Judeia e a Galileia cresceu mais ainda depois que Roma colocou a Galileia sob o domínio direto de Antipas, filho de Herodes, o Grande. Pela primeira vez em sua história, os galileus tinham um governante que realmente residia na região. A tetrarquia de Antipas transformou a província em uma jurisdição política separada, não mais sujeita à autoridade direta do Templo e à aristocracia sacerdotal de Jerusalém. Os galileus ainda deviam seus dízimos para o voraz tesouro do Templo e Roma ainda exercia controle sobre todos os aspectos da vida na Galileia: Roma tinha instalado Antipas e Roma o comandava. Seu governo, porém, permitia uma pequena mas significativa autonomia. Não havia mais tropas romanas estacionadas na província; elas tinham sido substituídas pelos soldados do próprio Antipas. E pelo menos Antipas era um judeu que, na maior parte das vezes, tentava não ofender as sensibilidades religiosas daqueles sob seu governo, não obstante seu casamento com a mulher do irmão e a execução de João Batista.

Por volta de 10 d.C., quando Antipas estabeleceu sua capital em Séforis, até 36 d.C., quando foi deposto pelo imperador Calígula e enviado para o exílio, os galileus desfrutaram um período de paz e tranquilidade que certamente foi um alívio em relação à década de rebelião e de guerra que o precedera. Mas a paz era um ardil, a cessação do conflito era um pretexto para a transformação física da Galileia. Pois no período desses vinte anos, Antipas construiu duas novas cidades gregas – sua primeira capital, Séforis, seguida pela segunda, Tiberíades, na costa do mar da Galileia – que transformaram completamente a sociedade galileia tradicional.

Essas foram as primeiras verdadeiras cidades que a Galileia já tinha visto, e elas eram quase totalmente povoadas por não galileus: mercadores romanos, gentios de língua grega, obesos colonos da Judeia. As novas cidades colocaram uma enorme pressão sobre a economia da região, essencialmente dividindo a província entre os que tinham riqueza e poder e os que os serviam, fornecendo a mão de obra necessária para manter seus luxuosos estilos de vida. Vilarejos em que a agricultura de subsistência ou a pesca eram a norma foram gradualmente dominados pelas necessidades das cidades, à medida que a agricultura e a produção de alimentos voltaram-se principalmente para satisfazer a nova população cosmopolita. Impostos aumentaram, o preço da terra dobrou e as dívidas cresceram, lentamente desintegrando o modo de vida tradicional na Galileia.

Quando Jesus nasceu, a Galileia estava em chamas. Sua primeira década de vida coincidiu com a pilhagem e a destruição do campo, a segunda com a remodelação nas mãos de Antipas. Quando Jesus saiu da Galileia para a Judeia, para encontrar João Batista, Antipas já havia trocado Séforis pela sede real ainda maior e mais ornamentada em Tiberíades. No momento em que retornou, a Galileia que ele conhecia, de agricultura familiar e campos abertos, de pomares florescentes e vastos prados cheios de flores silvestres, mais se parecia com a província da Judeia, que ele tinha acabado de deixar para trás: urbanizada, helenizada, iníqua e estritamente estratificada entre os que tinham e os que não tinham.

A primeira parada de Jesus ao retornar deve certamente ter sido Nazaré, onde sua família ainda residia, mas ele não ficou muito tempo em sua cidade natal. Jesus tinha partido de Nazaré como um simples *tekton*. Ele voltou como outra coisa. Sua transformação criou uma profunda fenda em sua comunidade. As pessoas parecem reconhecer com dificuldade o pregador itinerante que, de repente, reapareceu em sua aldeia. Os evangelhos dizem que a mãe, os irmãos e irmãs de Jesus estavam escandalizados com o que as pessoas estavam dizendo sobre ele – eles tentaram desesperadamente silenciá-lo e contê-lo (Marcos 3:21). No entanto, quando eles se aproximaram de Jesus e pediram-lhe para voltar para casa e retomar os negócios da família, ele recusou. "Quem são minha mãe e meus irmãos?", perguntou Jesus, olhando para aqueles ao seu redor. "Aqui estão minha mãe e meus irmãos. Todo aquele que fizer a vontade de Deus é meu irmão, irmã e mãe." (Marcos 3:31-34)

Esse relato no evangelho de Marcos é frequentemente interpretado como sugerindo que a família de Jesus rejeitou seus ensinamentos e negou sua identidade como messias. Mas não há nada na resposta de Jesus que sugira hostilidade entre ele e os irmãos. Também não há nada nos evangelhos que indique que a família de Jesus rejeitou suas ambições messiânicas. Pelo contrário, os irmãos de Jesus tiveram um papel bastante significativo no movimento que ele fundou. Seu irmão Tiago tornou-se o líder da comunidade em Jerusalém após a crucificação. Talvez sua família tenha sido lenta em aceitar os ensinamentos de Jesus e as suas extraordinárias afirmações. Mas a evidência histórica sugere que todos acabaram por acreditar nele e na sua missão.

Os vizinhos de Jesus, no entanto, foram uma história diferente. O evangelho pinta seus compatriotas nazarenos como angustiados com o retorno do "filho de Maria". Embora alguns falassem bem dele e ficassem espantados com suas palavras, a maioria estava profundamente perturbada com sua presença e seus ensinamentos. Jesus tornou-se rapidamente um pária na pequena comunidade na colina. O evangelho de Lucas afirma que os moradores de Nazaré acabaram por levá-lo até o cume do monte em que a vila foi construída e tentaram empurrá-lo de um penhasco (Lucas 4:14-30). A história é suspeita, não há precipício de onde ser empurrado em Nazaré, apenas a encosta suavemente inclinada. Ainda assim, permanece o fato de que, pelo menos num primeiro momento, Jesus foi incapaz de encontrar seguidores em sua aldeia. "Nenhum profeta é aceito em sua terra", disse ele antes de abandonar a casa de sua infância, trocando-a por uma vila de pescadores próxima, chamada Cafarnaum, na costa norte do mar da Galileia.

Cafarnaum era o lugar ideal para Jesus lançar seu ministério, uma vez que reflete perfeitamente as mudanças calamitosas provocadas pela nova economia da Galileia sob o domínio de Antipas. A vila costeira de cerca de 1.500 habitantes, em sua maioria agricultores e pescadores, conhecida pelo clima temperado e o solo fértil, se tornaria a base de operações de Jesus ao longo do primeiro ano de sua missão. Toda a aldeia se estendia ao longo de uma vasta extensão da costa, permitindo que o ar fresco alimentasse todos os tipos de plantas e árvores. Tufos de exuberante vegetação marinha prosperavam ao longo do extenso litoral durante todo o ano, enquanto moitas de nogueiras e pinheiros, figueiras e oliveiras se espalhavam pelas baixas colinas do interior. O verdadeiro dote de Cafarnaum era mesmo seu magnífico mar, que fervilhava com uma variedade de peixes que tinha nutrido e sustentado a população durante séculos.

Quando Jesus lá estabeleceu seu ministério, no entanto, a economia de Cafarnaum tinha se tornado quase totalmente centrada no atendimento às necessidades das novas cidades que surgiram em torno dela, especialmente a nova capital, Tiberíades, que ficava poucos quilômetros ao sul. A produção de alimentos aumentou exponencialmente e, com isso, a qualidade de vida dos agricultores e pescadores que tiveram a capacidade de comprar mais terras cultiváveis ou mais barcos e redes. Mas, como no resto da Galileia, os lucros desse aumento dos meios de produção beneficiavam mais os latifundiários e agiotas que residiam fora de Cafarnaum: os sacerdotes ricos da Judeia e da nova elite urbana em Séforis e em Tiberíades. A maioria dos moradores de Cafarnaum tinha sido deixada para trás pela nova economia. Seriam essas pessoas as especialmente visadas por Jesus, aquelas que se viram lançadas à margem da sociedade, cujas vidas tinham sido interrompidas pelas rápidas mudanças sociais e econômicas que vinham ocorrendo em toda a Galileia.

Isso não quer dizer que Jesus estivesse interessado apenas nos pobres, ou que só os pobres iriam segui-lo. Uma série de benfeitores bastante prósperos – os coletores de pedágio Levi (Marcos 2:13-15) e Zaqueu (Lucas 19:1-10) e o rico benfeitor Jairo (Marcos 5:21-43), para citar alguns, financiariam a missão de Jesus, fornecendo alimentação e hospedagem para ele e seus seguidores. Mas a mensagem de Jesus foi projetada para ser um desafio direto aos ricos e poderosos, fossem eles os ocupantes, em Roma, os colaboradores do Templo ou a nova classe endinheirada nas cidades gregas da Galileia. A mensagem era simples: o Senhor Deus tinha visto o sofrimento dos pobres e despossuídos, tinha ouvido seus gritos de angústia. E finalmente faria algo sobre isso. Essa pode não ter sido uma mensagem nova – João pregara a mesma coisa –, mas era uma mensagem que estava sendo entregue a uma nova Galileia, por um homem que, como um experiente e verdadeiro galileu ele próprio, compartilhava os sentimentos anti-Judeia, anti-Templo que permeavam a província.

Jesus não estava há muito em Cafarnaum quando começou a reunir consigo um pequeno grupo de galileus que pensavam como ele, selecionados principalmente a partir das fileiras de jovens descontentes da vila de pescadores, que se tornariam os seus primeiros discípulos (na verdade, Jesus já chegara com alguns discípulos a reboque, aqueles que haviam deixado João Batista depois de sua captura, passando a seguir Jesus). De acordo com o evangelho de Marcos, Jesus encontrou seus primeiros seguidores enquanto caminhava à beira do mar da Galileia. Observando dois jovens pescadores, Simão e seu irmão André, lançarem as redes, ele disse: "Segui-me, e eu vos farei pescadores de homens." Os irmãos, escreve Marcos, imediatamente deixaram cair suas redes e foram com ele. Algum tempo depois, Jesus encontrou outro par de pescadores, Tiago e João, os jovens filhos de Zebedeu, e fez a mesma oferta. Eles também deixaram o barco e as redes e seguiram Jesus (Marcos 1:16-20).

O que fazia os discípulos se destacarem das aglomerações que inchavam e encolhiam sempre que Jesus entrava em uma aldeia ou outra é que eles realmente viajavam com Jesus. Ao contrário das massas entusiasmadas, mas inconstantes, os discípulos foram especificamente chamados por Jesus a deixar suas casas e suas famílias para trás para segui-lo de cidade em cidade, aldeia em aldeia. "Se alguém vem a mim e não odeia seu pai e sua mãe e esposa e filhos, e irmãos, e irmãs e, sim, até mesmo a sua vida, ele não pode ser meu discípulo." (Lucas 14:26 | Mateus 10:37)

O evangelho de Lucas afirma que havia 72 discípulos ao todo (Lucas 10:1-12), e, sem dúvida, nesse número se incluíam mulheres – algumas das quais, desafiando a tradição, são nomeadas no Novo Testamento: Joana, mulher do administrador de Herodes, Chuza; Maria, mãe de Tiago e de

José; Maria, mulher de Cléofas; Susana; Salomé; e talvez a mais famosa de todas, Maria de Magdala, a quem Jesus havia curado de "sete demônios" (Lucas 8:2). Que essas mulheres funcionavam como discípulos de Jesus é demonstrado pelo fato de que todos os quatro evangelhos as apresentam como viajando com ele de cidade em cidade (Marcos 15:40-41; Mateus 27:55-56; Lucas 8:2-3, 23:49; João 19:25). Os evangelhos afirmam que "muitas outras mulheres ... seguiram [Jesus] e o serviram" (Marcos 15:40-41), desde seus primeiros dias de pregação na Galileia até seu último suspiro na colina do Gólgota.

Entre os 72, no entanto, houve um núcleo interno de discípulos, todos eles homens que teriam uma função especial no ministério de Jesus. Estes eram conhecidos simplesmente como "os Doze". Eles incluíam os irmãos Tiago e João, filhos de Zebedeu, que seriam chamados de *Boanerges*, "os filhos do trovão"; Filipe, que era de Betsaida e começou como um dos discípulos de João Batista, antes de transferir sua fidelidade a Jesus (João 1:35-44); André, que o evangelho de João afirma que também começou como um seguidor de João Batista, embora os evangelhos sinópticos contradigam essa afirmação, localizando-o em Cafarnaum; o irmão de André, Simão, o discípulo a quem Jesus apelidou de Pedro; Mateus, que às vezes é erroneamente associado a outro dos discípulos de Jesus, Levi, o cobrador de pedágio; Judas, filho de Tiago; Tiago, filho de Alfeu; Tomé, que se tornou lendário por ter duvidado da ressurreição de Jesus; Bartolomeu, sobre o qual quase nada se sabe; um outro Simão, conhecido como "o Zelota", designação usada para sinalizar seu compromisso com a doutrina bíblica do zelo, e não sua associação com o partido zelota, que não existiria pelos próximos trinta anos; e Judas Iscariotes, o homem que os evangelhos afirmam que um dia trairia Jesus para o sumo sacerdote Caifás.

Os Doze serão os principais portadores da mensagem de Jesus – os *apostoloi*, ou "embaixadores" –, apóstolos enviados para cidades e aldeias vizinhas para pregar de forma independente e sem supervisão (Lucas 9:1-6). Eles não seriam os líderes do movimento de Jesus, mas sim seus principais missionários. No entanto, os Doze tinham outra função mais simbólica, que se manifestaria mais tarde. Eles viriam a representar a restauração das doze tribos de Israel, há muito destruídas e espalhadas.

Com sua base firmemente estabelecida e seu grupo de discípulos escolhidos a dedo crescendo, Jesus começou a visitar a sinagoga da aldeia para pregar sua mensagem para o povo de Cafarnaum. Os evangelhos dizem que aqueles que o ouviam se admiravam de sua doutrina, embora não tanto por causa de suas palavras. Mais uma vez, naquele momento, Jesus estava apenas ecoando seu mestre, João Batista: "A partir desse momento [quando Jesus chegou a Cafarnaum]", escreve Mateus, "Jesus começou a proclamar: 'Arrependei-vos! O Reino dos Céus está próximo.'" (Mateus 4:17) Em vez disso, o que surpreendeu a multidão naquela sinagoga de Cafarnaum era a autoridade carismática com que Jesus falava – "Porque os ensinava como alguém com autoridade e não como os escribas." (Mateus 7:28; Marcos 1:22; Lucas 4:31)

A comparação com os escribas, destacada em todos os três evangelhos sinópticos, é notável e reveladora. Ao contrário de João Batista, que provavelmente foi criado em uma família de sacerdotes de Judá, Jesus era um camponês. Ele falava como um camponês. Ele pregava em aramaico, a língua comum. Sua autoridade não era a dos estudiosos livrescos e da aristocracia sacerdotal. A autoridade daqueles vinha da elucubração solene e da íntima ligação com o Templo. A de Jesus vinha diretamente de Deus. De fato, a partir do momento em que entrou na sinagoga naquela pequena aldeia costeira, Jesus fez questão de colocar-se em oposição direta aos guardiães do Templo, desafiando a autoridade deles como representantes de Deus na terra.

Embora os evangelhos retratem Jesus como estando em conflito com toda uma gama de autoridades judaicas, que muitas vezes são agrupadas em categorias representadas por fórmulas como "os principais sacerdotes e os anciãos", ou "os escribas e fariseus", esses grupos eram separados e distintos na Palestina do século I e Jesus tinha relações diferentes com cada um deles. Os evangelhos tendem a pintar os fariseus como os principais detratores de Jesus, mas o fato é que suas relações com eles, embora ocasionalmente irritadiças, eram, na maior parte, bastante civilizadas e, às vezes, até mesmo amigáveis. Foi um fariseu que advertiu Jesus de que sua vida estava em perigo (Lucas 13:31), um fariseu que ajudou a enterrá-lo depois de sua execução (João 19:39-40), um fariseu que salvou a vida de seus discípulos, depois de ele ter subido ao céu (Atos 5:34). Jesus jantou com fariseus, debateu com eles, viveu entre eles – alguns fariseus estavam mesmo presentes entre os seus seguidores.

Em contraste, o punhado de encontros que Jesus teve com a nobreza sacerdotal e a educada elite de juristas (os escribas) que a representa é sempre retratado pelos evangelhos sob luz bem hostil. A quem mais Jesus estaria se referindo quando disse: "Vós transformastes minha casa em um covil de ladrões"? Não era aos comerciantes e cambistas que ele estava se dirigindo quando passou furioso pelo pátio do Templo, derrubando mesas e abrindo jaulas. Era a quem mais lucrava com o comércio do Templo, e que o fazia nas costas de galileus pobres como ele.

Tal como seus antecessores zelosos, Jesus estava menos preocupado com o império pagão ocupando a Palestina do que com o impostor judaico ocupando o Templo de Deus. Ambos veriam Jesus como uma ameaça, e ambos buscariam sua morte. Mas não pode haver dúvida de que o principal antagonista de Jesus nos evangelhos não é nem o imperador distante, em Roma, nem seus funcionários pagãos na Judeia. É o sumo sacerdote Caifás, que vai se tornar o principal instigador da conspiração para executar Jesus, precisamente por causa da ameaça que ele representava à autoridade do Templo (Marcos 14:1-2; Mateus 26:57-66; João 11:49-50).

À medida que o ministério de Jesus se expandia, tornando-se cada vez mais urgente e de oposição, suas palavras e ações refletiam um profundo antagonismo em relação ao sumo sacerdote e à instituição religiosa judaica, que, nas palavras de Jesus, amava "pavonear-se em longas vestes e ser saudado com respeito nas praças, e ter os primeiros assentos nas sinagogas e os lugares de honra nas festas".

"Eles devoram as casas das viúvas e fazem longas orações em prol da aparência", diz Jesus dos escribas. E, por isso, "a sua condenação será maior" (Marcos 12:38-40). As parábolas de Jesus, especialmente, estavam cheias dos mesmos sentimentos anticlericais que moldaram a política e a fé da Galileia, e que se tornariam a marca registrada de seu ministério. Considere a famosa parábola do Bom Samaritano:

Um homem descia de Jerusalém para Jericó. Ele caiu nas mãos de salteadores que o despojaram de suas roupas e espancaram-no, deixando-o meio morto. Por acaso, um sacerdote veio por esse caminho, e quando viu o homem, passou pelo outro lado. Um levita (sacerdote) também passou por aquele lugar, e, vendo o homem, também passou do outro lado. Mas um samaritano em viagem passou por onde o homem estava e, quando o viu, teve compaixão. Foi até ele e enfaixou suas feridas, derramando óleo e vinho sobre elas. Colocou o homem sobre seu próprio animal, levou-o para uma estalagem e cuidou dele. No dia seguinte, deu dois denários ao hospedeiro e disse: "Cuida dele, quando eu voltar pagarei tudo o mais que tu gastares com ele." (Lucas 10:30-37)

Os cristãos têm há muito interpretado essa parábola como reflexo da importância de ajudar as pessoas em dificuldades. Mas, para o público reunido aos pés de Jesus, a parábola teria menos a ver com a bondade do samaritano que com a baixeza dos dois sacerdotes.

Os judeus consideravam os samaritanos como os mais humildes, as pessoas mais impuras na Palestina, por uma razão principal: os samaritanos rejeitaram o primado do Templo de Jerusalém como o único lugar legítimo de culto. Em vez disso, eles adoravam o Deus de Israel em seu próprio templo no monte Gerizim, na margem ocidental do rio Jordão. Para aqueles entre os ouvintes de Jesus que se identificavam com o maltratado, o homem meio morto deixado na estrada, a lição da parábola teria sido evidente: o samaritano, que nega a autoridade do Templo, sai do seu caminho para cumprir o mandamento do Senhor: "Amarás o teu próximo como a ti mesmo" (a própria parábola foi dada em resposta à pergunta: "Quem é o meu próximo?"). Os sacerdotes, que obtêm sua riqueza e autoridade de sua conexão com o Templo, ignoram o mandamento completamente, por medo de profanar sua pureza ritual e pôr assim em risco essa conexão.

O povo de Cafarnaum devorava essa mensagem agudamente anticlerical. Quase de imediato, grandes multidões começaram a se reunir em torno de Jesus. Alguns reconheceram nele o menino nascido em Nazaré de uma família de carpinteiros. Outros ouviram falar do poder de suas palavras e vieram para ouvi-lo pregar por curiosidade. Ainda assim, naquele momento, a reputação de Jesus estava contida ao longo das margens de Cafarnaum. Fora dessa vila de pescadores, ninguém tinha ainda ouvido falar do carismático pregador galileu – nem Antipas em Tiberíades, nem Caifás em Jerusalém.

Mas, então, aconteceu algo que mudaria tudo.

Enquanto estava na sinagoga de Cafarnaum, falando sobre o Reino de Deus, Jesus foi subitamente interrompido por um homem que os evangelhos descrevem como tendo "um espírito sujo".

"O que temos nós a ver contigo, Jesus de Nazaré?", o homem gritou. "Tu viestes para nos destruir? Eu sei quem tu és, ó Santo de Deus."

Jesus interrompeu-o de uma só vez. "Silêncio! Saia fora dele!"

O homem imediatamente despencou no chão, contorcendo-se em convulsões. Um grande grito saiu de sua boca. E ele ficou imóvel.

Todos na sinagoga ficaram surpresos. "O que é isso?", as pessoas perguntavam umas às outras. "Um novo ensinamento? E com tanta autoridade que ele ordena os espíritos e eles o obedecem." (Marcos 1:23-28)

Depois disso, a fama de Jesus já não podia limitar-se a Cafarnaum. Notícias do pregador itinerante se espalharam por toda a região, em toda a Galileia. Em cada cidade e aldeia a multidão crescia à medida que as pessoas de todos os lugares se aproximavam, não tanto para ouvir a sua mensagem, mas para ver as obras maravilhosas de que tinham ouvido falar. Pois enquanto os discípulos acabariam por reconhecer Jesus como o messias prometido e herdeiro do reino de Davi, enquanto os romanos o viam como um falso pretendente ao cargo de rei dos judeus e os escribas e os sacerdotes do Templo viriam a considerá-lo uma ameaça blasfema ao controle da religião judaica, para a grande maioria dos judeus na Palestina – aqueles que ele alegava ter sido enviado para libertar da opressão – Jesus não era nem messias, nem rei: era apenas mais um milagreiro viajante e exorcista profissional rodando pela Galileia realizando seus truques.

9. Pelo dedo de Deus

Não demorou muito para que o povo de Cafarnaum percebesse o que tinha em seu meio. Jesus certamente não foi o primeiro exorcista a caminhar pelas margens do mar da Galileia. Na Palestina do século I, o profissional milagreiro era uma vocação bem-estabelecida, como a de carpinteiro ou pedreiro, e pagava bem melhor. Na Galileia, especialmente, abundavam visionários carismáticos que afirmavam canalizar o divino por uma taxa nominal. No entanto, na perspectiva dos galileus, o que diferenciava Jesus de seus companheiros exorcistas e curandeiros é que ele parecia estar prestando seus serviços de forma gratuita. Aquele primeiro exorcismo na sinagoga de Cafarnaum pode ter chocado os rabinos e os anciãos que viram nele um "novo tipo de ensinamento" – os evangelhos dizem que uma enorme quantidade de escribas começou a descer para a cidade logo depois, para verem por si mesmos o desafio à sua autoridade por aquele simples camponês. Mas para o povo de Cafarnaum, o que importava não era tanto a fonte de curas de Jesus. O que importava era o custo.

Quando chegou a noite, todos em Cafarnaum sabiam do curador gratuito em sua cidade. Jesus e seus companheiros tinham se abrigado na casa dos irmãos Simão e André, onde a sogra de Simão estava deitada na cama, com febre. Quando os irmãos contaram a Jesus sobre a doença, ele foi até a mulher e pegou sua mão; imediatamente ela foi curada. Logo depois, uma grande multidão reuniu-se diante da casa de Simão, levando consigo coxos, aleijados, leprosos e aqueles possuídos por demônios. Na manhã seguinte, a multidão de doentes e enfermos havia crescido ainda mais.

Para escapar das multidões, Jesus sugeriu deixar Cafarnaum por alguns dias. "Vamos às aldeias vizinhas para que eu possa proclamar minha mensagem lá também." (Marcos 1:38) Mas a notícia do milagreiro itinerante já havia atingido as cidades vizinhas. Em todos os lugares onde Jesus foi – Betsaida, Gerasa, Jericó –, os cegos, os surdos, os mudos e os paralíticos afluíam a ele. E Jesus curava todos. Quando ele finalmente voltou a Cafarnaum, alguns dias depois, havia tantas pessoas amontoadas na porta de Simão que um grupo de homens teve que fazer um buraco no teto para poder descer por ali seu amigo paralítico para Jesus curar.

Para a mente moderna, as histórias de curas e exorcismos de Jesus parecem improváveis, para dizer o mínimo. De fato, a aceitação de seus milagres constitui a principal ruptura entre o historiador e o adorador, o acadêmico e o investigador. Pode parecer um tanto incongruente, então, dizer que há mais material histórico acumulado confirmando os milagres de Jesus do que a respeito de seu nascimento em Nazaré ou sua morte no Gólgota. É bom deixar claro, não há nenhuma evidência que comprove qualquer ação milagrosa específica de Jesus. As tentativas de estudiosos de julgar a autenticidade de uma ou outra das curas ou exorcismos resultaram em um exercício inútil. Não faz sentido argumentar que é *mais provável* que Jesus tenha curado um paralítico, mas *menos provável* que tenha ressuscitado Lázaro dentre os mortos. Todas as histórias dos milagres de Jesus foram embelezadas com o passar do tempo e imbricadas com significado cristão e, portanto, nenhuma delas pode ser historicamente validada. É igualmente sem sentido tentar desmistificar os milagres de Jesus, procurando alguma base racional para explicá-los: Jesus só *pareceu* andar sobre a água por causa da mudança das marés; Jesus apenas *parecia* exorcizar um demônio de uma pessoa que era, na realidade, epiléptica. Como alguém no mundo moderno vê as ações milagrosas de Jesus é irrelevante. Tudo o que pode ser conhecido é como as pessoas do seu tempo viam tais ações. E é aí que reside a evidência histórica. Pois enquanto se debatia, dentro da Igreja primitiva, sobre quem era Jesus – um rabino? O messias? Deus encarnado? –, nunca houve qualquer debate, quer entre seus seguidores quer entre os detratores, sobre o seu papel como um exorcista e milagreiro.

Todos os evangelhos, inclusive as escrituras não canônicas, confirmam os atos milagrosos de Jesus, assim como o faz também a Fonte Q, material de origem mais antiga. Quase um terço do evangelho de Marcos consiste das curas e exorcismos de Jesus. A Igreja primitiva não só manteve uma memória viva desses milagres como também construiu sua fundação sobre eles. Os apóstolos de Jesus foram marcados por sua capacidade de imitar os poderes miraculosos do mestre, de curar e exorcizar pessoas em seu nome. Mesmo aqueles que não o aceitavam como messias viam Jesus como "um fazedor de feitos surpreendentes". Em nenhum momento nos evangelhos os inimigos de Jesus negam seus milagres, embora questionem sua motivação e fonte. Já nos séculos II e III, os intelectuais judeus e filósofos pagãos que escreveram tratados contra o cristianismo aceitavam o status de Jesus como exorcista e milagreiro. Eles podem ter denunciado Jesus como nada mais do que um mágico ambulante, mas não duvidavam de suas habilidades mágicas.

Mais uma vez, Jesus não foi o único milagreiro a percorrer a Palestina curando enfermos e expulsando demônios. Aquele era um mundo impregnado de magia, e Jesus era apenas um de um número incontável de adivinhos e intérpretes de sonhos, feiticeiros e curandeiros que perambulavam pela Judeia e a Galileia. Houve Honi, o Desenhador de Círculos, assim chamado porque, durante um tempo de seca, desenhou um círculo no chão e ficou dentro dele, gritando a Deus: "Juro por seu grande nome que não vou sair daqui até que tenha piedade de seus filhos." E as chuvas vieram imediatamente. Os netos de Honi, Abba Hilqiah e Hanan, o Escondido, também foram amplamente creditados por ações milagrosas; ambos viveram na Galileia por volta da mesma época que Jesus. Outro milagreiro judeu, o rabino Hanina ben Dosa, que residia na aldeia de Arab, a apenas alguns quilômetros da casa de Jesus em Nazaré, tinha o poder de rezar sobre os doentes e até mesmo interceder em seu nome para discernir quem iria viver e quem iria morrer. Talvez o mais famoso milagreiro da época fosse Apolônio de Tiana. Descrito como um "homem santo", ele pregava o conceito de um "Deus Supremo" e realizava ações milagrosas aonde quer que fosse. Ele curava os coxos, os cegos, os paralíticos. Chegou mesmo a ressuscitar uma menina.

Nem era Jesus o único exorcista na Palestina. O exorcista judeu itinerante era uma visão familiar, e exorcismos podiam se constituir em um empreendimento lucrativo. Muitos exorcistas são mencionados nos evangelhos (Mateus 12:27, Lucas 11:19, Marcos 9:38-40, e também Atos 19:11-17). Alguns – como o famoso exorcista Eleazar, que pode ter sido um essênio – usavam amuletos e encantamentos para extrair demônios dos aflitos através do nariz. Outros, como o rabino Simão ben Yohai, podiam expulsar demônios simplesmente proferindo o nome deles; como Jesus, Yohai primeiro comandava o demônio a identificar-se, o que lhe dava autoridade sobre o mesmo. O Livro de Atos retrata Paulo como um exorcista que usou o nome de Jesus como talismã de poder contra as forças demoníacas (Atos 16:16-18, 19:12). Instruções sobre exorcismo foram encontradas até mesmo nos *Manuscritos do mar Morto*.

A razão para exorcismos serem tão comuns na época de Jesus é que os judeus viam a doença como uma manifestação ou do juízo divino ou de atividade demoníaca. Não importa de que maneira se queira definir a possessão demoníaca – como um problema de saúde ou uma doença mental, epilepsia ou esquizofrenia –, a verdade é que as pessoas na Palestina entendiam esses problemas como sinais de possessão, e viam Jesus como um entre os exorcistas profissionais com o poder de trazer a cura para aqueles tocados por esses males.

Pode ser verdade que, ao contrário de muitos de seus companheiros exorcistas e milagreiros, Jesus também tinha ambições messiânicas. Mas também as tinham o fracassado messias Teudas e o Egípcio, ambos tendo usado suas ações milagrosas para ganhar seguidores e fazer reivindicações messiânicas. Esses homens e seus companheiros milagreiros eram conhecidos pelos judeus e gentios como "homens de ações", o mesmo termo que foi aplicado a Jesus. Além disso, a forma literária das histórias milagrosas encontradas nos escritos judaicos e pagãos dos séculos I e II é quase idêntica à dos evangelhos; o mesmo vocabulário básico é usado para descrever tanto o milagre quanto o milagreiro. Simplificando, o status de Jesus como um exorcista e taumaturgo pode parecer incomum, até mesmo absurdo, para os céticos modernos, mas não se afastava muito da expectativa normal de exorcistas e milagreiros na Palestina do século I. Fossem gregos, romanos, judeus ou cristãos, todos os povos do antigo Oriente Próximo viam magia e milagre como uma faceta padrão de seu mundo.

Dito isso, havia uma nítida diferença entre magia e milagre na mente antiga; não em seus métodos e resultados – ambos eram considerados formas de perturbar a ordem natural do universo –, mas na forma com que cada um era percebido. No mundo greco-romano, os magos eram onipresentes, mas a magia foi considerada uma forma de charlatanismo. Havia um punhado de leis romanas contra "trabalhos de magia", e os próprios mágicos poderiam ser expulsos ou mesmo executados se fossem descobertos praticando o que foi por vezes denominado de "magia negra". No judaísmo, também, os magos eram bastante presentes, apesar da proibição contra a magia na lei de Moisés, onde ela é punível com a morte. "Ninguém pode ser encontrado no meio de vós", a Bíblia adverte, "que se envolva na adivinhação, ou é uma bruxa, um mago, ou um feiticeiro, ou alguém que lança feitiços, ou quem consulta espíritos, alguém que é um mago ou um necromante." (Deuteronômio 18:10-11)

A discrepância entre a lei e a prática, em relação às artes da magia, pode ser mais bem explicada pelas formas variáveis como "mágica" era definida. A palavra em si tinha conotações negativas extremas, mas somente quando aplicada às práticas de outros povos e religiões. "Embora as nações que estás prestes a desapropriar deem ouvidos a videntes e adivinhos", Deus diz aos israelitas, "quanto a ti, o Senhor teu Deus não permite que faças isso." (Deuteronômio 18:14) E, contudo, os servos de Deus se envolvem em atos mágicos regularmente, a fim de comprovar a força divina. Assim, por exemplo, Deus ordena a Moisés e a Aarão que "realizem uma maravilha" na frente do faraó, transformando um cajado em uma cobra. Mas quando "homens sábios" do faraó fazem o mesmo truque, eles são desconsiderados como "mágicos" (Êxodo 7:1-13, 9:8-12). Em outras palavras, um representante de Deus – como Moisés, Elias ou Eliseu – realiza milagres, enquanto um "falso profeta" – como os sábios do faraó e os sacerdotes de Baal – faz mágica.

Isso explica por que os primeiros cristãos se esforçaram tanto em argumentar que Jesus *não* era um mágico. Ao longo dos séculos II e III, os detratores judaicos e romanos da Igreja escreveram inúmeros panfletos acusando Jesus de ter usado magia para cativar as pessoas e induzi-las a segui-lo. "Mas, embora eles tenham visto tais trabalhos, eles afirmaram que era arte mágica", escreveu sobre seus críticos o apologista cristão Justino Mártir, no século II. "Pois se atreveram a chamar [Jesus] de mágico e enganador do povo."

Note que esses inimigos da Igreja não negaram que Jesus realizou prodígios. Eles simplesmente rotularam aqueles atos de "mágica". Independentemente disso, os líderes da Igreja, como o famoso teólogo do século III Orígenes de Alexandria, responderam furiosamente a tais acusações, condenando a "acusação caluniosa e infantil [de que] Jesus era um mágico" ou de que realizasse milagres por meio de dispositivos mágicos. Como o pai da Igreja primitiva Irineu, bispo de Lugdunum, argumentou, era justamente a falta de tais dispositivos mágicos que distinguia as ações milagrosas de Jesus daquelas do mago comum. Jesus, nas palavras de Irineu, realizava seus feitos "sem qualquer poder de encantamentos, sem o suco de ervas e gramíneas, sem qualquer observação ansiosa de sacrifícios, de libações ou das estações".

Apesar dos protestos de Irineu, no entanto, as ações milagrosas de Jesus nos evangelhos, especialmente no primeiro, o de Marcos, possuem uma semelhança impressionante com as ações dos magos e milagreiros daquela época, razão pela qual não são poucos os estudiosos contemporâneos da Bíblia que têm abertamente rotulado Jesus de mágico. Sem dúvida, Jesus usa técnicas de um mágico – encantamentos, fórmulas ensaiadas, cuspidas, súplicas repetidas – em alguns de seus milagres. Uma vez, na região da Decápolis,* um grupo de aldeões trouxe um homem surdo-mudo diante de Jesus e pediu-lhe ajuda. Jesus levou o homem para outro lugar, longe da multidão. Então, em um conjunto bizarro de ações ritualizadas

---

* Decápolis, "dez cidades" em grego, era um grupo de dez cidades, ou talvez mais que isso, todas de tradição greco-romana, situadas entre a Judeia e a Síria. (N.T.)

que poderiam ter vindo diretamente do manual de um antigo mago, Jesus colocou os dedos nos ouvidos do surdo, cuspiu, tocou sua língua e, erguendo os olhos ao céu, cantou a palavra *ephphatha*, que significa "ser aberto" em aramaico. Imediatamente os ouvidos do homem se abriram e sua língua soltou-se (Marcos 7:31-35).

Em Betsaida, Jesus realizou uma ação semelhante em um homem cego. Ele levou o homem para longe da multidão, cuspiu diretamente em seus olhos, colocou as mãos sobre ele e perguntou: "Estás vendo alguma coisa?"

"Posso ver as pessoas", disse o homem. "Mas elas parecem árvores andando."

Jesus repetiu a fórmula ritual uma vez mais. Dessa vez o milagre funcionou – o homem recuperou a visão (Marcos 8:22-26).

O evangelho de Marcos narra uma história ainda mais curiosa, de uma mulher que sofria de hemorragia havia doze anos. Tinha visto muitos médicos e gastara todo o dinheiro que possuía, mas não encontrava alívio para sua condição. Tendo ouvido falar de Jesus, veio por trás dele junto com a multidão, estendeu a mão e tocou-lhe o manto. No mesmo instante a hemorragia cessou e ela sentiu no próprio corpo que tinha sido curada.

O que é notável sobre essa história é que, de acordo com Marcos, Jesus "sentiu o poder drenado dele". Ele parou em seu caminho e gritou: "Quem tocou em meu manto?" A mulher prostrou-se diante dele e confessou a verdade. "Filha", Jesus respondeu. "A tua fé te salvou." (Marcos 5:24-34)

A narrativa de Marcos parece sugerir que Jesus era um condutor passivo através do qual o poder de cura corria como uma corrente elétrica. Isso está de acordo com a maneira como os processos mágicos são descritos nos textos da época. É certamente digno de nota que, ao recontar a história de Marcos sobre a mulher hemorrágica, vinte anos depois, Mateus omita a qualidade mágica da versão de Marcos. Em Mateus, Jesus se vira quando a mulher o toca, toma ciência e se dirige a ela, e só então é que ele ativamente cura sua doença (Mateus 9:20-22).

Apesar dos elementos mágicos que podem ser identificados em alguns dos milagres, o fato é que em nenhum lugar nos evangelhos alguém realmente acusa Jesus de realizar magia. Teria sido uma acusação fácil para seus inimigos fazerem, e teria significado uma sentença de morte imediata. No entanto, quando Jesus esteve diante das autoridades romanas e judaicas para responder às acusações contra ele, os crimes elencados eram muitos – sedição, blasfêmia, rejeitar a lei de Moisés, recusar-se a pagar o tributo, ameaçar o Templo –, mas ser um mago não era um deles.

Também é interessante notar que Jesus nunca cobrou uma taxa por seus serviços. Mágicos, curandeiros, milagreiros, exorcistas, essas eram profissões qualificadas e muito bem pagas na Palestina do século I. Eleazar, o Exorcista, foi uma vez solicitado a realizar seus feitos para ninguém menos que o imperador Vespasiano. No Livro de Atos, um mágico profissional popularmente conhecido como Simão, o Mago, oferece dinheiro aos apóstolos para ser treinado na arte de manipular o Espírito Santo para curar os enfermos. "Dai-me este poder também", Simão pede a Pedro e João, "de modo que qualquer um em quem eu coloque minhas mãos possa receber o Espírito Santo."

"Que o teu dinheiro pereça contigo", Pedro responde, "porque tu pensaste que poderias comprar com dinheiro o que Deus dá como um dom gratuito." (Atos 8:9-24)

A resposta de Pedro pode parecer extrema. Mas ele está apenas seguindo o comando de seu messias, que disse aos discípulos: "Curai os enfermos, limpai os leprosos, ressuscitai os mortos e expulsai os demônios. Vós recebestes [esses presentes] sem pagamento. *Dai-los sem pagamento.*" (Mateus 10:8 | Lucas 9:1-2)

No fim das contas, pode ser inútil discutir se Jesus era um mágico ou um milagreiro. Magia e milagre talvez possam ser mais bem vistos como dois lados da mesma moeda na antiga Palestina. Os pais da Igreja estavam certos sobre uma coisa, no entanto. Há, claramente, algo único e diferente sobre as ações milagrosas de Jesus nos evangelhos. Não é simplesmente porque não fossem cobradas ou porque nem sempre empregassem métodos de mágico. É que os milagres de Jesus não pretendem ser um fim neles próprios. Ao invés disso, suas ações servem a um propósito pedagógico. Elas são um meio de transmitir uma mensagem muito específica aos judeus.

Uma pista para entender o que possa ser essa mensagem vem à tona em uma passagem intrigante da Fonte Q. Conforme relatado nos evangelhos de Mateus e Lucas, João Batista está definhando em uma cela no topo da fortaleza de Maqueronte, à espera da execução, quando ouve falar dos prodígios que estão sendo feitos na Galileia por um de seus ex-discípulos. Curioso a respeito das notícias, João envia um mensageiro para perguntar a Jesus se ele é "aquele que está por vir".

"Vai contar a João o que tu ouves e vês", Jesus diz ao mensageiro. "Os cegos veem, os coxos andam, os leprosos são purificados, os surdos ouvem, os mortos são ressuscitados e os pobres recebem boas notícias." (Mateus 11:1-6 | Lucas 7:18-23)

As palavras de Jesus são uma referência deliberada ao profeta Isaías, que há muito tempo anunciara o dia em que Israel seria redimido e Jerusalém renovada, um dia em que o Reino de Deus seria estabelecido na terra. "Então os olhos dos cegos serão abertos e os ouvidos dos surdos se abrirão, os coxos saltarão como o cervo, e a língua do mudo cantará de alegria", Isaías prometeu. "Os mortos viverão e os cadáveres ressuscitarão." (Isaías 35:5-6, 26:19)

Ao ligar seus milagres com a profecia de Isaías, Jesus está dizendo, em termos inequívocos, que o ano de graça do Senhor, o dia da vingança de Deus previsto pelos profetas, finalmente havia chegado. O Reino de Deus começara. "Se pelo dedo de Deus eu expulso demônios, então certamente o Reino de Deus chegou até vós" (Mateus 12:28 | Lucas 11:20). Os milagres de Jesus são apenas a manifestação do Reino de Deus na terra. É o dedo de Deus que cura o cego, o surdo, o mudo, o dedo de Deus que exorciza os demônios. A tarefa de Jesus é simplesmente brandir esse dedo como agente de Deus na terra.

Só que Deus já tinha agentes na terra. Eram aqueles trajando finas vestes brancas, circulando pelo Templo, pairando sobre montanhas de incenso e incessantes sacrifícios. A principal função da nobreza sacerdotal não era apenas presidir os rituais do Templo, mas controlar o acesso ao Templo propriamente dito. O próprio projeto do Templo de Jerusalém, com uma série de ingressos cada vez mais restritos, visava manter o monopólio sacerdotal sobre quem poderia e não poderia chegar à presença de Deus, e em que grau. Os doentes, os coxos, os leprosos, os "endemoniados", as mulheres menstruadas, aqueles que excretaram fluidos corporais, aquelas que tinham dado à luz recentemente – nenhum deles estava autorizado a entrar no Templo e participar do culto judaico, a não ser que fosse primeiro purificado de acordo com o código sacerdotal. Com cada leproso purificado, cada paralítico curado, cada demônio expulso, Jesus não apenas desafiava o código sacerdotal, ele invalidava o próprio objetivo do sacerdócio.

Assim, no evangelho de Mateus, quando um leproso vem implorar-lhe para ser curado, Jesus estende a mão e o toca, curando sua doença. Mas ele não para por aí. "Vai mostrar-te ao sacerdote", diz ao homem. "Ofereça a ele, como um testemunho, as coisas que a lei de Moisés determinou para sua purificação."

Jesus está gracejando. Seu comando para o leproso é uma galhofa – um calculado golpe no código sacerdotal. O leproso não está apenas doente, afinal de contas. Ele é impuro. Ele é cerimonialmente impuro e, portanto, indigno de entrar no Templo de Deus. Sua doença contamina toda a comunidade. De acordo com a lei de Moisés, a que Jesus se refere, a única maneira de um leproso ser purificado é completar um ritual muito trabalhoso e caro, que poderia ser conduzido apenas por um sacerdote. Em primeiro lugar, o leproso deve levar ao sacerdote duas aves limpas, juntamente com um pouco de cedro, fio carmesim e hissopo. Um dos pássaros deve ser imediatamente sacrificado, e a ave viva, o cedro, o fio e o hissopo, mergulhados em seu sangue. O sangue deve então ser aspergido sobre o leproso, e a ave viva liberada. Sete dias depois, o leproso deve rapar toda a cabeça e se banhar em água. No oitavo dia, o leproso deve levar dois cordeiros, livres de defeito, e uma ovelha, também sem defeito, bem como uma oferenda de farinha amassada com azeite, de volta ao sacerdote, que os queimará em oferta ao Senhor. O sacerdote deve então, com o sangue da oferta, salpicar o lóbulo da orelha direita, o polegar direito e o dedão do pé direito do leproso. Ele deve, em seguida, aspergir sete vezes o leproso com o óleo. Só depois de tudo isso feito será o leproso considerado livre do pecado e da culpa que levaram à sua lepra, em primeiro lugar, e só então ele terá permissão para se juntar à comunidade de Deus (Levítico 14).

Obviamente, Jesus não está dizendo ao leproso que acabou de curar para comprar dois pássaros, dois cordeiros, uma ovelha, uma tira de madeira de cedro, um carretel de fio carmesim, um ramo de hissopo, um alqueire de farinha e um frasco de óleo e dar tudo ao sacerdote como uma oferenda a Deus. Ele está dizendo para o leproso se apresentar ao sacerdote *já tendo sido purificado*. Esse é um desafio direto não só à autoridade do sacerdote, mas ao próprio Templo. Pois Jesus não só curou o leproso, ele o purificou, tornando-o elegível a apresentar-se no Templo como um verdadeiro israelita. E ele fez isso de graça, como um dom de Deus – sem dízimo, sem sacrifício –, portanto tomando para si os poderes concedidos exclusivamente ao sacerdócio para julgar um homem digno de entrar na presença de Deus.

Tal ataque flagrante sobre a legitimidade do Templo poderia ser desprezado e desconsiderado, desde que Jesus permanecesse abrigado na periferia, na Galileia. Mas uma vez que ele e seus discípulos deixam sua base em Cafarnaum e começam lentamente a fazer o caminho para Jerusalém, curando enfermos e expulsando demônios ao longo do caminho, a colisão de Jesus com as autoridades sacerdotais, e o Império Romano que as suporta, torna-se inevitável. Logo as autoridades em Jerusalém não serão mais capazes de ignorar esse exorcista itinerante e milagreiro. Quanto mais perto ele chegar da Cidade Santa, mais urgente se tornará a necessidade de silenciá-lo. Não são as ações milagrosas de Jesus que eles temem, mas a mensagem simples, porém incrivelmente perigosa, que Jesus está transmitindo por meio delas: o Reino de Deus está próximo.

10. Que venha a nós o teu Reino

"A QUE HEI DE COMPARAR o Reino de Deus?", perguntou Jesus. Ele é como um rei poderoso que, tendo preparado um banquete de casamento grandioso para o filho, envia seus servos aos quatro cantos do reino para chamar os convidados de honra para a alegre ocasião.

"Diga aos meus convidados que preparei o banquete", o rei instrui os servos. "Os bois e outros animais foram engordados e abatidos. Tudo está preparado. Venha para a festa de casamento."

Os servos saem para espalhar as notícias do rei. No entanto, um a um, os convidados de honra recusam o convite. "Eu recentemente comprei um pedaço de terra", diz um. "Tenho que cuidar dele. Por favor, aceite minhas desculpas."

"Comprei cinco juntas de bois e preciso testá-los", diz outro. "Por favor, aceite minhas desculpas."

"Eu acabo de me casar", diz um terceiro. "Não posso ir."

Quando os servos retornam, eles informam ao rei que nenhum dos convidados aceitou o convite, e que alguns deles não só se recusaram a participar da celebração como dominaram os servos do rei, os maltrataram e até mesmo os mataram.

Num acesso de raiva, o rei ordena que os servos procurem pelas ruas e vielas do reino, reunindo todos aqueles que possam encontrar – jovens e velhos, pobres e fracos, os coxos, os aleijados, os cegos, os marginalizados – para trazê-los todos ao banquete.

Os servos assim o fazem e a festa começa. Mas, no meio das celebrações, o rei percebe um hóspede que não foi convidado, que não está usando as roupas de casamento.

"Como chegaste aqui?", o rei pergunta ao estranho.

O homem não tem resposta.

"Amarrai-o pelos pés e pelas mãos!", ordena o rei. "Jogai-o nas trevas, onde haverá pranto e ranger de dentes. Pois muitos serão convidados, mas poucos os escolhidos."

Quanto aos convidados que se recusaram a ir ao casamento, aqueles que dominaram e mataram os seus servos, o rei libera seu exército para expulsá-los de casa, abatê-los como ovelhas e queimar suas cidades até o chão.

"Aquele que tem ouvidos para ouvir, que ouça." (Mateus 22:1-4 | Lucas 14:16-24)

Disso não se pode ter dúvida: o tema central e unificador da mensagem dos três breves anos do ministério de Jesus foi a promessa do Reino de Deus. Praticamente tudo o que Jesus disse ou fez nos evangelhos tinha a função de proclamar publicamente a vinda do Reino. Foi a primeira coisa sobre a qual ele pregou após a separação de João Batista: "Arrependei-vos, o Reino de Deus está próximo." (Marcos 1:15) Era o núcleo da oração do Senhor, que João ensinou a Jesus e Jesus, por sua vez, ensinou a seus discípulos: "Pai nosso, que estás nos céus, santificado seja o teu nome. Que venha a nós o teu Reino..." (Mateus 6:9-13 | Lucas 11:1-2). Era o que os seguidores de Jesus foram orientados a se esforçarem para obter, acima de tudo – "Busquem primeiro o Reino de Deus, e a justiça de Deus, então todas essas coisas lhes serão acrescentadas" (Mateus 6:33 | Lucas 12:31), pois somente abandonando tudo e todos pelo Reino de Deus eles teriam alguma esperança de nele entrar (Mateus 10:37-39 | Lucas 14:25-27).

Jesus falava tão frequentemente, e de forma tão abstrata, sobre o Reino de Deus que é difícil saber se ele próprio tinha uma concepção unificada desse reino. A expressão – juntamente com seu equivalente em Mateus, "Reino do Céu" – mal aparece no Novo Testamento fora dos evangelhos. Embora numerosas passagens nas Escrituras Hebraicas descrevam Deus como rei e único soberano, a expressão exata "Reino de Deus" aparece apenas no texto apócrifo *Sabedoria de Salomão* (10:10), no qual ele é visualizado como situado fisicamente no céu, o lugar onde está o trono de Deus, onde a corte angelical atende a toda demanda sua e onde sua vontade é feita sempre e sem falhas.

No entanto, o Reino de Deus dos ensinamentos de Jesus não é um reino celestial existente em um plano cósmico. Aqueles que afirmam o contrário apontam com frequência para uma única passagem no evangelho de João em que Jesus supostamente disse a Pilatos: "Meu reino não é desse mundo." (João 18:36) Não apenas essa é a única passagem no evangelho onde Jesus faz tal afirmação, ela é uma tradução incorreta do original grego. A frase *"ouk estin ek tou kosmou"* talvez seja mais bem traduzida como "não é parte dessa ordem/desse sistema [de governo]". Mesmo que se aceite a historicidade da passagem (e muito poucos estudiosos o fazem), Jesus não está afirmando que o Reino de Deus é sobrenatural, ele está dizendo que é diferente de qualquer reino ou governo sobre a terra.

Jesus também não apresenta o Reino de Deus como um reino futuro distante, a ser estabelecido no fim dos tempos. Quando Jesus diz "o Reino de Deus está próximo" (Marcos 1:15) ou "o Reino de Deus está no meio de vós" (Lucas 17:21), ele está apontando para a ação salvadora de Deus naquele momento, em seu tempo presente. É verdade, Jesus fala de guerras e revoltas, terremotos e fome, falsos messias e profetas que impediriam o estabelecimento do Reino de Deus na terra (Marcos 13:5-37). Mas, longe de augurar um futuro apocalipse, as palavras de Jesus são, na realidade, uma descrição perfeita do momento em que ele vivia: uma era de guerras, fomes e falsos messias. Na verdade, Jesus parece esperar que o Reino de Deus se estabeleça a qualquer momento: "Eu lhes digo, há aqueles aqui que não provarão a morte até que vejam o Reino de Deus chegar com poder." (Marcos 9:1)

Se o Reino de Deus não é nem puramente celestial nem totalmente escatológico, então o que Jesus estava propondo deveria ser um reino físico e presente: um reino *real*, com um rei *de verdade* que estava prestes a ser estabelecido na terra. É certamente assim que os judeus teriam entendido a proposta. A concepção particular de Jesus sobre o Reino de Deus pode ter sido diferente e um tanto original, mas suas conotações não teriam sido estranhas ao público. Jesus estava apenas reiterando o que os zelotas vinham pregando há anos. O Reino de Deus, nos ensinamentos de Jesus, era apenas um atalho para a ideia de Deus como o único soberano, o único rei – e não apenas sobre Israel, mas sobre todo o mundo. "Tudo no céu e na terra Vos pertence", diz a Bíblia sobre Deus. "Vosso é o reino... Vós governais sobre tudo." (1 Crônicas 29:11-12; ver também Números 23:21, Deuteronômio 33:5) Na verdade, o conceito da soberania única de Deus estava por trás da mensagem de todos os grandes profetas do passado. Elias, Eliseu, Miqueias, Amós, Isaías, Jeremias – esses homens prometeram que Deus iria libertar os judeus do cativeiro e libertar Israel do domínio estrangeiro se eles se recusassem a servir a qualquer senhor terrestre ou curvar-se a qualquer rei, salvo o primeiro e único rei do universo. Essa mesma crença formava a base de quase todos os movimentos de resistência judaica, desde os macabeus, que tinham libertado o país do jugo do domínio selêucida em 164 a.C., depois que o insano rei grego Antíoco Epifânio exigira que os judeus o adorassem como a um deus, até os radicais e revolucionários que resistiram à ocupação romana – os bandidos, os sicários, os zelotas e os mártires em Masada –, toda a lista até o último dos grandes messias fracassados, Simão, filho de Kochba, cuja rebelião em 132 d.C. invocou a exata expressão "Reino de Deus" como um apelo à liberdade do domínio estrangeiro.

    A visão de Jesus a respeito da soberania única de Deus não era muito diferente da visão dos profetas, bandidos, zelotas e messias que vieram antes e depois dele, como evidenciado por sua resposta à pergunta sobre o pagamento de tributo a César. Na verdade, a sua visão do Reino de Deus não era muito diferente da de seu mestre, João Batista, de quem ele provavelmente pegou a expressão. O que fez sua interpretação ser diferente da de João, no entanto, foi a sua concordância com os zelotas de que o Reino de Deus exigia não apenas uma transformação interna em direção à justiça e à retidão, mas uma completa inversão do sistema político, religioso e econômico do momento. "Bem-aventurados vós, os pobres, pois é vosso o Reino de Deus. Bem-aventurados vós que estais com fome, pois sereis alimentados. Bem-aventurados vós que chorais, porque logo ireis sorrir." (Lucas 6:20-21)

Essas duradouras palavras das Bem-aventuranças são, mais do que qualquer outra coisa, uma promessa de iminente libertação da subserviência e do domínio estrangeiro. Elas preveem uma ordem mundial radicalmente nova, onde os mansos herdam a terra, os doentes são curados, o fraco se torna forte, os famintos são alimentados e os pobres se tornam ricos. No Reino de Deus, a riqueza será redistribuída e as dívidas serão canceladas. "Os primeiros serão os últimos e os últimos serão os primeiros." (Mateus 5:3-12 | Lucas 6:20-24)

Mas isso também significa que quando o Reino de Deus for estabelecido na terra, os ricos serão pobres, os fortes se tornarão fracos e os poderosos serão substituídos pelos sem poder. "Quão difícil será para os ricos entrarem no Reino de Deus!" (Marcos 10:23) Em outras palavras, o Reino de Deus não é uma fantasia utópica na qual Deus vinga os pobres e os despossuídos. É uma nova e arrepiante realidade na qual a ira de Deus deságua sobre os ricos, os fortes e os poderosos. "Ai de vós, os ricos, porque recebestes a vossa consolação. Ai de vós que estais saciados, pois tereis fome. Ai de vós que estais rindo agora, pois logo ireis vos lamentar." (Lucas 6:24-25)

As implicações das palavras de Jesus são claras: o Reino de Deus está prestes a ser estabelecido na terra; Deus está à beira de restaurar Israel para a glória. Mas a restauração de Deus não pode acontecer sem a destruição da ordem presente. O governo de Deus não pode ser estabelecido sem a aniquilação dos atuais líderes. Dizer que "o Reino de Deus está próximo", portanto, é o mesmo que dizer que o fim do Império Romano está próximo. Isso significa que Deus vai substituir César como governador da terra. Os sacerdotes do Templo, a rica aristocracia judaica, a elite de Herodes e o usurpador pagão na distante Roma – todos esses estavam prestes a sentir a ira de Deus.

Simplificando, o Reino de Deus é um chamado à revolução. E que revolução, especialmente uma contra um império cujos exércitos haviam devastado a terra separada por Deus para seu povo escolhido, poderia ser livre de violência e derramamento de sangue? Se o Reino de Deus não é uma fantasia etérea, de que outra forma poderia ser estabelecido sobre a terra ocupada por uma enorme presença imperial, exceto através do uso da força? Os profetas, bandidos, zelotas e messias do tempo de Jesus sabiam disso, razão pela qual não hesitaram em empregar a violência na tentativa de estabelecer o governo de Deus na terra. A questão é: Jesus também sentia o mesmo? Será que ele concordava com seu colega messias Ezequias, o chefe dos bandidos, Judas, o Galileu, Menahem, Simão, filho de Giora, Simão, filho de Kochba, e os demais, que a violência era necessária para trazer o Reino de Deus à terra? Será que seguia a doutrina zelota, de que a terra tinha de ser forçosamente purificada de todos os elementos estrangeiros, assim como Deus havia exigido nas escrituras?

Pode não haver nenhuma questão mais importante do que essa para aqueles que tentam separar o Jesus histórico do Cristo cristão. A representação comum de Jesus como um pacificador inveterado que "amava seus inimigos" e "deu a outra face" foi construída principalmente para retratá-lo como um pregador apolítico, sem interesse ou, mesmo, conhecimento do mundo politicamente turbulento em que viveu. Essa imagem de Jesus já foi demonstrada como sendo uma completa invenção. O Jesus da história tinha uma atitude bem mais complexa em relação à violência. Não há nenhuma evidência de que o próprio Jesus defendesse abertamente ações desse tipo. Mas ele certamente não era pacifista. "Não penseis que vim trazer paz à terra. Eu não vim trazer a paz, mas a espada." (Mateus 10:34 | Lucas 12:51)

Após a revolta judaica e a destruição de Jerusalém, a Igreja cristã primitiva tentou desesperadamente distanciar Jesus do nacionalismo zelota que levara àquela guerra terrível. Como resultado, declarações tais como "amar seus inimigos" e "dar a outra face" foram despidas de maneira deliberada de seu contexto judaico e transformadas em princípios éticos abstratos aos quais todos os povos poderiam aderir, independentemente de suas convicções étnicas, culturais ou religiosas.

No entanto, se alguém quiser descobrir no que realmente acreditava o próprio Jesus, nunca se deve perder de vista esse fato fundamental: *Jesus de Nazaré foi um judeu e nada mais*. Como judeu, Jesus estava preocupado exclusivamente com o destino de seus companheiros judeus. Israel era tudo o que importava para Jesus. Ele insistia que sua missão era "somente para as ovelhas perdidas da casa de Israel" (Mateus 15:24) e ordenava aos discípulos que compartilhassem a boa notícia com ninguém mais além de seus companheiros judeus: "Não passem perto dos gentios e não entrem na cidade dos samaritanos." (Mateus 10:5-6) Sempre que ele mesmo encontrava gentios, mantinha distância e muitas vezes os curava com relutância. Como explicou à mulher siro-fenícia que veio a ele em busca de ajuda para a filha: "Deixe os filhos [que para Jesus significava Israel] serem alimentados primeiro, porque não é bom tomar o pão dos filhos e lançá-lo aos cães [que para ele significava os gentios como ela]." (Marcos 7:27)

Quando se tratava do coração e da alma da fé judaica, a lei de Moisés, Jesus era categórico que a sua missão não era abolir a lei, mas cumpri-la (Mateus 5:17). Essa lei fazia uma clara distinção no que diz respeito às relações *entre* os judeus e às relações *entre* judeus e estrangeiros. O mandamento muitas vezes repetido de "amar o teu próximo como a ti mesmo" foi originalmente voltado de forma estrita para o contexto das relações internas de Israel. O versículo em questão diz: "Não te vingarás ou guardarás rancor *contra ninguém do teu povo*, mas amarás o teu próximo como a ti mesmo." (Levítico 19:18) Para os israelitas, bem como para a comunidade de Jesus na Palestina do século I, "próximo" significava os companheiros judeus. No que diz respeito ao tratamento a estrangeiros e forasteiros, opressores e ocupantes, no entanto, a Torá não poderia ser mais clara: "Tu deverás expulsá-los de diante de ti. Tu não farás nenhuma aliança com eles e seus deuses. *Eles não viverão na tua terra.*" (Êxodo 23:31-33)

Para aqueles que, literalmente, veem Jesus como o filho gerado por Deus, o judaísmo de Jesus é totalmente irrelevante. Se Cristo é divino, então ele está acima de qualquer lei ou costume especial. Mas para aqueles que procuram o camponês judeu simples e o pregador carismático que viveu na Palestina há 2 mil anos, não há nada mais importante do que essa verdade inegável: o mesmo Deus que a Bíblia chama de "homem de guerra" (Êxodo 15:3), o Deus que repetidamente comanda o massacre de cada homem, mulher e criança estrangeiros que ocupam a terra dos judeus, o "Deus borrifado de sangue" de Abraão, Moisés, Jacó e Josué

(Isaías 63:3), o Deus que "esmaga a cabeça de seus inimigos", que ordena a seus guerreiros banharem os pés no sangue dos inimigos e deixarem os corpos para os cães comerem (Salmo 68:21-23), esse é o único Deus que Jesus conhecia e o único Deus que ele adorava.

Não há nenhuma razão para considerar a concepção de Jesus a respeito de seus vizinhos e inimigos como tendo sido mais ou menos inclusiva do que a de qualquer outro judeu de seu tempo. Seus comandos para "amar os vossos inimigos" e "dar a outra face" devem ser lidos como dirigidos exclusivamente aos seus companheiros judeus e concebidos como um modelo de relações pacíficas exclusivamente dentro da comunidade judaica. Os mandamentos não têm nada a ver com a forma de tratar os estrangeiros e forasteiros, especialmente aqueles selvagens "saqueadores do mundo" que ocuparam a terra de Deus em violação direta da lei de Moisés – que Jesus entendia estar cumprindo. *Eles não devem viver em tua terra.*

Em qualquer caso, nem o mandamento de amar os inimigos nem o apelo para dar a outra face é equivalente a uma convocação para a não violência ou não resistência. Jesus não era um tolo. Ele entendeu o que qualquer outro pretendente ao manto do messias tinha entendido: a soberania de Deus não poderia ser estabelecida a não ser por meio da força. "Desde os dias de João Batista até agora, o Reino de Deus tem vindo violentamente, e os violentos tentam arrebatá-lo para longe." (Mateus 11:12 | Lucas 16:16)

Foi justamente para se preparar para as consequências inevitáveis de estabelecer o Reino de Deus na terra que Jesus escolheu a dedo seus doze apóstolos. Os judeus do tempo de Jesus acreditavam que viria o dia em que as doze tribos de Israel seriam reconstituídas para formar uma única nação, uma nação unida. Os profetas tinham previsto: "Eu vou restaurar o destino do meu povo, Israel e Judá, diz o Senhor, e eu vou trazê-los de volta para a terra que dei a seus antepassados e eles tomarão posse dela." (Jeremias 30:3) Ao designar os Doze e prometer que eles "sentar-se-iam em doze tronos para julgar as doze tribos de Israel" (Mateus 19:28 | Lucas 22:28-30), Jesus sinalizava que o dia que eles estavam esperando, quando o Senhor dos Exércitos iria "quebrar o jugo que está sobre o pescoço" dos judeus e "romper suas cadeias" (Jeremias 30:8), tinha chegado. A restauração e renovação da *verdadeira* nação de Israel, que João Batista havia pregado, estava finalmente ao alcance. O Reino de Deus estava aqui.

Esta foi uma mensagem ousada e provocadora. Porque, como o profeta Isaías advertira, Deus iria "reunir os povos dispersos de Israel e o povo disperso de Judá" para uma única finalidade: a *guerra*. O novo, reconstituído Israel, nas palavras do profeta, iria "levantar um sinal-estandarte para as nações", iria "atacar violentamente os filisteus no oeste" e "saquear os povos do Oriente". Ele reaveria a terra que Deus deu aos judeus e limparia dela, para sempre, o fedor da ocupação estrangeira (Isaías 11:11-16).

A designação dos Doze era, se não uma chamada para a guerra, uma admissão de sua inevitabilidade, e é por isso que Jesus advertiu-os expressamente do que estava por vir: "Se alguém quer me seguir, renuncie a si mesmo, tome a sua cruz e siga-me." (Marcos 8:34) Essa não é uma declaração de abnegação, como tão frequentemente vem sendo interpretada. A cruz é a punição por sedição, não um símbolo de abnegação. Jesus estava advertindo os Doze que seu status como a personificação das doze tribos que iriam reconstituir a nação de Israel e libertá-la do jugo da ocupação seria justamente compreendido por Roma como traição e, portanto, inevitavelmente levaria à crucificação. Era uma admissão que Jesus fazia com frequência a si mesmo. Vezes sem conta Jesus lembrava aos discípulos do que estava por vir para ele: rejeição, prisão, tortura e execução (Mateus 16:21, 17:22-23, 20:18-19; Marcos 8:31, 9:31, 10:33; Lucas 9:22, 44, 18:32-33). Pode-se argumentar que os evangelistas, que estavam escrevendo décadas depois dos eventos descritos, sabiam que a história de Jesus iria acabar numa cruz no Gólgota, por isso eles colocaram essas previsões na boca de Jesus para comprovar seu talento como profeta. Mas o grande volume de declarações de Jesus sobre sua captura e crucificação inevitável indica que as suas frequentes profecias sobre si mesmo podem ser históricas. De novo, não era preciso ser profeta para prever o que aconteceria com alguém que desafiasse o controle sacerdotal do Templo ou a ocupação romana da Palestina. O caminho diante de Jesus e dos Doze havia sido demonstrado pelos muitos aspirantes messiânicos que vieram antes deles. O destino estava claro.

Isso explica por que Jesus esforçou-se tanto em ocultar a verdade sobre o Reino de Deus, a não ser para os seus discípulos. Ele reconhecia que a nova ordem mundial que imaginava era tão radical, tão perigosa, tão revolucionária que a única resposta possível de Roma seria prender e executar todos eles por sedição. Ele, portanto, conscientemente escolheu velar o Reino de Deus em parábolas obscuras e enigmáticas que são quase impossíveis de se entender. "O segredo do Reino de Deus foi dado para que vós o saibais", Jesus diz aos discípulos. "Mas, para os de fora, tudo é dito por parábolas, para que possam ver e não percebam, para que possam ouvir e não entendam." (Marcos 4:11-12)

Qual é, então, o Reino de Deus nos ensinamentos de Jesus? É ao mesmo tempo a festa de casamento alegre dentro do salão nobre do rei e as ruas banhadas de sangue fora de seus muros. É um tesouro escondido num campo; venda tudo o que tiver e compre aquele campo (Mateus 13:44). É uma pérola escondida dentro de uma concha; sacrifique tudo para buscar aquela concha (Mateus 13:45). É uma semente de mostarda – a menor das sementes – enterrada no solo. Um dia, em breve, ela vai florescer em uma árvore majestosa, e os pássaros se aninharão em seus ramos (Mateus 13:31-32). É uma rede tirada do mar, repleta de peixes bons e ruins; os bons devem ser mantidos e os ruins, descartados (Mateus 13:47). É um prado asfixiado de ervas daninhas e trigo. Quando o ceifeiro vier, vai colher o trigo, mas as ervas daninhas ele vai juntar e jogar no fogo (Mateus 13:24-30). E o ceifeiro está quase aqui. A vontade de Deus está prestes a ser feita na terra, assim como no céu. Então, tire a sua mão do arado e não olhe para trás, deixe que os mortos enterrem os mortos, deixe para trás seu marido e sua esposa, seus irmãos e irmãs e filhos, e prepare-se para receber o Reino de Deus. "O machado já está colocado junto à raiz da árvore."

Claro, nenhuma das mistificações de Jesus sobre o significado e as implicações do Reino de Deus iria impedi-lo de ser preso e crucificado. A afirmação de Jesus de que a atual ordem estava prestes a ser revertida, de que os ricos e os poderosos iam se tornar pobres e fracos, de que as doze tribos de Israel em breve seriam reconstituídas em uma única nação e de que Deus, mais uma vez, seria o único governante em Jerusalém –

nenhuma dessas declarações provocatórias teria sido bem recebida no Templo, onde o sumo sacerdote reinava, ou na fortaleza Antônia, onde Roma governava. Afinal, se o Reino de Deus, como Jesus apresentava, era de fato um reino real, físico, então ele não exigia um rei real, físico? Não estava Jesus requerendo aquele título real para si mesmo? Ele prometeu um trono para cada um dos seus doze apóstolos. Não tinha ele em mente um trono para si próprio?

De fato, Jesus não forneceu detalhes sobre a nova ordem mundial que imaginou (e nenhum outro pretendente real de seu tempo o fez). Não existem programas práticos, nem agendas detalhadas, nem recomendações políticas e econômicas específicas nos ensinamentos de Jesus sobre o Reino de Deus. Ele parece não ter tido nenhum interesse em definir como funcionaria o Reino de Deus na terra. Isso caberia somente a Deus determinar. Mas não há dúvida de que Jesus tinha uma visão clara de seu papel no Reino de Deus: "Se pelo dedo de Deus eu expulso demônios, então certamente o Reino de Deus já chegou até vós."

A presença do Reino de Deus tinha dado poder a Jesus para curar os enfermos e os endemoniados. Mas, ao mesmo tempo, eram as curas e os exorcismos de Jesus que estavam fazendo do Reino de Deus algo que se podia experimentar. Foi, em outras palavras, uma relação simbiótica. Como agente de Deus na terra – aquele que brandia o dedo de Deus –, o próprio Jesus estava inaugurando o Reino de Deus e estabelecendo o domínio de Deus por meio de suas ações milagrosas. Ele foi, com efeito, a personificação do Reino de Deus. Quem mais deveria sentar-se no trono de Deus?

Não é de se admirar, então, que no final de sua vida, quando se postou espancado e ferido diante de Pôncio Pilatos para responder às acusações feitas contra ele, uma única pergunta fosse feita a Jesus. Era a única questão que importava, a única pergunta que ele deveria responder ao governador romano antes de ser enviado para a cruz para receber a punição padrão reservada a todos os rebeldes e insurgentes.

"Tu és o rei dos judeus?"

11. Quem vós dizeis que sou?

MAIS OU MENOS DOIS ANOS se passaram desde que Jesus de Nazaré conheceu João Batista às margens do rio Jordão e seguiu-o para o deserto da Judeia. Nesse período, Jesus não só divulgou a mensagem do mestre sobre o Reino de Deus; ele a expandiu em um movimento de libertação nacional para os sofredores e oprimidos – um movimento fundado sobre a promessa de que Deus iria em breve intervir em nome dos humildes e dos pobres, punir o temido poder imperial romano como punira há muito tempo o exército do faraó e libertar seu Templo das mãos dos hipócritas que o controlavam. O movimento de Jesus atraiu um corpo de discípulos zelosos, a doze dos quais foi dada autoridade para pregar a sua mensagem por conta própria. Em cada vilarejo e cidade, nas aldeias e nos campos, grandes multidões se reúnem para ouvir Jesus e seus discípulos pregarem e para participar das curas e exorcismos gratuitos que eles oferecem para aqueles que buscam sua ajuda.

Apesar de seu relativo sucesso, no entanto, Jesus e seus discípulos restringiram a maior parte de suas atividades às províncias do norte da Galileia, Fenícia e Gaulanitis, sabiamente mantendo uma distância segura da Judeia e da sede da ocupação romana em Jerusalém. Eles desenharam um caminho tortuoso através do campo galileu, desviando completamente das capitais reais de Séforis e Tiberíades, para não enfrentar as forças do tetrarca. Embora tivessem se aproximado das prósperas cidades portuárias de Tiro e Sidon, abstiveram-se de realmente entrar em qualquer das duas. Eles vagaram ao longo da borda da Decápolis, mas evitaram rigorosamente as cidades gregas e as populações pagãs nelas existentes. No lugar das ricas cidades grandes da região, Jesus centrou sua atenção em aldeias mais pobres, como Nazaré, Cafarnaum, Betsaida e Naim, onde sua promessa de uma nova ordem mundial era ansiosamente recebida, bem como nas cidades costeiras que margeiam o mar da Galileia, exceto por Tiberíades, é claro, onde Herodes Antipas se sentava ansioso em seu trono.

Depois de dois anos, notícias de Jesus e seu grupo de seguidores chegaram finalmente à corte de Antipas. Certamente, Jesus não tinha sido tímido na condenação "daquela Raposa" que pretendia a tetrarquia da Galileia e da Pereia, nem tinha contido seu desprezo pelos sacerdotes e escribas hipócritas – a "raça de víboras" –, que ele afirmava que seriam destituídos, na vinda do Reino de Deus, por prostitutas e cobradores de pedágio. Ele não só curava aqueles a quem o Templo expulsava como pecadores sem salvação, mas purificava-os de seus pecados, assim tornando irrelevante o inteiro estabelecimento sacerdotal e seus caros rituais exclusivistas. Suas curas e exorcismos atraíam multidões grandes demais para o tetrarca em Tiberíades ignorar, embora, pelo menos até o momento, as massas volúveis parecessem menos interessadas nos ensinamentos de Jesus do que em seus "truques", tanto que quando continuaram pedindo um sinal para que pudessem acreditar em sua mensagem, Jesus parece finalmente ter se cansado. "É uma geração má e adúltera que pede um sinal; nenhum sinal será dado a ela." (Mateus 12:38)

Toda essa atividade fazia com que os bajuladores na corte de Antipas discutissem nervosamente sobre quem esse pregador galileu poderia ser. Alguns pensam que ele é Elias renascido, ou talvez um dos outros "profetas do passado". Essa não é uma conclusão totalmente irracional. Elias, que viveu no norte do reino de Israel no século IX a.C., foi o paradigma do profeta milagroso. Um guerreiro de Yahweh temível e intransigente, esforçou-se para acabar com a adoração do deus cananeu Baal entre os israelitas. "Quanto tempo vós ireis continuar mancando com dois pensamentos?", Elias perguntou ao povo. "Se Yahweh é Deus, segui-o; se Baal é Deus, então segui a ele." (1 Reis 18:21)

Para provar a superioridade de Yahweh, Elias desafiou 450 sacerdotes de Baal para uma competição. Eles iriam preparar dois altares, cada um com um touro colocado em um pilar de madeira. Os sacerdotes orariam a Baal para o fogo consumir a oferenda, enquanto Elias oraria a Yahweh.

Dia e noite os sacerdotes de Baal oraram. Eles gritaram e cortaram-se com espadas e lanças, até ficarem ensopados de sangue. Eles choravam e imploravam e suplicavam a Baal para trazer o fogo, mas nada aconteceu.

Elias, então, despejou doze jarras de água em sua pira, deu um passo para trás e invocou o Deus de Abraão, de Isaac e de Israel para mostrar sua força. No mesmo momento uma grande bola de fogo caiu do céu e consumiu o touro, a lenha, as pedras, a poeira no chão e as poças de água em torno do sacrifício. Quando os israelitas viram a obra de Yahweh, caíram de joelhos e o adoraram como Deus. Mas Elias não tinha terminado. Ele agarrou os 450 profetas de Baal, forçou-os para dentro do vale de Wadi Quisom e, de acordo com as escrituras, abateu cada um deles, até o último, com as próprias mãos, pois ele era "zeloso para com o Senhor Deus Todo-Poderoso" (1 Reis 18:20-40, 19:10).

Tão grande era a fidelidade de Elias que ele não teve permissão para morrer, tendo sido levado para o céu num redemoinho para se sentar ao lado do trono de Deus (2 Reis 2:11). Seu retorno, no final dos tempos, quando ele iria reunir as doze tribos de Israel e acolher a era messiânica, foi predita pelo profeta Malaquias: "Eis que eu vos envio o profeta Elias antes que chegue o grande e terrível dia do Senhor. Ele voltará o coração dos pais aos filhos, e o coração dos filhos a seus pais, para que eu não venha e fira a terra com uma maldição." (Malaquias 4:5-6)

A profecia de Malaquias explica por que os cortesãos em Tiberíades viam em Jesus a reencarnação do mais emblemático profeta do fim dos tempos. Jesus pouco fez para desencorajar tais comparações, conscientemente tomando para si os símbolos do profeta Elias – o ministério itinerante, a convocação peremptória de discípulos, a missão de reconstituir as doze tribos, o foco estrito nas regiões do norte de Israel e os sinais e maravilhas que realizava em todos os lugares aonde ia.

Antipas, no entanto, não está convencido dos murmúrios de seus cortesãos. Ele acredita que o pregador de Nazaré não é Elias, mas João Batista, a quem ele matou, ressuscitado dos mortos. Cego pela culpa da execução de João, ele é incapaz de conceber a verdadeira identidade de Jesus (Mateus 14:1-2; Marcos 6:14-16; Lucas 9:7-9).

Enquanto isso, Jesus e seus discípulos continuam sua lenta jornada em direção a Judeia e Jerusalém. Deixando para trás a aldeia de Betsaida, onde, de acordo com o evangelho de Marcos, Jesus alimentou 5 mil pessoas com apenas cinco pães e dois peixes (Marcos 6:30-44), os discípulos começam a viajar ao longo dos arredores de Cesareia de Filipe, uma cidade romana ao norte do mar da Galileia que serve como sede da tetrarquia de Filipe, outro filho de Herodes, o Grande. Enquanto caminham, Jesus pergunta casualmente a seus seguidores: "Quem as pessoas dizem que eu sou?"

A resposta dos discípulos reflete as especulações em Tiberíades: "Alguns dizem que tu és João Batista. Outros dizem Elias. Ainda outros dizem que tu és Jeremias ou um dos outros profetas ressuscitados dentre os mortos."

Jesus para e volta-se para os discípulos. "Mas quem vós dizeis que sou?"

Cabe a Simão Pedro, líder nominal dos Doze, responder pelos demais: "Tu és o messias", diz Pedro, inferindo nesse momento crucial na história do evangelho o mistério que o tetrarca em Tiberíades não poderia de maneira alguma compreender (Mateus 16:13-16; Marcos 8:27-29; Lucas 9:18-20).

Seis dias depois, Jesus leva Pedro e os irmãos Tiago e João, filhos de Zebedeu, a um alto monte, onde ele é milagrosamente transformado diante de seus olhos. "Suas vestes tornaram-se brancas a ponto de ofuscar, como a neve", escreve Marcos, "mais brancas do que qualquer tintureiro sobre a terra poderia branquear." De repente, Elias, o profeta e precursor do messias, aparece na montanha. Com ele está Moisés, o grande libertador e legislador de Israel, o homem que rompeu os grilhões dos israelitas e conduziu o povo de Deus de volta para a Terra Prometida.

A presença de Elias na montanha já fora antecipada pelas especulações em Tiberíades e pelas reflexões dos discípulos em Cesareia de Filipe. Mas a aparição de Moisés é algo completamente diferente. Os paralelos entre a chamada história da transfiguração e o relato no Êxodo de Moisés recebendo a lei no monte Sinai são difíceis de ignorar. Moisés também levou três companheiros com ele até a montanha – Aarão, Nadabe e Abiú –, e também foi fisicamente transformado pela experiência. No entanto, enquanto a transformação de Moisés foi o resultado de seu contato com a glória de Deus, Jesus é transformado por sua própria glória. Na verdade, a cena é escrita de tal forma que Moisés e Elias – a lei e os profetas – são claramente apresentados como subordinados a Jesus.

Os discípulos ficam aterrorizados com a visão, e com razão. Pedro tenta aliviar a inquietação oferecendo-se para construir três tabernáculos no local: um para Jesus, outro para Elias e outro para Moisés. Enquanto ele fala, uma nuvem envolve a montanha – tal como acontecera séculos atrás, no monte Sinai – e uma voz de dentro dela ecoa as palavras que foram proferidas do alto no dia em que Jesus começou o seu ministério no rio Jordão: "Este é o meu filho. O Bem-Amado. Ouçam-no", diz Deus, concedendo a Jesus o mesmo apelido ("*ho Agapitos*", "o Bem-Amado") que tinha dado ao rei Davi. Assim, o que a corte de Antipas não poderia conceber, e Simão Pedro só poderia supor, está agora divinamente confirmado pela voz de uma nuvem no topo de uma montanha: Jesus de Nazaré é o messias ungido, o rei dos judeus (Mateus 17:1-8; Marcos 9:2-8; Lucas 9:28-36).

O que faz com que essas três cenas claramente interligadas sejam tão significativas é que até esse ponto no ministério de Jesus, particularmente como vinha sendo apresentado no primeiro evangelho, o de Marcos, Jesus não fizera nenhuma declaração sobre sua identidade messiânica. Na verdade, ele tentara repetidamente ocultar quaisquer aspirações messiânicas que pudesse ter tido. Ele silencia os demônios que o reconhecem (Marcos 1:23-25, 34, 3:11-12), faz jurar segredo àqueles que cura (Marcos 1:43-45, 5:40-43, 7:32-36, 8:22-26). Ele se disfarça em parábolas incompreensíveis e se dá ao trabalho de ocultar sua identidade e missão das multidões que se reúnem em torno dele (Marcos 7:24). Vezes sem conta Jesus repele, evita, escapa e, às vezes, francamente rejeita o título de messias concedido a ele por outros.

Existe um termo para esse estranho fenômeno, que tem suas origens no evangelho de Marcos, mas que pode ser rastreado ao longo dos evangelhos. É o chamado "segredo messiânico".

Alguns acreditam que o segredo messiânico é invenção do próprio evangelista, que é ou um dispositivo literário para revelar lentamente a verdadeira identidade de Jesus ou um truque inteligente para enfatizar o quão maravilhosa e convincente era sua presença messiânica, pois apesar de suas muitas tentativas de esconder sua identidade das multidões, ela simplesmente não podia ser escondida. "Quanto mais ele lhes ordenasse [não contar a ninguém sobre ele]", escreve Marcos, "mais excessivamente eles o proclamavam." (Marcos 7:36)

No entanto, isso pressupõe um nível de habilidade literária no evangelho de Marcos para o qual não existe nenhuma evidência (o evangelho de Marcos é escrito em um grego elementar e rústico, que trai a educação limitada do autor). Em primeiro lugar, a noção de que o segredo messiânico possa ter sido a maneira de Marcos ir lentamente revelando a identidade de Jesus contraria a afirmação teológica fundamental de abertura do evangelho: "Este é o começo das boas-novas de Jesus, *o Cristo*." (Marcos 1:1) Independentemente disso, mesmo no momento em que a identidade messiânica de Jesus é imaginada pela primeira vez por Simão Pedro em sua confissão dramática fora de Cesareia de Filipe – de fato, até mesmo quando a sua identidade é espetacularmente revelada por Deus na montanha –, Jesus ainda comanda seus discípulos a fazerem sigilo, severamente ordenando a eles que não contem a ninguém o que Pedro confessou (Marcos 8:30) e proibindo as três testemunhas de sua transfiguração de dizer uma palavra sobre o que viram (Marcos 9:9).

É mais provável que o segredo messiânico possa ser atribuído ao Jesus histórico, embora talvez tenha sido embelezado e reconstruído no evangelho de Marcos, antes de ser adotado a esmo e com reservas óbvias por Mateus e Lucas. Que o segredo messiânico possa ser histórico ajuda a explicar por que os redatores de Marcos deram-se tanto trabalho para compensar a interpretação de seu predecessor, de um messias que parece não querer nada a ver com o título. Por exemplo, enquanto o relato de Marcos sobre a resposta de Simão Pedro termina com Jesus sem aceitar nem rejeitar o título, mas simplesmente ordenando os discípulos a "não contar a ninguém sobre ele", o relato de Mateus sobre a mesma história, que tomou forma vinte anos depois, termina com Jesus respondendo a Pedro com uma retumbante confirmação de sua identidade messiânica:

"Bem-aventurado sejas, Simão, filho de Jonas!", exclama Jesus. "Carne e sangue não revelaram isso a ti: foi meu pai no céu que o fez." (Mateus 16:17)

Em Marcos, o momento milagroso no topo da montanha termina sem comentário de Jesus, apenas um lembrete firme para não contarem a ninguém o que tinha acontecido. Mas em Mateus a transfiguração termina com um longo discurso de Jesus no qual ele identifica João Batista como Elias renascido, assim explicitamente reivindicando para si mesmo, como o sucessor de João/Elias, o manto do messias (Mateus 17:9-13). E, no entanto, apesar dessas elaborações apologéticas, mesmo Mateus e Lucas concluem tanto a revelação de Pedro quanto a transfiguração com comandos rigorosos de Jesus para, nas palavras de Mateus, "não dizer a ninguém que *ele era o messias*" (Mateus 16:20).

Se realmente o segredo messiânico pode ser atribuído ao Jesus histórico, então ele poderia muito bem ser a chave para desvendar não o que a Igreja primitiva pensava que Jesus fosse, mas o que o próprio Jesus pensava ser. Na verdade, essa não é uma tarefa fácil. É extremamente difícil, se não impossível, contar com os evangelhos para acessar a autoconsciência de Jesus. Como já foi dito várias vezes, os evangelhos não são sobre um homem conhecido como Jesus de Nazaré, que viveu há 2 mil anos, mas sobre um messias que os escritores do evangelho viam como um ser eterno sentado à direita de Deus. Os judeus do século I, que escreveram sobre Jesus, já tinham decidido quem ele era. Eles estavam construindo um argumento teológico sobre a natureza e a função de Jesus *como Cristo*, e não compondo uma biografia histórica sobre um ser humano.

Ainda assim, não há nenhuma dúvida sobre a tensão que existe nos evangelhos entre a forma como a Igreja primitiva via Jesus e a forma como Jesus parece ver a si mesmo. Obviamente, os discípulos que seguiram Jesus viam-no como o messias, tanto durante a sua vida como imediatamente após a sua morte. Mas não se deve esquecer que as expectativas messiânicas não eram absolutamente definidas de modo uniforme na Palestina do século I. Mesmo os judeus que concordavam que Jesus era o messias não concordavam com o que realmente isso significava. Quando vasculhavam o punhado de profecias das escrituras, eles descobriam um elenco confuso, muitas vezes contraditório, de pontos de vista e opiniões sobre a missão e a identidade do messias. Ele seria um profeta escatológico, que inauguraria o Fim dos Dias (Daniel 7:13-14; Jeremias 31:31-34). Ele seria um libertador que liberaria os judeus da escravidão (Deuteronômio 18:15-19; Isaías 49:1-7). Ele seria um pretendente real que iria recriar o Reino de Davi (Miqueias 5:1-5; Zacarias 9:1-10).

Na Palestina do século I, quase todos os pretendentes ao manto do messias cabiam perfeitamente em um desses paradigmas messiânicos. Ezequias, o chefe dos bandidos, Judas, o Galileu, Simão da Pereia e Atronges, o pastor, todos modelaram-se a partir do ideal de Davi, assim como Menahem e Simão, filho de Giora, durante a Guerra Judaica. Esses foram reis-messias cujas aspirações ao trono foram claramente definidas por suas ações revolucionárias contra Roma e os seus clientes em Jerusalém. Outros, como o milagreiro Teudas, o Egípcio e o Samaritano, apresentam-se como messias libertadores no molde de Moisés, cada candidato prometendo libertar seus seguidores do jugo da ocupação romana por meio de algum ato milagroso. Profetas oraculares como João Batista e o santo homem Jesus ben Ananias podem não ter assumido abertamente quaisquer ambições messiânicas, mas suas profecias sobre o fim dos tempos e a vinda do julgamento de Deus claramente se adaptavam ao arquétipo de profeta-messias presente tanto nas Escrituras Hebraicas como nas tradições rabínicas e nos comentários conhecidos como o Targum.

O problema para a Igreja primitiva é que Jesus não se adaptava a qualquer dos paradigmas messiânicos oferecidos pela Bíblia Hebraica, nem cumpria uma única exigência que fosse esperada do messias. Jesus falou sobre o fim dos dias, mas isso não aconteceu, nem mesmo depois que os romanos destruíram Jerusalém e o Templo de Deus foi profanado. Ele prometeu que Deus iria libertar os judeus da escravidão, mas Deus não o fez. Prometeu que as doze tribos de Israel seriam reconstituídas e a nação restaurada; ao invés disso, os romanos expropriaram a Terra Prometida, massacraram seus habitantes e exilaram os sobreviventes. O Reino de Deus que Jesus previu nunca chegou, a nova ordem mundial que ele descreveu nunca tomou forma. De acordo com os parâmetros da religião judaica e das Escrituras Hebraicas, Jesus foi tão bem-sucedido em suas aspirações messiânicas quanto qualquer um dos outros pretensos messias.

A Igreja primitiva, obviamente, reconhecia esse dilema e, como se verá, tomou uma decisão consciente de mudar os parâmetros messiânicos. Eles misturaram e combinaram as diferentes representações do messias encontradas na Bíblia Hebraica para criar um candidato que transcendia qualquer modelo ou expectativa messiânica particular. Jesus pode não ter sido um profeta, libertador ou rei. Mas isso é porque ele cresceu acima de tais paradigmas messiânicos simples. Como a transfiguração provava, Jesus era maior do que Elias (o profeta), maior do que Moisés (o libertador), ainda maior do que Davi (o rei).

Pode ter sido assim que a Igreja primitiva entendeu a identidade de Jesus. Mas parece não ser como o próprio Jesus a entendia. Afinal, em todo o primeiro evangelho não existe uma única declaração messiânica definitiva do próprio Jesus, nem mesmo no final, quando ele está diante do sumo sacerdote Caifás e um tanto passivamente aceita o título que outros continuam lhe impingindo (Marcos 14:62). O mesmo é verdadeiro para o material da Fonte Q, que também não contém uma única declaração messiânica feita por Jesus.

Talvez Jesus estivesse relutante em assumir as múltiplas expectativas que os judeus tinham do messias. Talvez ele rejeitasse totalmente a designação. De qualquer maneira, o fato é que, especialmente em Marcos, cada vez que alguém tenta atribuir o título de messias a ele – seja um demônio ou um suplicante, ou um dos discípulos, ou até mesmo o próprio Deus –, Jesus o desconsidera ou, na melhor das hipóteses, aceita-o relutantemente, e sempre com uma ressalva.

Seja de que maneira Jesus tenha entendido a sua missão e identidade – se ele mesmo acreditava ser o messias ou não –, o que a evidência do mais antigo evangelho sugere é que, por algum motivo, Jesus de Nazaré não se referia abertamente a si mesmo como messias. Nem, aliás, Jesus chamava a si mesmo de "Filho de Deus", outro título que as pessoas parecem ter atribuído a ele. Deve ser destacado, é claro, que, ao contrário da concepção cristã, o título "Filho de Deus" não era uma descrição da relação filial de

Jesus com Deus, mas sim a designação tradicional para os reis de Israel. Numerosas figuras são chamadas de "Filho de Deus" na Bíblia, nenhuma delas mais frequentemente do que Davi, o maior dos reis (2 Samuel 7:14, Salmos 2:7, 89:26; Isaías 42:1). Ao contrário, quando se referia a si mesmo, Jesus usava um título completamente diferente, tão enigmático e único que, há séculos, os estudiosos tentam desesperadamente descobrir o que ele poderia ter querido dizer com isso. Jesus chamava a si mesmo de "o Filho do Homem".

A expressão "o Filho do Homem" ("*ho huios tou anthropou*", em grego) aparece umas oitenta vezes no Novo Testamento, e apenas uma vez – em uma passagem positivamente operística no Livro de Atos – ela ocorre nos lábios de outra pessoa que não Jesus. Nessa passagem, um seguidor de Jesus chamado Estêvão está prestes a ser apedrejado até a morte por proclamar que Jesus é o messias prometido. Com uma multidão de judeus enfurecidos a circundá-lo, Estêvão tem uma súbita visão, arrebatadora, em que ele olha para o céu e vê Jesus envolto na glória de Deus. "Olhem!", grita Estêvão, com os braços erguidos no ar. "Eu posso ver os céus se abrindo e o Filho do Homem em pé à direita de Deus." (Atos 7:56) Essas são as últimas palavras que ele pronuncia antes que as pedras comecem a voar.

O uso do título por Estêvão, claramente como uma fórmula já marcada, é a prova de que os cristãos de fato se referiam a Jesus como o Filho do Homem após sua morte. Mas a extrema raridade do termo fora dos evangelhos e o fato de que ele nunca ocorre nas cartas de Paulo tornam improvável que "o Filho do Homem" fosse uma expressão cristológica criada pela Igreja primitiva para descrever Jesus. Pelo contrário, esse título, que é tão ambíguo e tão raramente encontrado nas Escrituras Hebraicas que até hoje ninguém sabe ao certo o que realmente significa, é quase certamente um que Jesus deu a si mesmo.

Deve-se mencionar, é claro, que Jesus falava aramaico, não grego; ou seja, se a expressão "o Filho do Homem" na verdade puder ser rastreada até ele, ele teria usado a expressão *"bar enash(a)"*, ou talvez o seu equivalente hebraico, *"ben adam"*, ambas as quais significam "filho de um ser humano". Em outras palavras, dizer "filho do homem" em hebraico ou aramaico é equivalente a dizer "homem", que é exatamente como a Bíblia Hebraica na maioria das vezes utiliza o termo: "Deus não é homem para que minta, nem é ele um filho de homem [*ben adam*] para que se arrependa." (Números 23:19)

Poder-se-ia argumentar que essa também é a forma como Jesus usou o termo – como um termo comum hebraico/aramaico para dizer "homem". O sentido idiomático certamente está presente em algumas das primeiras menções a "Filho do Homem" encontradas na Fonte Q e no evangelho de Marcos:

"As raposas têm suas tocas e as aves do céu têm ninhos, mas o Filho do Homem [i.e., 'um homem como eu'] não tem onde reclinar a cabeça." (Mateus 8:20 | Lucas 9:58)

"Aquele que disser uma palavra contra o Filho do Homem [i.e., 'qualquer homem'], isso lhe será perdoado, mas se alguém falar contra o Espírito Santo não será perdoado, nem neste mundo nem no que há de vir." (Mateus 12:32 | Lucas 12:10)

Alguns até argumentam que Jesus deliberadamente utilizou a expressão para enfatizar sua humanidade, como uma forma de dizer: "Eu sou um ser humano [*bar enash*]." No entanto, tal explicação é baseada na suposição de que as pessoas do tempo de Jesus precisassem ser lembradas de que ele era, na verdade, "um ser humano", como se disso houvesse alguma dúvida. Certamente isso não ocorria. Os cristãos modernos podem considerar Jesus como sendo Deus encarnado, mas tal concepção do messias é um anátema para 5 mil anos de escrituras, pensamento e teologia judaicos. A ideia de que a audiência de Jesus teria precisado ser constantemente lembrada de que ele era "apenas um homem" é simplesmente absurda.

De qualquer modo, se é verdade que a expressão em aramaico, em sua forma indefinida (*bar enash*, ao invés do definitivo *bar enasha*), pode ser traduzida como "*um* filho de homem", ou apenas "homem", a versão grega *ho huios tou anthropou* só pode significar "*o* filho do homem". A diferença entre o aramaico e o grego é significativa e não é provável que seja resultado de uma má tradução pelos evangelistas. Ao empregar a forma definitiva da frase, Jesus a estava usando de uma maneira completamente nova e sem precedentes: como um *título*, não como uma expressão idiomática. Simplificando, Jesus não estava chamando a si mesmo de "um filho de homem". Ele estava chamando a si mesmo de o Filho do Homem.

O uso idiossincrático dessa frase enigmática por Jesus teria sido completamente novo para seu público. Supõe-se com frequência que, quando Jesus falava de si mesmo como o Filho do Homem, os judeus sabiam do que ele estava falando. Eles não sabiam. Na verdade, os judeus do tempo de Jesus não tinham uma concepção unificada de "filho do homem". Não é que os judeus não estivessem familiarizados com a frase, que teria desencadeado imediatamente uma série de imagens dos livros de Ezequiel, Daniel ou dos Salmos. É que eles não a teriam reconhecido como um título, da maneira que teriam reconhecido, digamos, Filho de Deus.

Jesus também teria recorrido às Escrituras Hebraicas para construir suas referências de "o Filho do Homem" como um termo individual distinto e não apenas um sinônimo de "homem". Ele poderia ter usado o livro de Ezequiel, onde o profeta é mencionado como "filho do homem" quase noventa vezes: "[Deus] disse-me: 'Oh, filho do homem [*ben adam*], põe-te em pé e eu falarei contigo.'" (Ezequiel 2:1) No entanto, se há uma coisa em que os estudiosos concordam é que a fonte primária para a interpretação particular de Jesus dessa expressão veio do livro de Daniel.

Escrito durante o reinado do rei selêucida Antíoco Epifânio (175 a.C.-164 a.C.) – o rei que pensava ser um deus –, o livro de Daniel registra uma série de visões apocalípticas que o profeta afirma ter tido enquanto servia como vidente para a corte babilônia. Em uma dessas visões, Daniel vê quatro animais monstruosos saírem de um grande mar – cada besta representando um dos quatro grandes reinos: Babilônia, Pérsia, Medea e o reino grego de Antíoco. Os quatro animais são soltos sobre a terra para saquear e espezinhar as cidades dos homens. No meio da morte e da destruição, Daniel vê o que descreve como "o Ancião dos Dias" (Deus) sentado em um trono feito de chamas, suas roupas brancas como a neve, o cabelo como pura lã. "Mil milhares o serviam", Daniel escreve, "e 10 mil vezes 10 mil estavam de pé para atendê-lo." O Ancião dos Dias julga os animais, matando e queimando alguns com fogo, tomando o domínio e a autoridade dos demais. Então, enquanto Daniel admira o espetáculo, ele vê "um como um filho de homem [bar enash] vindo com as nuvens do céu".

"Ele veio até o Ancião dos Dias e foi apresentado a ele", Daniel escreve sobre aquela figura misteriosa. "E a ele foram dados domínio e glória, e um reino, para que todos os povos, nações e línguas o servissem. Seu domínio será eterno, jamais será destruído." (Daniel 7:1-14) Assim, para aquele "um como um filho de homem", com o que Daniel parece estar se referindo a um indivíduo específico, é dada soberania sobre a terra e concedidos poder e autoridade para governar sobre todas as nações e todos os povos como rei.

Daniel e Ezequiel não são os únicos livros que usam "filho do homem" para se referir a uma pessoa singular e específica. A expressão aparece basicamente da mesma forma nos livros apócrifos 4 Esdras e 1 Enoque, mais especificamente na seção de parábolas de Enoque popularmente chamada de Similitudes (1 Enoque 37-72). Nesse trecho, Enoque tem uma visão na qual ele olha para o céu e vê uma pessoa que descreve como "o filho do homem a quem pertence a justiça". Ele chama essa figura de "o Escolhido" e sugere que ele foi designado por Deus antes da criação para descer à terra e julgar a humanidade em seu nome. Ele receberá poder eterno e soberania sobre a terra e vai julgar de forma inflamada os reis desse mundo. Os ricos e os poderosos vão implorar por sua misericórdia, mas nenhuma misericórdia será mostrada a eles. No final da passagem, o leitor descobre que o filho do homem na realidade é o próprio Enoque.

Em 4 Esdras, a figura do filho do homem irrompe do mar, voando sobre "as nuvens do paraíso". Como em Daniel e Enoque, o filho do homem de Esdras também vem para julgar os ímpios. Encarregado de reconstituir as doze tribos de Israel, ele vai reunir suas forças no monte Sião e destruir os exércitos dos homens. Mas apesar de o juiz apocalíptico de Esdras aparecer como "algo parecido com a figura de um homem", ele não é um mero mortal. Ele é um ser preexistente, com poderes sobrenaturais, que lança fogo pela boca para consumir os inimigos de Deus.

Os dois textos, 4 Esdras e Similitudes de Enoque, foram escritos perto do fim do século I d.C., após a destruição de Jerusalém e muito tempo depois da morte de Jesus. Sem dúvida, esses dois textos apócrifos influenciaram os primeiros cristãos, que podem ter se conectado com o ideal mais espiritual do filho do homem preexistente, neles descrito, para reinterpretar a missão e a identidade de Jesus e ajudar a explicar por que ele não conseguiu realizar nenhuma de suas funções messiânicas na terra. Na verdade, o evangelho de Mateus, escrito por volta da mesma época que Similitudes e 4 Esdras, parece ter tomado emprestado deles uma grande quantidade de imagens, incluindo o "trono de glória" sobre o qual o Filho do Homem vai sentar-se no final dos tempos (Mateus 19:28; 1 Enoque 62:5) e a "fornalha de fogo" na qual ele vai jogar todos os malfeitores (Mateus 13:41-42; 1 Enoque 54:3-6); nenhuma dessas expressões aparece em qualquer outro lugar no Novo Testamento. Mas não há como Jesus de Nazaré, que morreu mais de sessenta anos antes de qualquer um dos textos ter sido composto, ter sido influenciado por eles. Assim, enquanto a imagem de Enoque/Esdras de um eterno filho do homem escolhido por Deus, desde o início dos tempos, para julgar a humanidade e governar a terra em seu nome é eventualmente transposta para Jesus (tanto que, no momento em que João escreveu seu evangelho, o Filho do Homem é uma figura puramente divina – o *logos* –, muito parecida com o homem primitivo em 4 Esdras), o próprio Jesus não poderia ter entendido o Filho do Homem da mesma forma.

Se for aceito o consenso dos estudiosos, de que a principal referência de Jesus, se não a única, para o Filho do Homem foi o livro de Daniel, então devemos olhar para a passagem nos evangelhos em que o uso do título por Jesus ecoa mais de perto Daniel, a fim de descobrir o que Jesus pode ter querido dizer com ele. Na realidade, essa passagem em particular, que ocorre perto do fim da vida de Jesus, é uma que a maioria dos estudiosos concorda ser autêntica e passível de ser rastreada até o Jesus histórico.

De acordo com os evangelhos, Jesus foi arrastado perante o Sinédrio para responder às acusações feitas contra ele. À medida que, um após o outro, os principais sacerdotes, anciãos e escribas o acusavam, Jesus permanece impassível, em silêncio e sem resposta. Finalmente, o sumo sacerdote Caifás se levanta e pergunta a Jesus diretamente: "Tu és o messias?"

É aqui, no final da viagem que começou nas margens sagradas do rio Jordão, que o segredo messiânico é finalmente desfeito e a verdadeira natureza de Jesus revelada.

"Eu sou", Jesus responde.

Mas logo em seguida essa que é a declaração mais clara e concisa de Jesus sobre sua identidade messiânica é embaralhada por uma exortação de êxtase, tomada diretamente do livro de Daniel, que mais uma vez lança tudo em confusão: "E tu verás o Filho do Homem sentado à direita do Poder, e vindo com as nuvens do paraíso." (Marcos 14:62)

A primeira metade da resposta de Jesus ao sumo sacerdote é uma alusão aos Salmos, em que Deus promete ao rei Davi que ele se assentará à sua direita "até que eu faça de teus inimigos um banco de repouso para teus pés" (Salmo 110:1). Mas a parte "vindo com as nuvens do paraíso" é uma referência direta ao filho do homem da visão de Daniel (Daniel 7:13).

Essa não é a primeira vez que Jesus desvia a declaração de alguém sobre sua identidade como messias em uma diatribe sobre o Filho do Homem. Depois da confissão de Pedro, perto de Cesareia de Filipe, Jesus primeiro o silencia, em seguida passa a descrever como o Filho do Homem deve sofrer e ser rejeitado antes de ser morto e ressuscitar três dias depois (Marcos 8:31). Após a transfiguração, Jesus faz com que os discípulos jurem sigilo, mas apenas até que "o Filho do Homem seja ressuscitado dentre os mortos" (Marcos 9:9). Em ambos os casos, é evidente que a concepção de Jesus sobre o Filho do Homem tem precedência sobre a afirmação de outras pessoas sobre sua identidade messiânica. Mesmo no final de sua vida, quando está na presença de seus acusadores, ele está disposto a aceitar o título genérico de messias só se isso puder ser feito para caber em sua interpretação específica, do livro de Daniel, sobre o Filho do Homem.

O que isso sugere é que a chave para desvendar o segredo messiânico e, portanto, o próprio sentido que Jesus faz de si mesmo depende de decifrar-se sua invulgar interpretação de "um como um filho de homem", em Daniel. E aqui é onde se pode chegar mais próximo de descobrir o que

Jesus pensava ser. Pois enquanto a curiosa figura do filho do homem em Daniel nunca é identificada de maneira explícita como messias, ela é clara e inequivocamente chamada de *rei* – aquele que vai governar em nome de Deus sobre todos os povos da terra. Poderia ser o que Jesus quer dizer quando se dá o estranho título "o Filho do Homem"? Ele está chamando a si mesmo de rei?

O certo é que Jesus fala longamente sobre o Filho do Homem e, muitas vezes, em termos contraditórios. Ele é poderoso (Marcos 14:62), mas sofredor (Marcos 13:26). Ele está presente na terra (Marcos 2:10), porém virá no futuro (Marcos 8:38). Ele será rejeitado pelos homens (Marcos 10:33), mas vai julgá-los (Marcos 14:62). Ele é ao mesmo tempo governante (Marcos 8:38) e servo (Marcos 10:45). Mas o que aparece na superfície como um conjunto de afirmações contraditórias é, de fato, bastante consistente com a forma como Jesus descreve o Reino de Deus. Na verdade, as duas ideias – o Filho do Homem e o Reino de Deus – são muitas vezes ligadas entre si nos evangelhos, como se representando um único e mesmo conceito. Ambas são descritas em termos surpreendentemente semelhantes e, ocasionalmente, são apresentadas como intercambiáveis, como quando o evangelho de Mateus muda o famoso versículo de Marcos (9:1) – de "Digo-lhes, há aqueles aqui que não provarão a morte até que vejam o Reino de Deus chegar com poder" para "Digo-lhes, há aqueles de pé aqui que não provarão a morte até que vejam o Filho do Homem *vir para seu reino*" (Mateus 16:28).

Ao substituir um termo pelo outro, Mateus infere que o reino pertencente ao Filho do Homem é o mesmo que o Reino de Deus. E uma vez que o Reino de Deus é construído sobre uma inversão completa da presente ordem, na qual os pobres tornam-se ricos e os humildes tornam-se poderosos, que melhor rei para governá-lo em nome de Deus do que aquele que incorpora a nova ordem social já assim invertida em sua cabeça? Um rei camponês. Um rei sem lugar para reclinar a cabeça. Um rei que veio para servir, não para ser servido. Um rei montado em um jumento.

Quando Jesus chama a si mesmo de Filho do Homem, usando a descrição de Daniel como um título, ele está fazendo uma declaração clara sobre a forma como vê a sua identidade e a sua missão. Ele está associando-se ao paradigma do messias davídico, o rei que governará a terra em nome de Deus, que vai reunir as doze tribos de Israel (no caso de Jesus, por meio de seus doze apóstolos, que vão "sentar-se em doze tronos") e restaurar a nação à sua antiga glória. Ele está pretendendo a mesma posição que o rei Davi, "à direita do Poder". Em resumo, ele está chamando a si próprio de rei. Ele está dizendo, ainda que de forma deliberadamente enigmática, que o seu papel não é apenas o de inaugurar o Reino de Deus por meio de suas ações milagrosas – seu papel é o de governar aquele reino em nome de Deus.

Reconhecendo o perigo óbvio de suas ambições régias e querendo evitar, se possível, o destino dos outros que ousaram reivindicar o título, Jesus tenta conter todas as declarações que o definiam como messias, optando, ao invés disso, pelo mais ambíguo, menos abertamente saturado título de "o Filho do Homem". O segredo messiânico nasceu justamente da tensão que surge do desejo de Jesus de promover a identidade de "o Filho do Homem" acima do título messiânico dado a ele por seus seguidores.

Independentemente da forma como Jesus via a si mesmo, a verdade é que ele nunca foi capaz de estabelecer o Reino de Deus. A escolha para a Igreja primitiva era clara: ou Jesus era apenas mais um messias fracassado ou o que os judeus daquele tempo esperavam do messias estava errado e tinha que ser ajustado. Para aqueles que escolheram o ajuste, as imagens apocalípticas de 1 Enoque e 4 Esdras, ambos escritos muito depois da morte de Jesus, abriram um caminho para prosseguir, permitindo que a Igreja primitiva substituísse a compreensão de Jesus sobre si mesmo como rei e messias pelo novo paradigma, pós-revolta judaica, do messias como um Filho do Homem preexistente, predeterminado, celestial e divino, aquele cujo "reino" não era desse mundo.

Mas o reino de Jesus – o Reino de Deus – era bem desse mundo. E, enquanto a ideia de um pobre camponês galileu pretendendo realeza para si mesmo possa parecer ridícula, não é mais absurda do que a ambição real de outros companheiros messias de Jesus: Judas, o Galileu, Menahem, Simão, filho de Giora, Simão, filho de Kochba, e os demais. Como as deles, as reivindicações de Jesus à realeza estavam baseadas não em seu poder ou riqueza. Como eles, Jesus não tinha um grande exército com o qual derrubar os reinos dos homens, nem frota para varrer os mares romanos. A única arma que ele tinha com a qual construir o Reino de Deus era aquela usada por todos os messias que vieram antes ou depois dele, a mesma arma usada pelos rebeldes e bandidos que acabariam por expulsar o domínio romano da cidade de Deus: *zelo*.

Com a proximidade da festa do Pêssach – a comemoração da libertação de Israel do domínio pagão –, Jesus finalmente decide levar essa mensagem a Jerusalém. Tomando o zelo como arma, ele vai desafiar diretamente as autoridades do Templo e seus supervisores romanos sobre quem de fato governa essa terra santa. Mas, embora seja Pêssach, Jesus não tem intenção de entrar na cidade sagrada como um humilde peregrino. Ele é o legítimo rei de Jerusalém, e está vindo para fazer valer sua pretensão ao trono de Deus. A única maneira como um rei deveria entrar em Jerusalém seria com uma multidão de louvadores agitando ramos de palmeira, declarando sua vitória sobre os inimigos de Deus, lançando seus mantos sobre a estrada diante dele e gritando: "Hosana! Hosana ao *Filho de Davi*! Bendito o Rei que vem em nome do Senhor." (Mateus 21:9; Marcos 11:9-10; Lucas 19:38)

12. Nenhum rei senão César

ELE ESTÁ ORANDO quando finalmente chegam para buscá-lo: uma multidão desordenada empunhando espadas, tochas e bastões de madeira, enviada pelos principais sacerdotes e anciãos para prender Jesus em seu esconderijo no Jardim do Getsêmani. A multidão não é inesperada. Jesus havia advertido seus discípulos que viriam atrás dele. É por isso que eles estão se escondendo no Getsêmani, envoltos em trevas e armados com espadas, exatamente como Jesus havia ordenado. Estão prontos para um confronto. Mas o grupo de captura sabe exatamente onde encontrá-los. Eles foram avisados por um dos Doze, Judas Iscariotes, que conhece a localização e pode facilmente identificar Jesus. Ainda assim, Jesus e seus discípulos não serão presos facilmente. Um deles saca uma espada e uma breve briga se segue, na qual um servo do sumo sacerdote é ferido. Mas a resistência é inútil, e os discípulos são forçados a abandonar o mestre e fugir na noite, enquanto Jesus é pego, amarrado e arrastado de volta à cidade para enfrentar seus acusadores.

Eles o levam ao pátio do sumo sacerdote Caifás, onde os principais sacerdotes, escribas e anciãos – a totalidade do Sinédrio – estão reunidos. Lá, eles o questionam sobre as ameaças que fez ao Templo, usando suas próprias palavras contra ele: "Nós o ouvimos dizer: 'Eu vou derrubar este Templo feito por mãos humanas e em três dias edificarei outro feito sem as mãos.'"

Essa é uma acusação grave. O Templo é a principal instituição cívica e religiosa dos judeus. É a fonte primária da fé judaica e o principal símbolo da hegemonia de Roma sobre a Judeia. Mesmo a menor ameaça ao Templo despertaria imediatamente a atenção das autoridades sacerdotais e romanas. Alguns anos antes, quando dois rabinos zelosos, Judas, filho de Seforeus, e Matias, filho de Margalus, compartilharam com seus alunos planos para remover a águia dourada que Herodes, o Grande, tinha colocado acima do portão principal do Templo, tanto os rabinos como quarenta de seus alunos foram aprisionados e queimados vivos.

Jesus, no entanto, recusa-se a responder às acusações levantadas contra ele, provavelmente porque não há uma resposta a ser dada. Afinal de contas, ele ameaçou pública e repetidamente o Templo de Jerusalém, prometendo que "nem uma pedra será deixada sobre outra, tudo vai ser derrubado" (Marcos 13:2). Ele está em Jerusalém há poucos dias, mas já causou um tumulto no Pátio dos Gentios, interrompendo violentamente as transações financeiras do Templo. Substituiu o caro sacrifício de sangue e carne comandado pelo Templo por suas curas e exorcismos gratuitos. Durante três anos, ele se enfureceu contra o sacerdócio do Templo, ameaçando sua primazia e poder. Condenou os escribas e anciãos como uma "raça de víboras" e prometeu que o Reino de Deus iria varrer toda a classe sacerdotal. Seu próprio ministério é fundado sobre a destruição da ordem atual e a remoção do poder de cada pessoa que está agora no papel de julgá-lo. O que mais há para se dizer?

Pela manhã, Jesus é novamente amarrado e escoltado através das ásperas muralhas de pedra da fortaleza Antônia para comparecer diante de Pôncio Pilatos. Como governador, a principal responsabilidade de Pilatos em Jerusalém é manter a ordem em nome do imperador. A única razão pela qual um camponês judeu pobre e diarista seria trazido diante dele é se tivesse prejudicado essa ordem. Caso contrário, não haveria audiência, nem perguntas, nem necessidade de defesa. Pilatos, como as histórias revelam, não era partidário de julgamentos. Em seus dez anos como governador de Jerusalém, ele tinha enviado milhares e milhares à cruz com um simples rabisco de sua pena de junco em um pedaço de papiro. A noção de que ele ficaria na mesma sala que Jesus e, mais ainda, dignar-se-ia a conceder-lhe um "julgamento" requer muita imaginação. Ou a ameaça que Jesus representa para a estabilidade de Jerusalém é tão grande que ele é um entre poucos judeus a ter a oportunidade de estar diante de Pilatos e responder por seus supostos crimes, ou então o chamado "julgamento diante de Pilatos" é uma invenção.

Há razão para suspeitar que a última hipótese seja a verdadeira. A cena tem um ar inconfundível de teatro. Este é o momento final no ministério de Jesus, o fim de uma jornada que começou há três anos, nas margens do rio Jordão. No evangelho de Marcos, Jesus fala apenas mais uma vez depois da audiência com Pilatos, quando está se contorcendo na cruz. "Meu Deus, meu Deus, por que me abandonaste?" (Marcos 15:34)

No entanto, na narrativa da história por Marcos, acontece algo entre o julgamento de Jesus perante Pilatos e sua morte na cruz que é tão incrível, tão obviamente artificial, que lança suspeita sobre todo o episódio que levou à crucificação de Jesus. Pilatos, depois de ter questionado Jesus e tê-lo julgado inocente de todas as acusações, apresenta-o aos judeus, juntamente com um bandido (*lestes*) chamado bar Abbas, acusado de assassinar guardas romanos durante uma insurreição no Templo. De acordo com Marcos, era um costume do governador romano, durante a festa do Pêssach, liberar um prisioneiro para os judeus, qualquer um que eles pedissem. Quando Pilatos pergunta à multidão que prisioneiro ela gostaria de ver libertado – Jesus, o pregador e traidor de Roma, ou bar Abbas, o rebelde e assassino –, a multidão exige a libertação do rebelde e a crucificação do pregador.

"Por quê?", Pilatos pergunta, aflito com a ideia de ter que mandar um camponês judeu inocente à morte. "Que mal fez ele?"

Mas a multidão grita ainda mais alto, pedindo a morte de Jesus. "Crucifique-o! Crucifique-o!" (Marcos 15:1-20)

A cena não faz sentido algum. Vamos desconsiderar o fato de que fora dos evangelhos não existe nem mesmo um fragmento de evidência histórica para nenhum costume como esse durante o Pêssach, por parte de qualquer governador romano. O que é verdadeiramente inacreditável é o retrato de Pôncio Pilatos – um homem conhecido por seu ódio aos judeus, pelo total desrespeito com rituais e costumes judaicos e por sua propensão para distraidamente assinar tantas ordens de execução que uma queixa formal foi apresentada contra ele em Roma – gastando sequer um momento que fosse de seu tempo refletindo sobre o destino de mais um agitador judeu.

Por que Marcos teria inventado uma cena tão patentemente fictícia, que sua audiência judaica teria imediatamente reconhecido como falsa? A resposta é simples: Marcos não estava escrevendo para um público judeu. O público de Marcos estava em Roma, onde ele mesmo residia. Seu relato sobre a vida e a morte de Jesus de Nazaré foi escrito poucos meses após a revolta judaica ter sido esmagada e Jerusalém, destruída.

Assim como os judeus, os primeiros cristãos se esforçaram para dar sentido ao trauma da revolta judaica e suas consequências. Mais do que isso, eles tiveram que reinterpretar a mensagem revolucionária de Jesus e sua autoidentidade como o régio Filho do Homem, tendo em conta o fato de que o Reino de Deus que estavam aguardando nunca se materializou. Espalhados por todo o Império Romano, era bastante natural que os autores dos evangelhos se distanciassem do movimento de independência judaica – apagando, tanto quanto possível, qualquer sinal de radicalismo ou violência, revolução ou fanatismo da história de Jesus – e adaptassem suas palavras e ações à nova situação política em que se encontravam. Essa tarefa foi um pouco mais fácil pelo fato de que muitos dentre a comunidade cristã de Jerusalém parecem ter ficado de fora da guerra com Roma, vendo-a como um bem-vindo sinal do fim dos tempos prometido pelo seu messias. De acordo com o historiador do século III Eusébio de Cesareia, um grande número de cristãos de Jerusalém fugiu para o outro lado do rio Jordão. "O povo da Igreja em Jerusalém", Eusébio escreveu, "de acordo com um certo oráculo transmitido por meio de revelação a homens ali bem-aceitos, foi ordenado a se afastar da cidade antes da guerra, e a habitar uma determinada cidade da Pereia a que chamaram Pella." Segundo a maioria dos relatos, a igreja que deixaram para trás foi demolida em 70 d.C. e todos os sinais da primeira comunidade cristã de Jerusalém foram enterrados em um monte de escombros e cinzas.

Com o Templo em ruínas e a religião judaica proibida, os judeus que seguiam Jesus como messias tinham uma decisão fácil a tomar: eles poderiam optar por manter suas conexões de culto com a religião-mãe e, assim, continuar atraindo a inimizade de Roma (a inimizade de Roma para com os cristãos atingiria o pico muito mais tarde), ou poderiam divorciar-se do judaísmo e transformar seu messias de um nacionalista judeu feroz em um pacifista pregador de boas obras, cujo reino não era deste mundo.

Não era apenas o medo de represálias romanas que conduzia esses primeiros cristãos. Com Jerusalém despojada, o cristianismo deixou de ser uma pequena seita judaica centrada em uma terra predominantemente judaica cercada por centenas de milhares de judeus. Depois de 70 d.C., o centro do movimento cristão mudou da Jerusalém judaica para as cidades greco-romanas do Mediterrâneo: Alexandria, Corinto, Éfeso, Damasco, Antioquia, Roma. Uma geração após a crucificação de Jesus, seus seguidores não judeus superavam e ofuscavam os judeus. Por volta do final do século I, quando os evangelhos foram escritos, Roma – em particular a elite intelectual romana – tinha se tornado o alvo principal da evangelização cristã.

Atingir esse público específico requeria um pouco de criatividade por parte dos evangelistas. Não só todos os vestígios de zelo revolucionário deveriam ser removidos da vida de Jesus como os romanos tiveram que ser completamente absolvidos de qualquer responsabilidade pela morte de Jesus. *Foram os judeus que mataram o messias.* Os romanos eram peões inocentes do sumo sacerdote Caifás, que desesperadamente queria matar Jesus, mas que não tinha os meios legais para fazê-lo. O sumo sacerdote ludibriou o governador romano Pôncio Pilatos, levando-o a um trágico erro judicial. O pobre Pilatos tentou tudo o que podia para salvar Jesus. Mas os judeus clamavam por sangue, deixando Pilatos sem escolha a não ser concordar com eles, entregando Jesus para ser crucificado. Na verdade, quanto mais cada evangelho se distancia de 70 d.C. e da destruição de Jerusalém, mais destacado e estranho se torna o papel de Pilatos na morte de Jesus.

O evangelho de Mateus, escrito em Damasco cerca de vinte anos após a revolta judaica, pinta um retrato de Pôncio Pilatos esforçando-se para libertar Jesus. Tendo sido avisado pela esposa para não ter nada a ver com "aquele homem inocente", e reconhecendo que as autoridades religiosas estavam entregando Jesus a ele apenas "por ciúmes", o Pilatos de Mateus literalmente lava as mãos de qualquer culpa pela morte de

Jesus. "Eu sou inocente do sangue deste homem", ele diz aos judeus. "Cuidai disso vós mesmos."

Na releitura de Marcos feita por Mateus, os judeus respondem a Pilatos "como um todo", isto é, como uma nação inteira ("*pas ho laos*", em grego), que eles mesmos aceitarão a culpa pela morte de Jesus daquele dia até o final dos tempos: "Que seu sangue caia sobre nossas cabeças, e sobre nossos filhos." (Mateus 27:1-26)

Lucas, escrevendo na cidade grega de Antioquia por volta do mesmo período que Mateus, não só confirma a inculpabilidade de Pilatos pela morte de Jesus; ele inesperadamente estende aquela anistia também para Herodes Antipas. A cópia de Marcos por Lucas apresenta Pilatos reprimindo os principais sacerdotes, os líderes religiosos e o povo pelas acusações que ousaram levantar contra Jesus. "Vós trouxestes essa pessoa até mim como alguém que estava afastando o povo [da lei]. Examinei-o em sua presença e não o acho culpado de nenhuma das acusações que foram feitas contra ele. Nem achou Herodes, quando enviei [Jesus] a ele. Ele não fez nada merecedor da morte." (Lucas 23:13-15) Depois de tentar *três vezes separadas* dissuadir os judeus de sua sede de sangue, Pilatos relutantemente concorda com as demandas e entrega Jesus para ser crucificado.

Não surpreende que seja o último dos evangelhos canônicos a levar a presunção da inocência de Pilatos – e a culpa dos judeus – ao extremo. No evangelho de João, escrito em Éfeso algum tempo depois de 100 d.C., Pilatos faz tudo que pode para salvar a vida daquele pobre camponês judeu, não porque acha que Jesus é inocente, mas porque parece acreditar que Jesus pode de fato ser o "Filho de Deus". No entanto, depois de lutar em vão contra as autoridades judaicas para libertar Jesus, o impiedoso governante que comanda legiões de soldados e que regularmente os envia para as ruas para matar os judeus sempre que eles protestam contra qualquer uma de suas decisões (como fez quando os judeus se opuseram ao seu furto do tesouro do Templo para pagar os aquedutos de Jerusalém) é *forçado* pelas exigências da multidão incontrolável a entregar Jesus.

Quando Pilatos o entrega para ser crucificado, Jesus remove toda a dúvida a respeito de quem é verdadeiramente responsável por sua morte:

"Aquele que me entregou a ti é culpado de um pecado maior", diz Jesus a Pilatos, absolvendo-o pessoalmente de toda culpa e colocando-a nas autoridades religiosas judaicas. João então adiciona um insulto final, imperdoável para uma nação judaica que, à época, estava à beira de uma revolta em grande escala, atribuindo-lhe a mais chula, a mais blasfema peça de pura heresia que qualquer judeu do século I na Palestina poderia pensar em pronunciar. Quando perguntados por Pilatos sobre o que ele deveria fazer com o "seu rei", a resposta dos judeus foi: "Não temos nenhum rei senão César." (João 19:1-16)

Assim, uma história inventada por Marcos estritamente para fins evangélicos, para mudar a culpa pela morte de Jesus para longe de Roma, é esticada com o passar do tempo ao ponto do absurdo, tornando-se, no processo, a base para 2 mil anos de antissemitismo cristão.

Não é, naturalmente, inconcebível que a Jesus tivesse sido concedida uma breve audiência com o governador romano, porém, mais uma vez, somente se a magnitude de seu crime justificasse uma atenção especial. Jesus não era um simples encrenqueiro, afinal. Sua entrada provocatória em Jerusalém, seguido por uma multidão de devotos a declará-lo rei, seu ato de perturbação da ordem pública no Templo, o tamanho da tropa que marchou para o Getsêmani para prendê-lo, tudo isso indica que as autoridades viam Jesus de Nazaré como uma séria ameaça à estabilidade e à ordem da Judeia. Tal "criminoso" muito provavelmente teria sido considerado digno da atenção de Pilatos. Mas qualquer julgamento que Jesus tivesse recebido teria sido breve e superficial, o único objetivo sendo o de registrar oficialmente as acusações pelas quais ele estava sendo executado. Daí a pergunta que Pilatos faz a Jesus em todos os quatro evangelhos: "Tu és o rei dos judeus?"

Se a história do evangelho fosse um drama (e é), a resposta de Jesus à pergunta de Pilatos serviria como o clímax que desenrola o desfecho: a crucificação. Esse é o momento em que o preço deve ser pago por tudo o que Jesus disse e fez ao longo dos últimos três anos: os ataques contra as autoridades sacerdotais, a condenação da ocupação romana, as reivindicações de autoridade real. Tudo isso levou àquele momento inevitável de julgamento, bem como Jesus disse que aconteceria. A partir dali, será a cruz e o túmulo.

E, no entanto, talvez nenhum outro momento na breve vida de Jesus seja mais opaco e inacessível para os estudiosos do que esse. Isso tem a ver, em parte, com as múltiplas tradições sobre as quais se baseia a história do julgamento e crucificação de Jesus. Devemos lembrar que, embora Marcos tenha sido o primeiro evangelho escrito, ele foi precedido por blocos de tradições orais e escritas sobre Jesus, transmitidos por seus primeiros seguidores. Um desses "blocos" já foi apresentado: o material exclusivo dos evangelhos de Mateus e Lucas que os estudiosos chamam de Fonte Q. Mas há razão para acreditar que outros blocos de tradições existiam, antes do evangelho de Marcos, tratando exclusivamente da morte e ressurreição de Jesus. Essas passagens, chamadas de "narrativas da paixão", estabelecem uma sequência básica de eventos que os primeiros cristãos acreditavam terem ocorrido no final da vida de Jesus: a Última Ceia; a traição de Judas Iscariotes; a prisão no Getsêmani; a presença diante do sumo sacerdote e de Pilatos; a crucificação e o enterro; a ressurreição três dias depois.

Essa sequência de eventos não era realmente uma narrativa, tendo sido projetada estritamente para fins litúrgicos. Era um meio de os primeiros cristãos reviverem os últimos dias de seu messias por meio de rituais – por exemplo, compartilhando a mesma refeição que ele compartilhou com seus discípulos, rezando as mesmas orações por ele oferecidas no Getsêmani e assim por diante. A contribuição de Marcos para as narrativas da paixão foi a transformação dessa sequência ritualizada de eventos em uma história coesa sobre a morte de Jesus, que seus redatores, Mateus e Lucas, integraram em seus evangelhos, juntamente com os seus próprios floreios incomuns (João pode ter recorrido ao conjunto separado de narrativas da paixão para seu evangelho, já que quase nenhum dos detalhes que ele fornece sobre os últimos dias de Jesus combina com o que é encontrado nos sinópticos).

Tal como em tudo o mais nos evangelhos, a história da prisão de Jesus, seu julgamento e execução foi escrita por uma só e única razão: para provar que ele era o messias prometido. Exatidão factual era irrelevante. O que importava era a cristologia, não a história. Os escritores do evangelho, obviamente, reconheciam como a morte de Jesus tinha função integradora para a comunidade nascente, mas a história de tal morte precisava de mais detalhes. Ela precisava ser abrandada e reorientada. Isso requeria certos detalhes e embelezamentos por parte dos evangelistas. Como resultado, esse episódio final e extremamente significativo da história de Jesus de Nazaré é também o mais obscurecido por acréscimos teológicos e óbvias invenções. O único meio que o leitor moderno tem à disposição para tentar recuperar alguma aparência de precisão histórica nas narrativas da paixão é tirar lentamente as camadas teológicas sobrepostas pelos evangelistas aos dias finais de Jesus e voltar para a versão mais primitiva da história, que pode ser escavada a partir dos evangelhos. E a única maneira de fazer isso é começar pelo fim da história, com Jesus pregado numa cruz.

A crucificação era uma forma generalizada e extremamente comum de execução na Antiguidade, usada por persas, indianos, assírios, citas, romanos e gregos. Mesmo os judeus praticavam a crucificação, sendo essa punição mencionada várias vezes em fontes rabínicas. A razão para que a crucificação fosse tão comum é que ela era muito barata. Podia ser realizada em praticamente qualquer lugar, necessitando-se apenas de uma árvore. A tortura poderia durar dias, sem a necessidade de um torturador. O procedimento da crucificação, o modo como a vítima seria pendurada, era deixado completamente por conta do carrasco. Alguns eram pregados de cabeça para baixo. Alguns tinham as partes íntimas empaladas. Alguns eram encapuzados. A maioria era desnudada.

Foi Roma que tornou a crucificação a forma convencional de punição do Estado, criando certa uniformidade no processo, especialmente quando se tratava de pregar as mãos e os pés a uma viga. Tão comum era a crucificação no Império Romano que Cícero se refere a ela como "aquela praga". Entre os cidadãos, a palavra "cruz" (*crux*) tornou-se uma provocação popular e particularmente vulgar, semelhante a "vá se enforcar".

No entanto, seria incorreto se referir à crucificação como pena de morte, pois era frequente que a vítima fosse executada primeiro e, em seguida, pregada a uma cruz. O objetivo da crucificação não era tanto matar o criminoso, mas servir como forma de dissuasão para outros que quisessem desafiar o Estado. Por essa razão, as crucificações eram sempre realizadas em público – nas encruzilhadas, nos teatros, nos morros ou em terreno alto –, em qualquer lugar onde a população não tivesse escolha senão testemunhar a cena macabra. O criminoso era sempre deixado pendurado por muito tempo após a morte; os crucificados quase nunca eram enterrados. Afinal, o ponto principal da crucificação era humilhar a vítima e assustar as testemunhas, com o cadáver deixado pendurado para ser comido por cães e bicado até os ossos por aves de rapina. Os ossos seriam então jogados em uma pilha de lixo, que é como o Gólgota, o lugar da crucificação de Jesus, ganhou seu nome: *o local de crânios*. Simplificando, a crucificação era mais do que uma pena de morte para Roma – era um lembrete público do que acontecia quando se desafiava o Império. Por isso, era reservada exclusivamente para os crimes políticos mais radicais: traição, rebelião, sedição, banditismo.

    Se alguém não soubesse mais nada sobre Jesus de Nazaré exceto que ele foi crucificado por Roma, saberia praticamente tudo o que é necessário para descobrir quem ele era, o que ele era e por que acabou pregado na cruz. Seu crime, aos olhos de Roma, é autoevidente. Foi gravado em uma placa e colocado acima de sua cabeça para que todos pudessem ver: *Jesus de Nazaré, Rei dos Judeus*. Seu crime foi ousar assumir ambições régias.

    Os evangelhos testificam que Jesus foi crucificado ao lado de outros *lestai*, ou bandidos: revolucionários, exatamente como ele. Lucas, obviamente desconfortável com as implicações do termo, muda *lestai* para *kakourgoi*, "malfeitores". No entanto, por mais que tentasse, Lucas não pode evitar o fato mais básico sobre o seu messias: Jesus foi executado pelo Estado romano pelo crime de sedição. Tudo o mais sobre os últimos dias de Jesus de Nazaré deve ser interpretado através desse singular, insistente fato.

    Assim, então, pode-se descartar o julgamento teatral diante de Pilatos como pura fantasia, por todas as razões já expostas. Se Jesus de fato tivesse estado diante de Pilatos, teria sido algo breve e, da parte de Pilatos, totalmente desprezível. Ele pode nem mesmo ter se preocupado em tirar os olhos de seu livro de registros o tempo suficiente para olhar o rosto de

Jesus, imagine então se envolver em uma longa conversa com ele sobre o significado da verdade.

Ele teria feito sua única pergunta: "Tu és o rei dos judeus?" E teria registrado a resposta de Jesus. Teria registrado o crime. E teria encaminhado Jesus para se juntar aos muitos outros morrendo ou já mortos no Gólgota.

Mesmo o julgamento anterior perante o Sinédrio deve ser reexaminado à luz da cruz. A história desse julgamento, como é apresentada nos evangelhos, é cheia de contradições e inconsistências, mas o quadro geral é o seguinte: Jesus é preso à noite, na véspera do sabá, durante a festa do Pêssach. Ele é levado sob a proteção da escuridão para o pátio do sumo sacerdote, onde os membros do Sinédrio esperam por ele. Ao mesmo tempo, um grupo de testemunhas aparece e atesta que Jesus fez ameaças contra o Templo de Jerusalém. Quando Jesus se recusa a responder a essas acusações, o sumo sacerdote lhe pergunta diretamente se ele é o messias. A resposta de Jesus varia em todos os quatro evangelhos, mas sempre inclui uma declaração de si mesmo como o Filho do Homem. A declaração enfurece o sumo sacerdote, que imediatamente acusa Jesus de blasfêmia, cuja punição é a morte. Na manhã seguinte, o Sinédrio entrega Jesus a Pilatos para ser crucificado.

Os problemas com essa cena são numerosos. O julgamento perante o Sinédrio viola quase todos os requisitos estabelecidos pela lei judaica para um processo legal. A Mishná é inflexível a respeito desse assunto. O Sinédrio não pode reunir-se à noite. Não é permitido reunir-se durante o Pêssach. Não é permitido reunir-se às vésperas do sabá. Certamente não é permitido reunir-se de forma tão casual no pátio (*aule*) do sumo sacerdote, como Mateus e Marcos sustentam. E o julgamento deve começar com uma lista detalhada dos porquês de o acusado ser inocente antes que qualquer das testemunhas seja autorizada a se apresentar. O argumento de que as regras de julgamento estabelecidas pelos rabinos da Mishná não se aplicam aos anos 30, quando Jesus foi julgado, cai por terra quando lembramos que os evangelhos também não foram escritos nos anos 30. O contexto social, religioso e político da narrativa do julgamento de Jesus perante o Sinédrio foi posterior ao judaísmo rabínico de 70 d.C.: a era da

Mishná. No mínimo, o que essas imprecisões flagrantes demonstram é a compreensão extremamente deficiente da lei judaica e da prática do Sinédrio pelos evangelistas. Isso apenas já deveria lançar dúvidas sobre a historicidade do julgamento diante de Caifás.

No entanto, mesmo que se apontem todas as violações citadas, o aspecto mais problemático do julgamento do Sinédrio é o seu veredito. Se o sumo sacerdote de fato perguntou a Jesus sobre suas ambições messiânicas e se a resposta de Jesus foi uma blasfêmia, então a Torá não poderia ser mais clara sobre a punição: "Aquele que blasfemar contra o nome do Senhor certamente será morto: *a congregação deve apedrejá-lo até a morte.*" (Levítico 24:16) Esse é o castigo infligido a Estevão por sua blasfêmia quando ele chama Jesus de Filho do Homem (Atos 7:1-60). Estevão não é transferido para as autoridades romanas para responder por seu crime, ele foi apedrejado até a morte no local. Pode ser verdade que, sob o domínio romano, os judeus não tivessem autoridade para executar criminosos (embora isso não os tenha impedido de matar Estevão). Mas não se pode perder de vista o fato fundamental com o qual começamos: Jesus não é apedrejado até a morte pelos judeus por blasfêmia, ele é crucificado por Roma por sedição.

Assim como pode haver um fundo de verdade na história do julgamento de Jesus perante Pilatos, também pode haver um fundo de verdade na história do julgamento do Sinédrio. As autoridades judaicas prenderam Jesus porque o viam como uma ameaça tanto ao controle do Templo quanto à ordem social de Jerusalém que, segundo o acordo com Roma, eles eram responsáveis por manter. Como as autoridades judaicas tecnicamente não tinham jurisdição em casos de pena capital, elas entregaram Jesus aos romanos para responder por seus ensinamentos sediciosos. A relação pessoal entre Pilatos e Caifás pode ter facilitado a transferência, mas as autoridades romanas certamente não precisavam ser convencidas a levar à morte mais um encrenqueiro judeu. Pilatos tratou Jesus da maneira como lidava com todas as ameaças à ordem social: mandou-o para a cruz. Nenhum julgamento foi realizado. Nenhum julgamento era necessário. Era Pêssach, sempre um momento de aumento das tensões em Jerusalém.

A cidade estava transbordando de peregrinos. Qualquer sinal de problema deveria ser imediatamente resolvido. E seja lá o que mais Jesus pudesse ter sido, ele era com certeza um problema.

Com seu crime registrado no diário de Pilatos, Jesus teria sido guiado até a fortaleza Antônia e levado para o pátio, onde seria despido, amarrado a uma estaca e barbaramente açoitado, como era o costume para todos os condenados à cruz. Os romanos teriam então colocado uma viga atrás de sua nuca e enfiado seus braços sobre ela, por trás – de novo, como era o costume –, para que o messias que havia prometido remover o jugo da ocupação dos pescoços dos judeus estivesse ele próprio atrelado como um animal levado ao matadouro.

Como era o caso de todos os condenados à crucificação, Jesus teria sido forçado a levar a trave da própria cruz para uma colina situada fora das muralhas de Jerusalém, junto à estrada que levava aos portões da cidade – talvez o mesmo caminho que ele tinha feito alguns dias antes, ao entrar na cidade como seu legítimo rei. Dessa forma, cada peregrino que entrasse em Jerusalém para as festividades sagradas não teria escolha a não ser testemunhar seu sofrimento, para ser lembrado do que acontecia com aqueles que desafiavam o governo de Roma. A trave seria anexada a um andaime ou poste, os pulsos e tornozelos de Jesus seriam pregados na estrutura com três pregos de ferro. Um impulso e a cruz seria colocada na posição vertical. A morte não demoraria muito. Em poucas horas, os pulmões de Jesus teriam se cansado e a respiração acabaria por se tornar impossível de ser mantida.

É assim que, em uma colina sem árvores, coberta de cruzes, acossado pelos gritos e gemidos de centenas de criminosos agonizantes, com um bando de corvos circulando ansiosamente sobre sua cabeça, esperando por seu último suspiro, o messias conhecido como Jesus de Nazaré teria o mesmo fim ignominioso de todos os outros messias que vieram antes ou depois dele.

Só que, ao contrário dos outros, esse não seria esquecido.

Parte III

Soai a trombeta no Sião;
Levantai um grito em meu santo monte!
Que tremam todos os habitantes da terra,
Pois o dia do Senhor está chegando,
está próximo;
um dia de trevas e melancolia,
um dia de nuvens e densas trevas.

(Joel 2:1-2)

Prólogo: Deus feito carne

ESTEVÃO, que foi apedrejado até a morte por blasfêmia, por uma multidão enfurecida de judeus, foi o primeiro dos seguidores de Jesus a ser morto após a crucificação, e não seria o último. É curioso que o primeiro homem martirizado por chamar Jesus de "Cristo" não tivesse conhecido Jesus de Nazaré. Estevão, afinal, não era um discípulo. Ele nunca conheceu o camponês da Galileia que reivindicou o trono do Reino de Deus. Não andou com Jesus ou falou com ele. Ele não fez parte da multidão em êxtase que acolheu Jesus em Jerusalém como seu legítimo governante. Não tomou parte na perturbação no Templo. Não estava lá quando Jesus foi preso e acusado de sedição. Ele não viu Jesus morrer.

Estevão não ouviu falar sobre Jesus de Nazaré até depois de sua crucificação. Um judeu de língua grega que vivia em uma das muitas províncias helenísticas fora da Terra Santa, Estevão tinha ido a Jerusalém em peregrinação, juntamente com milhares de outros judeus da Diáspora como ele. Estava provavelmente apresentando seu sacrifício aos sacerdotes do Templo quando avistou um grupo de agricultores e pescadores, principalmente da Galileia, vagando no Pátio dos Gentios e pregando sobre um nazareno simples a quem chamavam de messias.

Por si só, tal espetáculo não teria sido incomum em Jerusalém, certamente não durante os festivais e dias de festa, quando os judeus de todo o Império Romano afluíam à cidade sagrada para fazer suas oferendas ao Templo. Jerusalém era o centro da atividade espiritual para os judeus, o coração do culto da nação judaica. Cada sectário, cada fanático, cada zelota, messias e autoproclamado profeta poderia terminar indo para Jerusalém, a fim de pregar ou admoestar, de oferecer a misericórdia de Deus ou alertar para a sua ira. Os festivais, em particular, eram um momento ideal para esses cismáticos alcançarem um público tão grande e internacional quanto possível.

Assim, quando Estevão viu o bando de homens hirsutos e mulheres andrajosas amontoado sob um pórtico no pátio exterior do Templo – simples provincianos que venderam suas posses e deram o dinheiro aos pobres; que tinham todas as coisas em comum e nenhuma propriedade para si próprios, a não ser suas túnicas e sandálias –, provavelmente não prestou muita atenção de início. Ele pode ter apurado os ouvidos a partir da informação de que esses sectários específicos seguiam um messias que já havia sido morto (crucificado, nada menos!). Pode ter ficado surpreso ao saber que, apesar do fato inalterável de que a morte de Jesus, *por definição*, o inabilitava como libertador de Israel, seus seguidores ainda o chamavam messias. Mas mesmo isso não teria sido completamente inédito em Jerusalém. Não estavam os seguidores de João Batista ainda pregando a respeito de seu falecido mestre, ainda batizando judeus em seu nome?

O que realmente teria chamado a atenção de Estevão era a surpreendente alegação por esses judeus de que, ao contrário de todos os outros criminosos crucificados por Roma, o seu messias não tinha sido deixado na cruz para ter os ossos bicados pelos pássaros vorazes que Estevão tinha visto circulando sobre o Gólgota quando entrou pelas portas de Jerusalém. Não, o cadáver desse camponês em particular – esse Jesus de Nazaré – tinha sido apeado da cruz e colocado em um extravagante túmulo talhado na rocha, apropriado para o mais rico dos homens na Judeia. Ainda mais notável, os seguidores afirmavam que três dias depois de seu messias ter sido colocado no túmulo de homem rico, ele voltara à vida. Deus o ressuscitara, o libertara das garras da morte. O porta-voz do grupo, um pescador de Cafarnaum chamado Simão Pedro, jurou que tinha testemunhado essa ressurreição com os próprios olhos, assim como muitos outros entre eles.

Para ser claro, essa não foi a ressurreição dos mortos que os fariseus esperavam no final dos dias e que os saduceus negavam. Essa não foi uma ressurreição de lápides rachando-se e a terra tossindo para fora as massas enterradas, como o profeta Isaías tinha imaginado (Isaías 26:19). Não teve nada a ver com o renascimento da "Casa de Israel" predito pelo profeta Ezequiel, quando Deus assopraria vida nova para dentro dos ossos secos da nação (Ezequiel 37). Aquilo tinha sido um indivíduo solitário, morto e enterrado na rocha por dias levantando-se de repente e saindo do túmulo por vontade própria, não como um espírito ou fantasma, mas como um homem de carne e osso.

Nada parecido com o que esses seguidores de Jesus estavam afirmando existia naquela época. Ideias sobre a ressurreição dos mortos poderiam ser encontradas entre os antigos egípcios e persas, é claro. Os gregos acreditavam na imortalidade da alma, embora não na do corpo. Acreditava-se que alguns deuses – como Osíris – tivessem morrido e ressuscitado. Alguns homens – Júlio César, César Augusto – tornaram-se deuses depois de mortos. Mas o conceito de um indivíduo morrer e ressuscitar, em carne e osso, para uma vida eterna, era muito raro no mundo antigo e praticamente inexistente no judaísmo.

E, no entanto, o que os seguidores de Jesus estavam argumentando não era apenas que ele ressuscitara dos mortos, mas que a sua ressurreição confirmava seu status como messias, uma afirmação extraordinária, sem precedentes na história judaica. Apesar de dois milênios de apologética cristã, o fato é que a crença em um messias morto e ressuscitado simplesmente não existia no judaísmo. Na totalidade da Bíblia Hebraica não há uma única passagem da escritura ou profecia sobre o messias prometido que ao menos acenasse à sua morte ignominiosa e muito menos à sua ressurreição corporal. O profeta Isaías fala de um exaltado "servo sofredor", que seria "ferido pelas transgressões do povo [de Deus]" (Isaías 52:13-53:12). Mas Isaías nunca identifica esse servo sem nome como o messias, nem afirma que o servo ferido ressuscitaria dentre os mortos. O profeta Daniel menciona "o ungido" (isto é, o messias), que "será cortado e não terá nada" (Daniel 9:26). Mas o ungido de Daniel não é morto, ele é apenas deposto por um "príncipe que deve vir". Pode ser verdade que, séculos após a morte de Jesus, os cristãos interpretassem esses versos de maneira a ajudá-los a dar sentido ao fracasso de seu messias em realizar qualquer uma das tarefas messiânicas que se esperavam dele. Mas os judeus do tempo de Jesus não tinham qualquer concepção de um messias que sofre e morre. Eles esperavam um messias que triunfa e vive.

O que os seguidores de Jesus estavam propondo era uma audaz redefinição de tirar o fôlego – não apenas uma redefinição das profecias messiânicas, mas da própria natureza e função do messias judeu. O pescador, Simão Pedro, mostrando a confiança imprudente de alguém sem escolaridade e não iniciado nas escrituras, chegou a ponto de argumentar que o próprio rei Davi havia profetizado a crucificação e ressurreição de Jesus em um de seus Salmos. "Sendo um profeta e sabendo que Deus havia feito um juramento a ele de que o fruto de suas entranhas, da sua carne, se levantaria como o messias para se sentar no seu trono, Davi, prevendo [Jesus], falou da ressurreição do messias, dizendo que 'sua alma não foi deixada no inferno, nem a sua carne viu a corrupção'", disse Pedro aos peregrinos reunidos no Templo (Atos 2:30-31).

Se Estêvão tivesse conhecimentos sobre os textos sagrados, se fosse um escriba ou um estudioso escolado nas escrituras, se tivesse simplesmente sido um habitante de Jerusalém, para quem os sons dos Salmos escorrendo das paredes do Templo eram tão familiares como o som de sua própria voz, ele teria sabido imediatamente que o rei Davi nunca disse qualquer coisa sobre o messias. A "profecia" de que Pedro fala na realidade era um Salmo que Davi cantava *sobre si próprio*:

> Por isso o meu coração se alegra e no íntimo exulto;
> meu corpo também repousará tranquilo.
> Porque vós não deixareis a minha alma no Inferno
> ou permitireis que o vosso santo sofra a corrupção da sepultura
> [Pelo contrário] vós me ensinastes o caminho da vida;
> na vossa presença há abundância de alegria,
> em vossa mão direita há eterno prazer.
>
> (Salmos 16:9-11)

Mas – e aqui reside a chave para compreender a transformação dramática que teve lugar na mensagem de Jesus após a sua morte – Estêvão não era um escriba ou estudioso. Ele não era um especialista nas escrituras. Não vivia em Jerusalém. Como tal, ele era o público perfeito para essa nova, inovadora e completamente heterodoxa interpretação do messias sendo difundida por um grupo de enlevados analfabetos cuja confiança em sua mensagem era igualada apenas à paixão com que eles a pregavam.

Estevão se converteu ao movimento de Jesus pouco depois da morte deste. Tal como aconteceu com a maioria dos convertidos da Diáspora distante, ele teria abandonado sua cidade natal, vendido suas posses, aplicado os recursos na comunidade e feito um lar para si em Jerusalém, sob a sombra das paredes do Templo. Embora tivesse passado apenas um breve período como membro da nova comunidade, talvez um ano ou dois, sua morte violenta logo após a conversão consagraria para sempre o seu nome nos anais da história cristã.

A história dessa morte celebrada pode ser encontrada no Livro de Atos, que narra os primeiros vinte anos do movimento de Jesus após a crucificação. O evangelista Lucas, que supostamente compôs o livro como uma continuação de seu evangelho, apresenta o apedrejamento de Estevão como um movimento divisor de águas no início da história da Igreja. Estevão é chamado de um homem "cheio de graça e poder [que] fez grandes prodígios e deixou marcas entre o povo" (Atos 6:8). Seu discurso e sabedoria, Lucas afirma, eram tão poderosos que poucos poderiam ficar contra ele. Na verdade, a morte espetacular de Estevão no Livro de Atos torna-se, para Lucas, um epílogo para a narrativa da paixão de Jesus. Apenas o evangelho de Lucas, entre os sinópticos, transfere para o "julgamento" de Estevão a acusação feita contra Jesus de que ele havia ameaçado destruir o Templo.

"Este homem [Estevão] nunca para de blasfemar contra este santo lugar [o Templo] e a lei", grita uma gangue de vigilantes empunhando pedras. "Nós o ouvimos dizer que Jesus de Nazaré vai destruir este lugar e mudar os costumes que Moisés nos transmitiu." (Atos 6:13-14)

Lucas também dá a Estevão uma autodefesa que Jesus nunca teve em seu evangelho. Em uma longa e incoerente diatribe diante da multidão, Estevão resume quase toda a história judaica, começando com Abraão e terminando com Jesus. O discurso – que é, obviamente, uma criação de Lucas – está repleto de erros os mais básicos: ele identifica erroneamente o local do enterro do grande patriarca Jacó e, inexplicavelmente, afirma que um anjo deu a lei a Moisés, quando até mesmo o menos educado judeu na Palestina teria sabido que foi o próprio Deus quem o fez. No entanto, o verdadeiro significado do discurso aparece no final, quando em um ataque de êxtase Estêvão olha para o céu e vê "o Filho do Homem em pé à direita de Deus" (Atos 7:56).

A imagem parece ter sido uma das favoritas da comunidade cristã primitiva. Marcos, mais um judeu de língua grega da Diáspora, coloca Jesus dizendo, em seu evangelho, algo semelhante para o sumo sacerdote: "E tu verás o Filho do Homem sentado à direita do Poder." (Marcos 14:62) Isso é, então, copiado por Mateus e Lucas – mais dois judeus de língua grega da Diáspora – em suas próprias narrativas. Mas enquanto Jesus, nos evangelhos sinópticos, está diretamente citando o Salmo 110 como modo de estabelecer uma conexão entre ele e o rei Davi, o discurso de Estêvão em Atos conscientemente substitui a frase "à direita do Poder" por "à direita de Deus". Há uma razão para a mudança. No antigo Israel, a direita era símbolo de poder e autoridade, e significava uma posição de exaltação. Sentar-se "à direita de Deus" significa participar da glória de Deus, unificar-se a Deus em honra e essência. Como Tomás de Aquino escreveu: "Sentar-se à direita do Pai é nada mais do que compartilhar a glória da Divindade ... [Jesus] está sentado à direita do Pai, porque Ele tem a mesma natureza do Pai."

Em outras palavras, "o Filho do Homem" de Estêvão não é a figura majestosa de Daniel que vem "com as nuvens do céu". Ele não estabelece o seu reino na terra "para todos os povos, nações e línguas o servirem" (Daniel 7:1-14). Ele nem mesmo é mais o messias. O Filho do Homem, na visão de Estêvão, é um ser celestial preexistente, cujo reino não é deste mundo, que está à direita de Deus, igual a ele em glória e honra, e que é, em forma e substância, *Deus feito carne*.

Isso é tudo o que era necessário para as pedras começarem a voar.

É preciso entender que não poderia haver blasfêmia maior para um judeu do que Estêvão sugere. A alegação de que um indivíduo morreu e ressuscitou para a vida eterna pode ter sido sem precedentes no judaísmo. Mas a presunção de um "homem-deus" era simplesmente um anátema. O que Estêvão grita em meio a seus estertores finais não é nada menos do que o lançamento de uma religião inteiramente nova, radical e irremediavelmente divorciada de tudo que a própria religião de Estêvão tinha pregado sobre a natureza de Deus e do homem e a relação entre ambos. De fato, pode-se dizer que não era só Estêvão que morria naquele dia fora dos portões de Jerusalém. Sepultado com ele sob os escombros de pedras estava o último vestígio do personagem histórico conhecido como Jesus de Nazaré. A história do camponês galileu zeloso e judeu nacionalista que vestiu o manto de messias e lançou uma rebelião temerária contra o sacerdócio do Templo corrupto e da perversa ocupação romana chega a um fim abrupto, não com a sua morte na cruz nem com o túmulo vazio, mas no primeiro momento em que um de seus seguidores se atreve a sugerir que ele é Deus.

Estêvão foi martirizado em algum momento entre 33 e 35 d.C. Dentre aqueles na multidão que assistiram a sua lapidação estava um jovem devoto fariseu de uma rica cidade romana no mar Mediterrâneo chamada Tarso. Seu nome era Saulo, e ele era um verdadeiro zelota: um seguidor fervoroso da lei de Moisés, que havia construído uma reputação por reprimir violentamente blasfêmias como a de Estêvão. Por volta de 49 d.C., apenas quinze anos depois de assistir com aprovação à morte de Estêvão, esse mesmo fariseu fanático, agora um fervoroso cristão convertido renomeado Paulo, escreveria uma carta para seus amigos na cidade grega de Filipos em que, de forma inequívoca e sem reservas, chama de Deus a Jesus de Nazaré. "Ele estava na forma de Deus", escreve Paulo, embora "tenha nascido à semelhança dos homens." (Filipenses 2:6-7)

Como isso pode ter acontecido? Como poderia um messias fracassado, que morreu de forma vergonhosa como um criminoso, ser transformado, no espaço de poucos anos, no criador dos céus e da terra: o Deus encarnado?

A resposta a essa pergunta depende de reconhecer este fato bastante notável: praticamente cada palavra já escrita sobre Jesus de Nazaré, incluindo todas as histórias do evangelho de Mateus, Marcos, Lucas e João, foi escrita por pessoas que, como o mártir Estevão e o ex-fariseu Paulo, na verdade nunca conheceram Jesus quando ele estava vivo (devemos lembrar que, com a possível exceção de Lucas, os evangelhos não foram escritos por aqueles em nome de quem foram nomeados). Aqueles que conheciam Jesus – que entraram com ele em Jerusalém, proclamando-o rei, e o ajudaram a limpar o Templo em nome de Deus, que estavam lá quando ele foi preso e que o viram morrer numa morte solitária – desempenharam um papel surpreendentemente pequeno na definição do movimento que Jesus deixou. Os membros da família de Jesus, em especial seu irmão Tiago, que lideraria a comunidade na ausência de Jesus, foram certamente influentes nas décadas após a crucificação. Mas foram prejudicados pela decisão de permanecer mais ou menos abrigados em Jerusalém esperando Jesus voltar, até que eles e sua comunidade, como quase todo mundo na Cidade Santa, foram aniquilados pelo exército de Tito em 70 d.C. Os apóstolos que foram incumbidos por Jesus de espalhar a sua mensagem deixaram Jerusalém e se espalharam por todo o país levando as boas-novas de Jesus Cristo. Mas foram severamente limitados por sua incapacidade de explicar teologicamente a nova fé ou compor narrativas instrutivas sobre a vida e a morte de Jesus. Eles eram agricultores e pescadores, afinal de contas, e não sabiam ler nem escrever.

A tarefa de definir a mensagem de Jesus coube então a uma nova safra educada e urbanizada de judeus de língua grega da Diáspora, que se tornariam os principais veículos para a expansão da nova fé. À medida que esses homens e mulheres extraordinários, muitos deles imersos na filosofia grega e no pensamento helenístico, começaram a reinterpretar a mensagem de Jesus, de modo a torná-la mais palatável tanto para seus companheiros judeus de língua grega como para seus vizinhos não judeus na Diáspora, eles pouco a pouco transformaram Jesus de um zelota revolucionário em um semideus romanizado, de um homem que tentou e não conseguiu libertar os judeus da opressão romana em um ser celestial totalmente desinteressado de qualquer matéria terrena.

A transformação não ocorreu sem conflitos ou dificuldades. Os seguidores originais de Jesus, de língua aramaica – incluindo os membros de sua família e o resto dos Doze –, abertamente se confrontaram com os judeus de língua grega da Diáspora em relação à correta compreensão da mensagem de Jesus. A discórdia entre os dois grupos resultou no surgimento de dois campos distintos e concorrentes de interpretação cristã nas décadas após a crucificação: um defendido pelo irmão de Jesus, Tiago, e outro promovido pelo ex-fariseu Paulo. No fim das contas, seria a disputa entre esses dois adversários ferrenhos e abertamente hostis que, mais do que qualquer outra coisa, iria moldar o cristianismo como a religião global que hoje conhecemos.

13. Se Cristo não foi ressuscitado

ERA A SEXTA HORA do dia, na véspera do sabá, quando, segundo os evangelhos, uma escuridão cobriu a terra inteira, como se toda a criação parasse para testemunhar a morte desse nazareno simples, açoitado e executado por chamar a si próprio de rei dos judeus. Na nona hora, Jesus de repente gritou: "Meu Deus, meu Deus, por que me abandonaste?" Alguém embebeu uma esponja em vinagre e levou-a aos seus lábios para aliviar o sofrimento. Finalmente, não mais capaz de suportar a pressão sibilante nos pulmões, Jesus ergueu a cabeça para o céu e, com um grito alto e agonizante, entregou seu espírito.

O fim de Jesus teria sido rápido e despercebido por todos, salvo, talvez, por um punhado de discípulas que estavam chorando ao pé do morro, olhando para seu mestre aleijado e mutilado: a maioria dos homens se dispersara na noite ao primeiro sinal de problemas no Getsêmani. A morte de um criminoso de Estado pendurado em uma cruz no Gólgota era um evento tragicamente banal. Dezenas morreram com Jesus naquele dia, seus corpos quebrados e flácidos pendurados por dias para servir às aves de rapina que circulavam acima deles e aos cães que saíam na calada da noite para terminar o que os pássaros deixavam para trás.

No entanto, Jesus não era um criminoso comum, não para os evangelistas que compuseram a narrativa de seus momentos finais. Ele era o agente de Deus na terra. Sua morte não poderia concebivelmente ter passado despercebida, fosse pelo governador romano que o mandou para a cruz, fosse pelo sumo sacerdote que o entregou para morrer. E assim, quando Jesus submeteu sua alma ao céu, no momento exato de seu último suspiro, os evangelhos dizem que o véu do Templo que separava o altar do Santo dos Santos, o véu salpicado de sangue, aspergido com o sacrifício de mil milhares de ofertas, o véu que o sumo sacerdote, e só o sumo sacerdote, levantava quando entrava na presença particular de Deus, foi violentamente rasgado em dois, de cima a baixo.

"Certamente, este era um filho de Deus", declara um centurião perplexo ao pé da cruz, antes de correr para Pilatos para relatar o que havia acontecido.

O rompimento do véu do Templo é um final apropriado para as narrativas da paixão, o símbolo perfeito do que a morte de Jesus significou para os homens e mulheres que refletiram sobre ela décadas depois. O sacrifício de Jesus, eles argumentavam, removera a barreira entre a humanidade e Deus. O véu que separava a presença divina do resto do mundo tinha sido rasgado. Por meio da morte de Jesus, todos poderiam agora acessar o espírito de Deus, sem ritual ou mediação sacerdotal. Prerrogativa de alto custo do sumo sacerdote, o próprio Templo de repente tornou-se irrelevante. O corpo de Cristo tinha substituído os rituais do Templo, assim como as palavras de Jesus tinham suplantado a Torá.

Claro, essas são reflexões teológicas construídas anos após o Templo ter sido destruído; não é difícil considerar a morte de Jesus como tendo deslocado um Templo que não mais existia. Para os discípulos que permaneceram em Jerusalém depois da crucificação, no entanto, o Templo e o sacerdócio ainda eram uma forte realidade. O véu que pendia diante do Santo dos Santos ainda era evidente para todos. O sumo sacerdote e sua corte ainda controlavam o Monte do Templo. Os soldados de Pilatos ainda percorriam as ruas de pedra de Jerusalém. Nada havia mudado muito. O mundo permanecia essencialmente como era antes que seu messias lhes tivesse sido tirado.

Os discípulos enfrentaram uma profunda prova de fé após a morte de Jesus. A crucificação marcou o fim do sonho de derrubar o sistema existente, de reconstituir as doze tribos de Israel e governá-las em nome de Deus. O Reino de Deus não seria estabelecido na terra, como Jesus havia prometido. Os humildes e os pobres não trocariam de lugar com os ricos e poderosos. A ocupação romana não seria derrubada. Tal como acontecera com os seguidores de todos os outros messias que o Império tinha matado, não havia nada mais para os discípulos de Jesus fazerem senão abandonar a causa, renunciar às suas atividades revolucionárias e voltar para suas fazendas e aldeias.

Então, algo extraordinário aconteceu. O que exatamente é impossível saber. A ressurreição de Jesus é um tema dificílimo para o historiador discutir, no mínimo porque sai do âmbito de qualquer exame do Jesus histórico. Obviamente, a noção de um homem morrer uma morte horrível e voltar à vida três dias depois desafia toda lógica, razão e sentido. Alguém poderia simplesmente parar o argumento aí, descartar a ressurreição como uma mentira e declarar a crença em Jesus ressuscitado como o produto de uma mente crédula.

No entanto, existe este fato enervante a se considerar: um após outro, aqueles que afirmaram ter testemunhado Jesus ressuscitado enfrentaram suas próprias mortes horríveis recusando-se a negar seu testemunho. Isso não é, em si, incomum. Muitos judeus zelosos tiveram mortes horríveis por se recusarem a negar suas crenças. Mas esses primeiros seguidores de Jesus não estavam sendo solicitados a rejeitar questões de fé baseadas em eventos que aconteceram séculos, se não milênios, antes. Eles estavam sendo solicitados a negar algo que eles mesmos, em pessoa, vivenciaram diretamente.

Os discípulos estavam eles próprios foragidos em Jerusalém, cúmplices na sedição que levara à crucificação de Jesus. Foram presos e repetidamente maltratados por sua pregação: mais de uma vez seus líderes foram levados perante o Sinédrio para responder às acusações de blasfêmia. Eles foram espancados, açoitados, apedrejados e crucificados, mas não deixaram de proclamar o Jesus ressuscitado. E funcionou! Talvez a razão mais óbvia para não desprezar as experiências de ressurreição dos discípulos é que, entre todos os outros messias fracassados que vieram antes e depois dele, só Jesus é ainda chamado de messias. Foi precisamente o fervor com que os primeiros seguidores de Jesus acreditavam na sua ressurreição que transformou essa pequena seita judaica na maior religião do mundo.

Embora as primeiras histórias da ressurreição não tivessem sido escritas até a segunda metade dos anos 90 d.C. (a ressurreição não aparece nem nos materiais da Fonte Q, compilada por volta de 50 d.C., nem no evangelho de Marcos, escrito depois de 70 d.C.), essa crença parece ter sido parte da primeira fórmula litúrgica da comunidade cristã nascente. Paulo – o ex-fariseu que se tornaria o mais influente intérprete da mensagem de Jesus – escreve sobre a ressurreição em uma carta endereçada à comunidade cristã na cidade grega de Corinto, por volta de 50 d.C. "Porque eu passo a vós as primeiras coisas que eu próprio aceitei", Paulo escreve, "que Cristo morreu por causa dos nossos pecados, *segundo as escrituras*; que foi sepultado e ressuscitou ao terceiro dia, *segundo as escrituras*; que foi visto por Cefas [Simão Pedro] e depois pelos Doze. Depois disso, ele foi visto por mais de quinhentos irmãos de uma só vez, muitos dos quais ainda estão vivos, embora alguns tenham morrido. Depois disso, ele foi visto por [seu irmão] Tiago, depois por todos os apóstolos. E, por último, foi visto por mim também..." (1 Coríntios 15:3-8)

Paulo pode ter escrito essas palavras em 50 d.C., mas está repetindo o que é provavelmente uma fórmula muito mais antiga, que pode ser rastreada até o início dos anos 40 d.C. Isso significa que a crença na ressurreição de Jesus foi um dos primeiros atestados de fé da comunidade, mais cedo do que as narrativas da paixão, mais antiga até mesmo que a história do nascimento virginal.

No entanto, permanece o fato de que a ressurreição não é um acontecimento histórico. Ele pode ter tido repercussões históricas, mas o evento em si está fora do âmbito da história e dentro do reino da fé. É, de fato, o derradeiro teste de fé para os cristãos, como Paulo escreveu na mesma carta aos coríntios: "Se Cristo não foi ressuscitado, então a nossa pregação é vazia e sua fé é em vão." (1 Coríntios 15:17)

Paulo destaca um ponto fundamental. Sem a ressurreição, todo o edifício da reivindicação de Jesus ao manto do messias desaba. A ressurreição resolve um problema insuperável, que teria sido impossível para os discípulos ignorarem: a crucificação de Jesus invalida sua pretensão de ser o messias e sucessor de Davi. De acordo com a lei de Moisés, a crucificação de Jesus, na verdade, marcou-o como o maldito de Deus: "Qualquer um pendurado em uma árvore [isto é, crucificado] está sob a maldição de Deus." (Deuteronômio 21:23) Mas se Jesus não chegou a morrer, se sua morte foi apenas o prelúdio de sua evolução espiritual, então a cruz já não seria uma maldição ou um símbolo de fracasso. Ela seria transformada em um símbolo de vitória.

Precisamente porque a alegação de ressurreição era tão absurda e única, um edifício totalmente novo precisava ser construído para substituir o que havia desmoronado à sombra da cruz. As histórias da ressurreição nos evangelhos foram criadas para fazer exatamente isso: colocar carne e ossos em cima de um credo já aceito; criar uma narrativa a partir de uma crença estabelecida e, acima de tudo, para contrariar as acusações dos críticos que negavam a alegação, argumentando que os seguidores de Jesus não viram nada mais do que um fantasma ou um espírito e defendendo que tinham sido os próprios discípulos que roubaram o corpo de Jesus, para fazer parecer que ele tivesse ressuscitado. No momento em que as histórias de ressurreição foram escritas, seis décadas tinham se passado desde a crucificação. Nesse intervalo, os evangelistas tinham ouvido falar sobre todas as objeções possíveis à ressurreição e foram capazes de criar narrativas para combater cada uma delas.

Os discípulos viram um fantasma? Poderia um fantasma comer peixe e pão, como Jesus ressuscitado faz em Lucas 24:42-43?

Jesus era apenas um espírito incorpóreo? "Será que um espírito tem carne e ossos?", Jesus ressuscitado pergunta a seus discípulos incrédulos oferecendo-lhes as mãos e os pés para tocar como prova (Lucas 24:36-39).

O corpo de Jesus foi roubado? Como assim, se Mateus convenientemente colocou guardas armados em seu túmulo – guardas que viram por si mesmos Jesus ressuscitado, mas que foram subornados pelos sacerdotes para dizer que os discípulos haviam roubado o corpo debaixo de seus narizes? "E essa história tem sido divulgada entre os judeus até o dia de hoje." (Mateus 28:1-15)

Novamente, essas histórias não são feitas para serem relatos de eventos históricos, elas são cuidadosas construções para refutar um argumento que está circulando fora de cena. Ainda assim, uma coisa é argumentar que Jesus de Nazaré ressuscitou dentre os mortos. Isso é, afinal, puramente uma questão de fé. Algo totalmente diferente é dizer que ele fez isso *de acordo com as escrituras*. Lucas retrata Jesus ressuscitado abordando ele mesmo essa questão, explicando de modo paciente aos discípulos, que "esperavam que ele fosse aquele a redimir Israel" (Lucas 24:21), como sua morte e ressurreição eram, na realidade, o cumprimento das profecias messiânicas, como tudo escrito sobre o messias "na lei de Moisés, nos profetas e nos Salmos" conduzia para a cruz e o túmulo vazio. "Assim estava escrito que o messias iria sofrer e ressuscitar no terceiro dia", Jesus instrui seus discípulos (Lucas 24:44-46).

Só que tal coisa não está escrita em lugar algum: não na lei de Moisés, não nos profetas, não nos Salmos. Em toda a história do pensamento judaico não há uma única linha de escritura que diz que o messias deverá sofrer, morrer e ressuscitar no terceiro dia, o que pode explicar por que Jesus não se preocupa em citar qualquer escritura específica para basear sua incrível reivindicação.

Não foi à toa que os seguidores de Jesus tiveram momentos tão difíceis convencendo seus companheiros judeus em Jerusalém a aceitar sua mensagem. Quando Paulo escreve na carta aos coríntios que a crucificação é "uma pedra no caminho para os judeus", ele está subestimando grosseiramente o dilema dos discípulos (1 Coríntios 1:23). Para os judeus, o messias crucificado era nada menos do que uma contradição em termos. O próprio fato da crucificação de Jesus anulava suas reivindicações messiânicas. Até mesmo os discípulos reconheceram este problema. É por isso que eles tão desesperadamente tentaram redirecionar suas esperanças frustradas, argumentando que o Reino de Deus que esperavam estabelecer era, na realidade, um reino celestial, não terreno; que as profecias messiânicas tinham sido mal-interpretadas; que as escrituras, lidas de maneira correta, diziam o oposto do que todos pensavam que dissessem; que profundamente incorporada nos textos estava uma verdade secreta sobre a morte e a ressurreição do messias que só eles podiam descobrir. O problema é que, em uma cidade tão imersa nas escrituras como Jerusalém, tal argumento teria caído em ouvidos moucos, especialmente quando vinha de um grupo de camponeses analfabetos do sertão da Galileia cuja única experiência com as escrituras era o pouco que tinham ouvido falar delas nas sinagogas de seus locais de origem. Por mais que tentassem, os discípulos simplesmente não conseguiam convencer um número significativo de moradores de Jerusalém a aceitar Jesus como o libertador tão aguardado de Israel.

Os discípulos poderiam ter saído de Jerusalém, espalhado-se pela Galileia com sua mensagem, voltado para suas aldeias a fim de pregar entre seus amigos e vizinhos. Mas Jerusalém foi o local da morte e ressurreição de Jesus, o lugar para onde acreditavam que ele logo voltaria. Era o centro do judaísmo, e apesar de sua interpretação peculiar das escrituras os discípulos eram, acima de tudo, judeus. Foi um movimento totalmente judaico, pensado, naqueles primeiros anos após a crucificação de Jesus, para um público exclusivamente judaico. Eles não tinham nenhuma intenção de abandonar a cidade sagrada ou divorciar-se do judaísmo, independentemente da perseguição que enfrentavam por parte das autoridades sacerdotais. Os principais líderes do movimento – os apóstolos Pedro e João e o irmão de Jesus, Tiago – mantiveram sua fidelidade aos costumes judaicos e à lei de Moisés até o fim. Sob sua liderança, a Igreja de Jerusalém tornou-se conhecida como a "assembleia-mãe". Não importa quão longe tenha se propagado o movimento, quantas outras "assembleias" tenham se estabelecido em cidades como Filipos, Corinto ou mesmo Roma, quantos novos convertidos judeus ou gentios o movimento tenha atraído – cada assembleia, cada convertido e cada missionário estaria sob a autoridade da "assembleia-mãe" em Jerusalém, até o dia em que ela foi queimada até o chão.

Havia outra vantagem mais prática da centralização do movimento em Jerusalém. O ciclo anual de festivais trazia milhares de judeus de todo o Império diretamente a eles. E, ao contrário dos judeus que viviam em Jerusalém, que parecem ter descartado com facilidade os seguidores de Jesus como, na melhor das hipóteses, desinformados, e, na pior, heréticos, esses judeus da Diáspora, que moravam longe da cidade sagrada e fora do alcance do Templo, mostravam-se muito mais suscetíveis à mensagem dos discípulos.

Constituindo pequenas minorias que viviam em grandes centros cosmopolitas como Alexandria e Antioquia, os judeus da Diáspora tornaram-se profundamente aculturados pelas ideias gregas e pela sociedade romana. Cercados por uma série de diferentes raças e religiões, eles tendiam a ser mais abertos ao questionamento das crenças e práticas judaicas, mesmo quando se tratava de assuntos tão básicos como a circuncisão e as restrições alimentares. Ao contrário de seus irmãos na Terra Santa, os judeus da Diáspora falavam grego e não aramaico: grego era a língua de seus processos mentais, a língua de seu culto. Eles foram educados nas escrituras não no original hebraico, mas em uma tradução para o grego (a Septuaginta), que oferecia novas e originais formas de expressar sua fé e lhes permitia harmonizar mais facilmente a tradicional cosmologia bíblica com a filosofia grega. Considere as escrituras judaicas que provêm da Diáspora: livros como *A sabedoria de Salomão*, que antropomorfiza a sabedoria em uma mulher a ser buscada acima de tudo, e *Jesus, Filho de Sirach* (comumente chamado de livro do Eclesiástico) se parecem mais com trechos filosóficos gregos que com escrituras semitas.

Não é de se estranhar, portanto, que os judeus da Diáspora fossem mais receptivos à interpretação inovadora das escrituras oferecida pelos seguidores de Jesus. De fato, não demorou muito para que esses judeus de língua grega superassem os seguidores originais de língua aramaica de Jesus em Jerusalém. De acordo com o Livro de Atos, a comunidade foi dividida em dois campos separados e distintos: os "Hebreus", termo usado na obra para se referir aos crentes baseados em Jerusalém sob a liderança de Tiago e os apóstolos, e os "Helenistas", os judeus que vieram da Diáspora e que falavam grego como língua principal (Atos 6:1).

Não era só a língua que separava os Hebreus dos Helenistas. Os Hebreus eram principalmente camponeses, agricultores e pescadores – transplantados para Jerusalém da Judeia e da Galileia. Os Helenistas eram mais sofisticados e urbanos, mais bem-educados e certamente mais ricos, como evidenciado por sua capacidade de viajar centenas de quilômetros para fazer a peregrinação ao Templo. Foi, no entanto, a divisão da língua que acabou por ser decisiva na diferenciação entre as duas comunidades. Os gregos, que adoravam Jesus em grego, contavam com uma linguagem que fornecia um conjunto muito diferente de símbolos e metáforas do que o aramaico ou o hebraico. A diferença de linguagem conduziu gradualmente a diferenças na doutrina, à medida que os Helenistas começaram a forçar suas visões de mundo, de inspiração grega, sobre a leitura já idiossincrática das escrituras judaicas feita pelos Hebreus.

Quando eclodiu um conflito entre as duas comunidades a respeito da distribuição igualitária dos recursos comuns, os apóstolos designaram sete líderes entre os Helenistas para cuidarem das necessidades de seu próprio grupo. Conhecidos como "os Sete", esses líderes estão listados no Livro de Atos como Filipe, Prócoro, Nicanor, Timão, Parmenas, Nicolau (um gentio convertido da Antioquia) e, claro, Estêvão, cuja morte nas mãos de uma multidão enfurecida tornaria permanente a divisão entre Hebreus e Helenistas.

A morte de Estêvão resultou em uma onda de perseguição em Jerusalém. As autoridades religiosas, que até então pareciam ter tolerado a contragosto a presença dos seguidores de Jesus na Cidade Santa, ficaram furiosas com as palavras escandalosamente heréticas de Estêvão. Já era ruim o suficiente chamar um camponês crucificado de messias; era blasfêmia imperdoável chamá-lo de Deus. Em resposta, as autoridades expulsaram de forma sistemática os Helenistas de Jerusalém, um ato que, curiosamente, não parece ter sido muito contestado pelos Hebreus. Na verdade, o fato de que a assembleia de Jerusalém continuou a prosperar sob a sombra do Templo durante décadas após a morte de Estêvão prova que os Hebreus foram pouco afetados pela perseguição aos Helenistas. Era como se as autoridades sacerdotais não considerassem os dois grupos como sendo relacionados.

Enquanto isso, os Helenistas expulsos afluíram de volta para a Diáspora. Armados com a mensagem que tinham adotado dos Hebreus em Jerusalém, eles começaram a transmiti-la, *em grego*, para seus companheiros judeus da Diáspora, aqueles que viviam nas cidades pagãs de Ashdod e Cesareia, nas regiões costeiras da Síria-Palestina, em Chipre, Fenícia e Antioquia – a cidade em que eles foram, pela primeira vez, chamados de cristãos (Atos 11:27). Pouco a pouco, ao longo da década seguinte, a seita judaica fundada por um grupo de galileus rurais se transformou em uma religião de oradores gregos urbanizados. Desvinculados dos limites do Templo e da religião judaica, os pregadores Helenistas começaram a gradualmente retirar da mensagem de Jesus as preocupações nacionalistas, transformando-a em um chamado universal que seria mais atraente para os que viviam em um ambiente greco-romano. Ao fazê-lo, eles se desvencilhavam das escrituras da lei judaica, até que elas deixaram de ter qualquer primazia. Jesus não veio para cumprir a lei, os Helenistas argumentavam; ele veio para aboli-la. Jesus não condenava os sacerdotes que contaminaram o Templo com sua riqueza e hipocrisia; condenava o próprio Templo.

Ainda assim, até aquele momento, os Helenistas reservavam sua pregação unicamente a seus companheiros judeus, como escreve Lucas no Livro de Atos: "Eles não falavam a palavra a ninguém exceto os judeus." (Atos 11:19) Aquele ainda era um movimento essencialmente judaico, que floresceu através da experimentação teológica que marcava a experiência da Diáspora no Império Romano. Mas, então, alguns entre os Helenistas começaram a compartilhar a mensagem de Jesus com os gentios, "de modo que um grande número deles passou a crer". A missão gentílica ainda não era primordial – não ainda. Mas quanto mais os Helenistas se espalhavam além de Jerusalém e do coração do movimento de Jesus, mais o seu foco passou de uma plateia exclusivamente judaica a uma em sua maioria de gentios. Quanto mais o foco mudou para converter os gentios, mais eles permitiram que certos elementos sincréticos emprestados do gnosticismo grego e de religiões romanas se infiltrassem no movimento. E quanto mais o movimento era moldado por esses novos convertidos "pagãos", com mais força ele descartava seu passado judaico em troca de um futuro greco-romano.

Tudo isso estava ainda a muitos anos de distância. Não seria senão depois da destruição de Jerusalém em 70 d.C. que a missão aos judeus seria completamente abandonada e o cristianismo transformado em uma religião romanizada. No entanto, mesmo nessa fase inicial do movimento de Jesus, o caminho para o domínio gentio estava sendo definido. O ponto de virada, porém, não ocorreria até que um jovem fariseu e judeu Helenista de Tarso chamado Saulo – o mesmo Saulo que havia encorajado o apedrejamento de Estevão por blasfêmia – encontrasse Jesus ressuscitado na estrada para Damasco e ficasse conhecido para sempre como Paulo.

14. Não sou eu um apóstolo?

SAULO DE TARSO AINDA RESPIRAVA ameaças de morte contra os discípulos quando deixou Jerusalém em nome do sumo sacerdote para encontrar e punir os Helenistas que haviam fugido de lá depois do apedrejamento de Estêvão. O sumo sacerdote não pedira a Saulo para caçar esses seguidores de Jesus; Saulo se oferecera para o trabalho voluntariamente. Ele era o homem perfeito para a tarefa: um educado judeu da Diáspora, de língua grega e cidadão de uma das mais ricas cidades portuárias no Império Romano, que, no entanto, permanecera zelosamente dedicado ao Templo e à Torá. "Circuncidado no oitavo dia, da linhagem de Israel, da tribo de Benjamim, hebreu filho de hebreus", ele escreve de si mesmo em uma carta aos filipenses, "em relação à [ao conhecimento da] lei, um fariseu; quanto ao zelo, um perseguidor da Igreja; quanto à correção em relação à lei, irrepreensível." (Filipenses 3:5-6)

Foi quando estava a caminho da cidade de Damasco que o jovem fariseu teria uma experiência de enlevamento que mudaria tudo para ele, e para a fé que ele iria adotar como sua. Quando se aproximava dos portões da cidade com seus companheiros de viagem, ele de repente foi atingido por uma luz do céu piscando ao seu redor. Ele desmontou no chão. Uma voz lhe disse: "Saulo, Saulo, por que tu me persegues?"

"Quem és tu, Senhor?", perguntou Paulo.

A resposta rompeu a luz branca ofuscante: "Eu sou Jesus."

A experiência o deixou cego. Ainda assim, Saulo conseguiu chegar a Damasco, onde se encontrou com um seguidor de Jesus chamado Ananias, que impôs as mãos sobre ele e restaurou sua visão. Imediatamente, algo como escamas caíram dos olhos de Saulo e ele foi preenchido pelo

Espírito Santo. Ali mesmo Saulo foi batizado no movimento de Jesus. Mudou seu nome para Paulo e imediatamente começou a pregar sobre Jesus ressuscitado, não para seus companheiros judeus, mas para os gentios que tinham sido, até aquele ponto, mais ou menos ignorados pelos principais missionários do movimento.

A história da dramática conversão de Paulo na estrada de Damasco é um pouco de lenda propagandística criada pelo evangelista Lucas; o próprio Paulo nunca narrou a história de ser cegado pela visão de Jesus. Se as tradições podem ser acreditadas, Lucas era um jovem devoto de Paulo: ele é mencionado em duas cartas, Colossenses e Timóteo, comumente atribuídas a Paulo, mas escritas muito tempo depois de sua morte. Lucas escreveu o Livro de Atos como uma espécie de homenagem ao seu antigo mestre, uns trinta a quarenta anos depois que Paulo havia morrido. De fato, Atos é menos uma narrativa sobre os apóstolos do que uma biografia reverencial de Paulo; os apóstolos desaparecem do livro logo no início, servindo como pouco mais do que a ponte entre Jesus e Paulo. Na releitura de Lucas, é Paulo – não Tiago, nem Pedro, nem João, nem qualquer um dos Doze – o verdadeiro sucessor de Jesus. As atividades dos apóstolos, em Jerusalém, servem apenas como prelúdio para a pregação de Paulo na Diáspora.

Embora Paulo não tenha divulgado quaisquer detalhes sobre sua conversão, ele insistiu repetidamente em ter sido ele próprio testemunha de Jesus ressuscitado, afirmando que essa experiência dotara-o da mesma autoridade apostólica dos Doze. "Não sou eu um apóstolo?", Paulo escreve em defesa de suas credenciais, que eram colocadas frequentemente em dúvida. "Acaso não vi Jesus, nosso Senhor?" (1 Coríntios 9:1)

Paulo pode ter considerado a si próprio um apóstolo, mas parece que poucos dos outros líderes do movimento concordavam. Nem mesmo Lucas – um bajulador de Paulo cujos escritos revelam uma deliberada, ainda que a-histórica, tentativa de elevar o status do seu mentor na fundação da Igreja – refere-se a Paulo como um apóstolo. Segundo Lucas, existem apenas doze apóstolos, um para cada tribo de Israel, conforme a intenção de Jesus. Ao narrar a história de como os restantes onze apóstolos substituíram Judas Iscariotes por Matias após a morte de Jesus, Lucas observa que o novo recruta precisava ser alguém que "tivesse acompanhado [os discípulos] o tempo todo em que o Senhor Jesus entrou e saiu dentre nós, começando com o batismo de João até o dia em que [Jesus] foi tirado de nós" (Atos 1:21). Tal exigência teria claramente descartado Paulo, que se converteu ao movimento em torno de 37 d.C., quase uma década depois de Jesus ter morrido. Mas isso não detém Paulo, que não só exige ser chamado apóstolo – "mesmo que eu não seja apóstolo para os outros, pelo menos eu o sou para vós", diz ele à sua amada comunidade de Corinto (1 Coríntios 9:2) – como insiste ser muito superior a todos os outros apóstolos.

"São hebreus?", Paulo escreve sobre os apóstolos. "Também sou! Eles são israelitas? Também sou! São da semente de Abraão? Também sou! São servos de Cristo? *Eu sou um melhor ainda* (embora possa ser tolo dizer isso), com maiores trabalhos, mais flagelações, mais prisões e mais vezes perto da morte." (2 Coríntios 11:22-23) Paulo tem especial desprezo pelo triunvirato de Tiago, Pedro e João, com sede em Jerusalém; ele os ridiculariza como "os chamados pilares da Igreja" (Gálatas 2:9). "Seja o que forem, não faz diferença para mim", escreve. "Os líderes não contribuíram em nada para mim." (Gálatas 2:6) Os apóstolos podem ter andado e falado com o Jesus vivo (ou, como Paulo desdenhosamente o chama, "Jesus-em-carne-e-osso"). Mas Paulo caminha e fala com o Jesus divino, e tem com ele, de acordo com seus relatos, conversas em que Jesus transmite instruções secretas destinadas exclusivamente a seus ouvidos. Os apóstolos podem ter sido escolhidos a dedo por Jesus enquanto trabalhavam no campo ou recolhiam suas redes de pesca. Mas Jesus escolheu Paulo antes de ele nascer: ele foi, segundo diz aos gálatas, chamado por Jesus para o apostolado quando ainda estava no ventre de sua mãe (Gálatas 1:15). O que Paulo está sugerindo é que ele não é o décimo terceiro apóstolo. É o *primeiro* apóstolo.

A reivindicação do apostolado é urgente para Paulo, uma vez que era a única maneira de justificar a sua missão totalmente autoatribuída em relação aos gentios, que os líderes do movimento em Jerusalém parecem não ter de início apoiado. Embora tenha havido uma grande discussão entre os apóstolos sobre quão estritamente a nova comunidade deveria aderir à lei de Moisés, com alguns defendendo seu cumprimento rigoroso e outros tomando uma posição mais moderada, houve pouca discussão sobre a quem a comunidade deveria servir: aquele era um movimento judaico destinado a um público judeu. Mesmo os Helenistas reservavam sua pregação principalmente para os judeus. Se um punhado de gentios decidisse aceitar Jesus como o messias, que assim o fosse, contanto que se tornassem primeiro judeus, submetendo-se à circuncisão e à lei.

No entanto, para Paulo, não há espaço algum para debater o papel da lei de Moisés na nova comunidade. Não só Paulo rejeita a primazia da lei judaica, ele se refere a ela como um "ministério da morte, esculpido em letras em uma tabuleta de pedra" que deve ser substituída por "um ministério do Espírito vindo em glória" (2 Coríntios 3:7-8). Ele chama seus irmãos que continuam a praticar a circuncisão, a marca por excelência da nação de Israel, de "cães e malfeitores" que "mutilam a carne" (Filipenses 3:2). São declarações surpreendentes para um ex-fariseu. Mas para Paulo refletem a verdade sobre Jesus que ele sente que só ele reconhece, que "Cristo é o fim da Torá" (Romanos 10:4).

A despreocupada rejeição de Paulo à própria base do judaísmo era tão chocante para os líderes do movimento em Jerusalém como teria sido para o próprio Jesus. Afinal, Jesus afirmou ter vindo para cumprir a lei de Moisés, não para aboli-la. Longe de rejeitar a lei, Jesus continuamente se esforçou para expandi-la e intensificá-la. Onde a lei comanda "não matarás", Jesus acrescentou: "Se estás irritado com teu irmão ou irmã, estás sujeito ao [mesmo] juízo." (Mateus 5:22) Onde a lei diz "não cometerás adultério", Jesus estendeu-a para incluir "todo aquele que olhar para uma mulher com luxúria" (Mateus 5:28). Jesus pode ter discordado dos escribas e estudiosos sobre a interpretação correta da lei, especialmente quando se tratava de assuntos tais como a proibição de trabalhar no sábado. Mas ele nunca rejeitou a lei. Pelo contrário, Jesus advertiu que "aquele que violar um dos menores desses mandamentos e ensinar os outros a fazê-lo será chamado o menor no reino dos céus" (Mateus 5:19).

Alguém poderia pensar que a admoestação de Jesus sobre não ensinar os outros a quebrar a lei de Moisés teria tido algum impacto sobre Paulo.

Mas este parece totalmente despreocupado com qualquer coisa que o "Jesus-em-carne-e-osso" possa ou não ter dito. Na verdade, Paulo não demonstra nenhum interesse pelo Jesus histórico. Não há quase nenhum traço de Jesus de Nazaré em qualquer uma de suas cartas. Com exceção da crucificação e da Última Ceia, que ele transforma de uma narrativa em uma fórmula litúrgica, Paulo não narra um único evento da vida de Jesus. Ele também nunca realmente cita as palavras de Jesus (de novo, com exceção de sua montagem da fórmula eucarística: "Este é o meu corpo ..."). Na verdade, Paulo, por vezes, contradiz diretamente Jesus. Compare o que Paulo escreve em sua epístola aos romanos, "Todo aquele que invocar o nome do Senhor será salvo" (Romanos 10:13), e o que Jesus diz no evangelho de Mateus: "Nem todo aquele que me diz 'Senhor, Senhor' entrará no reino dos céus." (Mateus 7:21)

A falta de preocupação de Paulo com o Jesus histórico não é devida, como alguns argumentam, à sua ênfase em preocupações cristológicas ao invés de históricas. É devida ao simples fato de que Paulo não tinha ideia de quem era Jesus em vida, nem se importava. Ele repetidamente se ufana por não ter aprendido sobre Jesus através dos apóstolos ou de qualquer outra pessoa que poderia tê-lo conhecido. "Mas quando aprouve a Deus ... revelar seu Filho a mim, para que eu pregasse sobre ele entre os gentios, não consultei ninguém, nem subi a Jerusalém [para pedir permissão de] aos apóstolos antes de mim", vanglaria-se Paulo. "Em vez disso, fui direto para a Arábia, e depois outra vez a Damasco." (Gálatas 1:15-17)

Só depois de três anos pregando uma mensagem que insistia não ter recebido de qualquer ser humano (obviamente referindo-se a Tiago e aos apóstolos), mas direto de Jesus, Paulo se dignou a visitar os homens e mulheres de Jerusalém que tinham realmente conhecido aquele que ele professava como Senhor (Gálatas 1:12).

Por que Paulo se esforça tanto não só para se libertar da autoridade dos líderes em Jerusalém, mas para denegri-los e descartá-los como irrelevantes ou pior? Ocorre que as opiniões de Paulo sobre Jesus são tão extremas, tão além dos limites do pensamento judaico aceitável, que apenas afirmando que elas vêm diretamente do próprio Jesus é que ele poderia conseguir pregá-las. O que Paulo oferece em suas cartas não é, como alguns de seus defensores contemporâneos opinam, apenas uma forma alternativa de encarar a espiritualidade judaica. Paulo, em vez disso, ofereceu uma doutrina completamente nova, que teria sido ela toda irreconhecível para a pessoa em quem ele afirma se basear. Pois foi Paulo quem resolveu o dilema dos discípulos, de conciliar a morte vergonhosa de Jesus na cruz com as expectativas messiânicas dos judeus, simplesmente descartando essas expectativas e transformando Jesus em uma criatura completamente nova, que parece ser quase por inteiro de sua própria autoria: *Cristo*.

Apesar de "Cristo" ser, tecnicamente, a palavra grega para "messias", não é assim que Paulo emprega o termo. Ele não dota Cristo de qualquer das conotações ligadas ao termo "messias" nas Escrituras Hebraicas, nunca fala de Jesus como "o ungido de Israel". Paulo pode ter reconhecido Jesus como descendente do rei Davi, mas ele não olha as escrituras para argumentar que Jesus era o libertador davídico que os judeus estavam aguardando. Ele ignora todas as profecias messiânicas em que os evangelhos se apoiariam muitos anos mais tarde para provar que Jesus era o messias judeu (quando Paulo finalmente considera os profetas hebreus – por exemplo, a profecia de Isaías sobre a raiz de Jessé, que um dia iria servir como "uma luz para os gentios" (Isaías 11:10) –, ele acha que os profetas estão prevendo *ele*, e não Jesus). Mais revelador é que, ao contrário dos escritores dos evangelhos (exceto João, é claro), Paulo não chama Jesus de *o Cristo* (*Yesus ho Xristos*), como se Cristo fosse um título. Em vez disso, chama-o de "Jesus Cristo", ou apenas "Cristo", como se fosse um sobrenome. Essa é uma fórmula extremamente incomum, cujo paralelo mais próximo é a maneira como os imperadores romanos adotaram "César" por cognome, como César Augusto.

O Cristo de Paulo não é nem mesmo humano, embora tivesse assumido a semelhança de um ser humano (Filipenses 2:7). Ele é um ser cósmico, que existia antes do tempo. Ele é a primeira das criações de Deus, por meio de quem se formou o resto da criação (1 Coríntios 8:6). Ele é o Filho gerado por Deus, a descendência *física* de Deus (Romanos 8:3). Ele é o novo Adão, nascido não do pó, mas do céu. No entanto, enquanto o primeiro Adão foi feito alma vivente, "o último Adão", como Paulo chama Cristo, tornou-se "um espírito vivificante" (1 Coríntios 15:45-47). Cristo é, em suma, um novo ser abrangente. Mas ele não é único, é apenas o primeiro de sua espécie: "O primogênito entre muitos irmãos." (Romanos 8:29). Todos os que creem em Cristo, como Paulo faz – os que aceitam os ensinamentos de Paulo sobre ele –, podem tornar-se um com ele, em uma união mística (1 Coríntios 6:17). Por meio de sua crença, seus corpos serão transformados no corpo glorioso de Cristo (Filipenses 3:20-21). Eles vão se juntar a ele em espírito e repartirão sua semelhança, que, como Paulo lembra a seus seguidores, é a semelhança de Deus (Romanos 8:29). Assim, como "herdeiros de Deus e co-herdeiros de Cristo", os crentes podem também tornar-se seres divinos (Romanos 8:17). Eles podem se tornar semelhantes a Cristo em sua morte (Filipenses 3:10), isto é, divinos e eternos, com a responsabilidade de julgar ao lado dele toda a humanidade e também os anjos do céu (1 Coríntios 6:2-3).

O Jesus retratado como Cristo por Paulo pode soar familiar aos cristãos contemporâneos – desde então se tornou a doutrina padrão da Igreja –, mas teria sido absolutamente aberrante e francamente bizarro aos seguidores judeus de Jesus. A transformação do nazareno em um filho literal de Deus, divino, preexistente, cuja morte e ressurreição lançam um novo gênero de seres eternos responsáveis por julgar o mundo, não tem base em quaisquer escritos sobre Jesus que sejam mesmo remotamente contemporâneos de Paulo (uma firme indicação de que o Cristo de Paulo foi provavelmente uma criação sua). Nada parecido com o que Paulo prevê existe no material da Fonte Q, que foi compilada por volta da mesma época em que Paulo estava escrevendo suas cartas. O Cristo de Paulo não é, certamente, o Filho do Homem que aparece no evangelho de Marcos, escrito poucos anos depois da morte de Paulo. Em nenhum lugar nos evangelhos de Mateus e Lucas, compostos entre 90 e 100 d.C., Jesus é considerado como o filho literal de Deus. Ambos os evangelhos empregam o termo "Filho de Deus" exatamente como ele é usado ao longo das Escrituras Hebraicas: como um título real, não uma descrição. É apenas no último dos evangelhos canonizados, o evangelho de João, escrito em algum momento entre 100 e 120 d.C., que a visão de Paulo sobre Jesus como Cristo, o *Logos* eterno, o Filho Unigênito de Deus, pode ser encontrada. Claro que, naquela época, quase meio século após a destruição de Jerusalém, o cristianismo já era uma religião completamente romanizada, e o Cristo de Paulo tinha obliterado há muito qualquer último vestígio do messias judeu em Jesus. Durante a década dos anos 50 d.C., no entanto, quando Paulo está escrevendo suas cartas, sua concepção de Jesus como Cristo teria sido chocante e claramente herética, razão pela qual, por volta de 57 d.C., Tiago e os apóstolos requerem que Paulo vá a Jerusalém para responder por seus ensinamentos desviantes.

Aquela não seria a primeira aparição de Paulo diante dos líderes do movimento. Como ele menciona em sua carta aos gálatas, inicialmente conheceu os apóstolos em uma visita à cidade sagrada três anos após sua conversão, em torno de 40 d.C., quando ficou cara a cara com Pedro e Tiago. Os dois líderes ficaram aparentemente emocionados pelo fato de que "aquele que tinha nos perseguido agora está proclamando a mensagem de fé que antes procurava destruir" (Gálatas 1:23). Glorificavam Deus por causa de Paulo e mandaram-no seguir seu caminho para pregar a mensagem de Jesus nas regiões da Síria e Cilícia, oferecendo-lhe como companheiro e protetor um judeu convertido e confidente próximo de Tiago chamado Barnabé.

A segunda viagem de Paulo a Jerusalém ocorreu cerca de uma década mais tarde, em algum momento dos anos 50 d.C., e foi muito menos cordial do que a primeira. Ele tinha sido convocado para comparecer perante uma reunião do Conselho Apostólico para defender seu papel autodesignado como missionário para os gentios (Paulo insiste que não foi convocado a Jerusalém, mas que foi até lá por vontade própria, porque Jesus disse a ele para ir). Com seu companheiro Barnabé e um convertido grego incircunciso chamado Tito a seu lado, Paulo se apresentou diante de Tiago, Pedro, João e os anciãos da Igreja de Jerusalém para defender fervorosamente a mensagem que estava divulgando entre os gentios.

Lucas, escrevendo sobre essa reunião cerca de quarenta ou cinquenta anos depois, pinta um quadro de perfeita harmonia entre Paulo e os membros do Conselho, com o próprio Pedro defendendo Paulo e ficando a seu lado. De acordo com Lucas, Tiago, na qualidade de líder da assembleia de Jerusalém e chefe do Conselho Apostólico, abençoou os ensinamentos de Paulo, decretando que dali em diante os gentios seriam bem-vindos na comunidade, sem ter que seguir a lei de Moisés, desde que "se abstivessem de coisas poluídas por ídolos, de prostituição, de [comer] coisas que foram estranguladas e de sangue" (Atos 15:1-21). A descrição que Lucas faz da reunião é uma manobra evidente para legitimar o ministério de Paulo, carimbando-o com a aprovação de ninguém menos que o "irmão do Senhor". No entanto, o relato do próprio Paulo sobre o encontro com o Conselho Apostólico, escrito em uma carta aos gálatas não muito depois de ter ocorrido, pinta uma imagem completamente diferente do que aconteceu em Jerusalém.

Paulo afirma ter sido emboscado no Conselho Apostólico por um grupo de "falsos crentes" (os que ainda estão aceitando a primazia do Templo e da Torá) que vinham secretamente espionando ele e seu ministério. Embora Paulo revele poucos detalhes sobre a reunião, ele não consegue disfarçar a raiva pelo tratamento que diz ter recebido dos "líderes supostamente reconhecidos" da Igreja: Tiago, Pedro e João. Paulo diz que "se recusou a submeter-se a eles, mesmo por um minuto", uma vez que nem eles nem a opinião deles sobre o seu ministério faziam qualquer diferença para ele (Gálatas 2:1-10).

Seja o que for que aconteceu durante o Conselho Apostólico, a reunião parece ter sido encerrada com uma promessa de Tiago, o líder da assembleia, de não obrigar os seguidores gentios de Paulo a serem circuncidados. No entanto, o que aconteceu logo depois indica que ele e Tiago estavam longe de terem se reconciliado: quase imediatamente depois de Paulo ter deixado Jerusalém, Tiago começou a enviar seus próprios missionários às congregações dele na Galácia, Corinto, Filipos e na maioria dos outros lugares onde ele havia construído um grupo de seguidores, para corrigir seus ensinamentos não ortodoxos sobre Jesus.

Paulo ficou indignado com essas delegações, que ele viu, corretamente, como uma ameaça à sua autoridade. Quase todas as epístolas de Paulo no

Novo Testamento foram escritas após o Conselho Apostólico e são dirigidas às congregações que haviam sido visitadas por esses representantes de Jerusalém (a primeira carta de Paulo, aos tessalônicos, foi escrita entre 48 e 50 d.C.; a última, endereçada aos romanos, foi escrita por volta de 56 d.C.). É por isso que esses textos dedicam tanto espaço a defender o status de Paulo como um apóstolo, divulgando sua conexão direta com Jesus e protestando contra os dirigentes em Jerusalém que, "disfarçando-se em apóstolos de Cristo", são na verdade, na visão de Paulo, servos de Satanás que enfeitiçaram os seus seguidores (2 Coríntios 11:13-15).

No entanto, as delegações de Tiago parecem ter tido algum impacto, pois Paulo reprova repetidamente suas congregações por abandoná-lo: "Estou espantado com a rapidez com que abandonaram aquele que vos chamou." (Gálatas 1:6) Ele implora a seus seguidores que não ouçam essas delegações – ou, aliás, qualquer outra pessoa –, mas apenas ele: "Se alguém prega um evangelho diferente do evangelho que vós recebestes [de mim], que ele seja amaldiçoado." (Gálatas 1:9) Mesmo que o evangelho venha "de um anjo no céu", escreve Paulo, suas congregações devem ignorá-lo (Gálatas 1:8). Em vez disso, devem obedecer a Paulo e apenas a Paulo: "Sede *meus* imitadores, como eu o sou de Cristo." (1 Coríntios 11:1)

Sentindo-se amargo e não mais preso à autoridade de Tiago e dos apóstolos em Jerusalém ("Seja o que eles forem, não faz diferença para mim"), Paulo passou os anos seguintes expondo livremente sua doutrina de Jesus como Cristo. Se Tiago e os apóstolos estavam totalmente cientes das atividades de Paulo durante esse período é discutível. Afinal, Paulo estava escrevendo suas cartas em grego, uma língua que nem Tiago nem os outros sabiam ler. Além disso, Barnabé, a única ligação de Tiago com Paulo, tinha-o abandonado logo após o Conselho Apostólico, por razões que não são claras (embora valha mencionar que Barnabé era um levita, e como tal provavelmente teria sido um observador rigoroso da lei judaica). Independentemente disso, por volta do ano 57 d.C., os rumores sobre os ensinamentos de Paulo não podiam mais ser ignorados. E assim, mais uma vez, ele é convocado a Jerusalém para se defender.

Dessa vez, Tiago confronta Paulo diretamente, dizendo-lhe que chegara a seu conhecimento que Paulo estava ensinando os crentes "a se apartarem de Moisés" e "a não circuncidar seus filhos nem observar os costumes [da lei]" (Atos 21:21). Paulo não responde à acusação, embora fosse isso exatamente o que vinha ensinando. Ele chegara mesmo a ir tão longe a ponto de dizer que aqueles que se deixavam circuncidar estavam "se separando de Cristo" (Gálatas 5:2-4).

Para esclarecer as questões de uma vez por todas, Tiago força Paulo a participar com outros quatro homens de um rigoroso ritual de purificação no Templo – o mesmo Templo que Paulo acredita ter sido substituído pelo sangue de Jesus –, pois assim "todos saberão que não são verdade os rumores sobre ti, e que tu observas e cumpres a lei" (Atos 21:24). Paulo obedece; ele parece não ter escolha. Mas, quando ele está completando o ritual, um grupo de judeus devotos o reconhece.

"Homens de Israel!", gritam eles. "Socorro! Este é o homem que tem ensinado a todos, em toda parte, contra o nosso povo, a nossa lei e este lugar." (Atos 21:27-28) Subitamente, uma multidão se arma em torno de Paulo. Eles o prendem e o arrastam para fora do Templo. No momento em que estão prestes a linchá-lo, um grupo de soldados romanos aparece de repente. Os soldados dispersam a multidão e prendem Paulo, não por causa da perturbação no Templo, mas porque o confundiram com outra pessoa.

"Tu não és o Egípcio, que alguns dias atrás liderou uma revolta de 4 mil sicários no deserto?", um tribuno militar pergunta a Paulo (Atos 21:38).

Parece que a chegada de Paulo a Jerusalém em 57 d.C. não poderia ter sido em um momento mais caótico. Os sicários tinham começado o seu reinado de terror um ano antes, matando o sumo sacerdote Jônatas. Eles estavam agora desenfreadamente assassinando membros da aristocracia sacerdotal, incendiando suas casas, sequestrando suas famílias, semeando medo nos corações dos judeus. O fervor messiânico em Jerusalém estava no auge. Um a um, os candidatos ao manto do messias haviam surgido para libertar os judeus do jugo da ocupação romana. Teudas, o milagreiro, já tivera a cabeça cortada por Roma por causa de suas aspirações messiânicas. Os filhos rebeldes de Judas, o Galileu, Jacó e Simão, haviam sido crucificados. O chefe dos bandidos Eleazar, filho de Dinaeus, que estava devastando a zona rural, abatendo samaritanos em nome do Deus de Israel, havia sido capturado e decapitado pelo prefeito romano Félix. E, por fim, o Egípcio aparecera no Monte das Oliveiras, prometendo fazer os muros de Jerusalém desmoronarem sob o seu comando.

Para Tiago e os apóstolos em Jerusalém, o tumulto só podia significar uma coisa: o fim estava próximo, Jesus estava prestes a retornar. O Reino de Deus que eles haviam acreditado que Jesus iria construir enquanto estava vivo seria agora, finalmente, estabelecido – razão a mais para assegurar que os que defendiam ensinamentos desviantes em nome de Jesus fossem trazidos de volta para o rebanho.

Sob essa luz, a prisão de Paulo em Jerusalém pode ter sido inesperada, mas considerando-se as expectativas apocalípticas em Jerusalém, ela não vinha em mau momento. Se Jesus estivesse prestes a voltar, não seria má ideia manter Paulo esperando em uma cela de prisão, onde, pelo menos, ele e seus pontos de vista perversos poderiam ser contidos até que Jesus pudesse julgá-los ele mesmo. Mas como os soldados que prenderam Paulo pensaram que ele fosse o Egípcio, enviaram-no rapidamente para ser julgado pelo governador romano, Félix, que nesse momento estava na cidade costeira de Cesareia, tratando de um conflito que irrompera entre os judeus e os habitantes sírios e gregos. Embora Félix finalmente inocentasse Paulo dos crimes do Egípcio, ele, no entanto, jogou-o em uma prisão de Cesareia, onde Paulo definhou até Festo substituir Félix como governador e prontamente transferir Paulo para Roma, a seu pedido.

Festo permitiu que Paulo fosse para Roma porque ele alegou ser cidadão romano. Paulo nascera em Tarso, uma cidade cujos habitantes tinham recebido a cidadania romana de Marco Antônio, um século antes. Como cidadão, Paulo tinha o direito de exigir um julgamento romano, e Festo, que serviria como governador por um período extremamente breve e tumultuado em Jerusalém, parecia feliz em conceder-lhe isso, mesmo que por nenhuma outra razão senão a de simplesmente se livrar dele.

Pode ter havido uma razão mais urgente para Paulo querer ir a Roma. Após o espetáculo embaraçoso no Templo, em que ele foi forçado a renunciar a tudo o que estava pregando há anos, Paulo queria ir o mais longe possível de Jerusalém e da corda cada vez mais apertada colocada ao redor de seu pescoço por Tiago e os apóstolos. Além disso, Roma parecia o lugar perfeito para Paulo. Era a Cidade Imperial, a sede do Império Romano. Certamente os judeus helenísticos que tinham escolhido fazer da casa de César a sua própria seriam receptivos aos ensinamentos pouco ortodoxos de Paulo sobre Jesus Cristo. Roma já tinha um pequeno mas crescente contingente de cristãos que viviam ao lado de uma população judaica bastante considerável. Uma década antes da chegada de Paulo, os conflitos entre as duas comunidades levaram o imperador Cláudio a expulsar os dois grupos da cidade. No momento em que Paulo chegou, por volta do início da década de 60 d.C., no entanto, ambas as populações eram de novo florescentes. A cidade parecia madura para a sua mensagem.

Embora Paulo estivesse oficialmente sob prisão domiciliar em Roma, parece que ele foi capaz de continuar sua pregação sem muita interferência das autoridades. No entanto, de qualquer modo, Paulo teve pouco sucesso em converter judeus de Roma para o seu lado. Os judeus da cidade não eram apenas pouco receptivos à sua interpretação única do messias – eles eram abertamente hostis a ela. Mesmo os gentios convertidos não pareciam excessivamente acolhedores em relação a Paulo. Isso pode ser porque Paulo não era o único "apóstolo" pregando sobre Jesus na cidade imperial. Pedro, o primeiro dos Doze, também estava em Roma.

Pedro tinha chegado a Roma poucos anos antes de Paulo, provavelmente sob o comando de Tiago, para ajudar a estabelecer uma comunidade permanente de crentes judeus de língua grega no coração do Império Romano, uma comunidade que estaria sob a influência da assembleia de Jerusalém e ensinada de acordo com a sua doutrina: em suma, uma comunidade antipaulina. É difícil saber o quão bem-sucedido Pedro tinha sido em sua tarefa antes de Paulo chegar. Mas, de acordo com o Livro de Atos, os Helenistas em Roma reagiram tão negativamente à pregação de Paulo que ele decidiu separar-se de uma vez por todas de seus companheiros judeus "que ouvem, mas nunca entendem ... que olham, mas nunca percebem". Paulo prometeu a partir daquele momento não pregar a ninguém mais senão aos gentios, "pois eles ouvirão" (Atos 28:26-29).

Não existe registro desses últimos anos da vida de Pedro e Paulo, os dois homens que se tornariam as figuras mais importantes da cristandade. Estranhamente, Lucas termina seu relato da vida de Paulo com a chegada dele a Roma, e não menciona que Pedro também estava na cidade. Mais estranho ainda, Lucas não se preocupou em registrar o aspecto mais significativo do tempo que os dois homens passaram juntos na Cidade Imperial: em 66 d.C., o mesmo ano em que entrou em erupção a revolta em Jerusalém, o imperador Nero, motivado por uma súbita onda de perseguição aos cristãos em Roma, prendeu Pedro e Paulo e executou ambos por defenderem o que ele supôs ser a mesma fé.

Ele estava errado.

15. O Justo

ELES CHAMAVAM A TIAGO, irmão de Jesus, de "Tiago, o Justo". Em Jerusalém, a cidade que ele transformara em sua casa após a morte do irmão, Tiago era reconhecido por todos por sua insuperável devoção e sua defesa incansável dos pobres. Ele próprio nada possuía, nem mesmo as roupas que usava – roupas simples, feitas de linho, não de lã. Ele não bebia vinho nem comia carne. Não tomava banho. Nenhuma navalha jamais tocou sua cabeça, nem ele se besuntava com óleos perfumados. Dizia-se que passava tanto tempo dobrado em adoração, suplicando o perdão de Deus para o povo, que seus joelhos ficaram duros como os de um camelo.

Para os seguidores de Jesus, Tiago era o elo vivo com o messias, o sangue do Senhor. Para todos os demais em Jerusalém, ele era simplesmente "o Justo". Mesmo as autoridades judaicas elogiavam Tiago por sua retidão e seu compromisso inabalável com a lei. Não foi Tiago quem execrou o herege Paulo por abandonar a Torá? Não foi ele a forçar o ex-fariseu a se arrepender de seus pontos de vista e purificar-se no Templo? As autoridades podem não ter aceito a mensagem de Tiago sobre Jesus mais do que aceitaram a de Paulo, mas respeitavam Tiago e o viam como um homem justo e honrado. De acordo com Hegésipo (110-180 d.C.), historiador dos primórdios do cristianismo, as autoridades judaicas pediram diversas vezes a Tiago para usar sua influência entre as pessoas para dissuadi-las de chamar Jesus de messias. "Nós vos exortamos a refrear as pessoas, porque elas se desviaram em relação a Jesus, como se ele fosse o Cristo", pediram. "Pois testemunhamos, assim como todos, que vós sois justo e que não respeitais pessoas. Persuadi, então, a multidão a não ser desencaminhada a respeito de Jesus."

Seus apelos foram ignorados, é claro. Pois embora Tiago fosse, como todos atestam, um devoto fervoroso da lei, ele também era um fiel seguidor de Jesus; nunca iria trair o legado do irmão mais velho, nem mesmo quando fosse martirizado por isso.

A história da morte de Tiago pode ser encontrada na obra *Antiguidades*, de Josefo. Era o ano de 62 d.C. Toda a Palestina estava afundando na anarquia. A fome e a seca tinham devastado o campo, deixando terras sem plantio e agricultores famélicos. O pânico reinava em Jerusalém, com os sicários assassinando e saqueando à vontade. O fervor revolucionário dos judeus estava crescendo fora de controle, e até mesmo a classe sacerdotal, em quem Roma confiava para manter a ordem, estava se digladiando: os sacerdotes ricos em Jerusalém tinham arquitetado um plano para tomar os dízimos destinados a sustentar a classe mais baixa, os padres de aldeia. Enquanto isso, uma sucessão de governadores romanos ineptos – do exaltado Cumano ao canalha Félix e ao desafortunado Festo – só tinha feito piorar as coisas.

Quando Festo morreu repentinamente, sem um sucessor imediato, Jerusalém caiu no caos. Reconhecendo a urgência da situação, o imperador Nero rapidamente despachou Albino em substituição a Festo, para restaurar a ordem na cidade. Mas levaria semanas para Albino chegar. O atraso deu ao sumo sacerdote recém-nomeado, um jovem imprudente e irascível chamado Ananus, o tempo e a oportunidade para tentar preencher ele mesmo o vácuo de poder em Jerusalém.

Ananus era filho do extremamente influente ex-sumo sacerdote, também chamado Ananus, cujos cinco filhos (e um genro, José Caifás) haviam se sucedido no posto. Foi, aliás, o Ananus mais velho – a quem Josefo chama de "o grande colecionador de dinheiro" – que instigou o esforço descarado para retirar do baixo sacerdócio os seus dízimos, sua única fonte de renda. Sem nenhum governador romano para controlar as suas ambições, o jovem Ananus começou uma campanha irresponsável para se livrar de inimigos conhecidos. Uma de suas primeiras ações, Josefo escreve, foi a de reunir o Sinédrio e trazer perante ele "Tiago, irmão de Jesus, o que eles chamam de messias", a quem acusou de blasfêmia e transgressão da lei antes de sentenciá-lo a ser apedrejado até a morte.

A reação à execução de Tiago foi imediata. Um grupo de judeus da cidade, a quem Josefo descreve como "os mais justos e ... estritos observadores da lei", ficou indignado com as ações de Ananus. Eles informaram Albino, que estava a caminho de Jerusalém, vindo de Alexandria, o que havia acontecido em sua ausência. Em resposta, Albino escreveu uma carta furiosa para Ananus, ameaçando empreender uma vingança assassina contra ele no momento em que chegasse. Mas quando Albino entrou em Jerusalém, Ananus já havia sido removido do posto de sumo sacerdote e substituído por um homem chamado Jesus, filho de Damneus, que seria deposto um ano depois, pouco antes do início da revolta judaica.

A passagem sobre a morte de Tiago, em Josefo, é famosa por ser a mais antiga referência não bíblica a Jesus. Como observado anteriormente, o uso de Josefo da denominação "Tiago, irmão de Jesus, o que eles chamam de messias" prova que no ano 94 d.C., quando a obra foi escrita, Jesus de Nazaré já era reconhecido como o fundador de um movimento importante e duradouro. No entanto, um olhar mais atento à passagem revela que o verdadeiro foco de Josefo não é Jesus, a quem ele descarta como "o que eles chamam de messias", mas Tiago, cuja morte injusta nas mãos do sumo sacerdote constitui o núcleo da história. Que Josefo mencione Jesus é, sem dúvida, significativo. Mas o fato de um historiador judeu escrevendo para um público romano contar em detalhes as circunstâncias da morte de Tiago e a reação extremamente negativa à sua execução – não dos cristãos em Jerusalém, mas dos mais devotos e obedientes judeus da cidade – é uma indicação clara do quão proeminente era a figura de Tiago na Palestina do século I. Na verdade, Tiago era mais do que apenas o irmão de Jesus. Ele era, como a evidência histórica atesta, o líder indiscutível do movimento que Jesus tinha deixado.

Hegésipo, que pertencia à segunda geração dos seguidores de Jesus, confirma, em sua história de cinco volumes sobre a Igreja primitiva, o papel de Tiago como chefe da comunidade cristã. O historiador escreve que "o controle da Igreja passou, juntamente com os apóstolos, ao irmão do Senhor, Tiago, a quem todos, desde o tempo do Senhor, até o nosso próprio, chamam de 'o Justo', pois havia muitos Tiagos". Na não canônica epístola de Pedro, o apóstolo-chefe e líder dos Doze refere-se a Tiago como "Senhor e Bispo da Santa Igreja". Clemente de Roma (30-97 d.C.), que iria suceder Pedro na cidade imperial, endereça uma carta a Tiago como "o Bispo dos Bispos, que governa Jerusalém, a Santa Assembleia dos Hebreus e todas as Assembleias em toda parte". No evangelho de Tomé, geralmente datado entre o final do século I e início do século II d.C., o próprio Jesus nomeia Tiago seu sucessor: "Os discípulos disseram a Jesus: 'Sabemos que tu vais nos deixar. Quem será nosso líder?' Jesus disse-lhes: 'Onde vós estiverdes, vós ireis a Tiago, o Justo, por quem o céu e a terra vieram a existir.'"

O pai da Igreja primitiva Clemente de Alexandria (150-215 d.C.) afirma que Jesus transmitiu um conhecimento secreto a "Tiago, o Justo, a João e a Pedro", que por sua vez "o transmitiram aos outros apóstolos". Mas Clemente nota que, entre os três, foi Tiago que se tornou "o primeiro, como o registro nos diz, a ser eleito para o trono episcopal da Igreja de Jerusalém". Em sua obra *Sobre homens ilustres*, são Jerônimo (c.347-420 d.C.), que traduziu a Bíblia para o latim (Vulgata), escreve que, depois que Jesus subiu ao céu, Tiago foi "imediatamente nomeado bispo de Jerusalém pelos apóstolos". Na verdade, Jerônimo argumenta que a santidade e a reputação de Tiago entre as pessoas eram tão grandes que "se acreditava ter a destruição de Jerusalém ocorrido por conta de sua morte". Jerônimo está referenciando uma tradição de Josefo, que também é comentada por Orígenes, teólogo cristão do século III (c.185-254 d.C.), e registrada na *História eclesiástica* de Eusébio de Cesareia (c.260-c.339 d.C.). Josefo afirma que "essas coisas [a revolta judaica e a destruição de Jerusalém] aconteceram com os judeus em represália pelo que fizeram a Tiago, o Justo, que era irmão de Jesus, conhecido como Cristo, pois embora ele fosse o mais justo dos homens, os judeus o mataram". Comentando essa passagem não mais existente de Josefo, Eusébio escreve: "Tiago deve ter sido uma pessoa tão notável, tão universalmente estimada pela retidão, que mesmo o mais inteligente dos judeus sentia que, por isso, seu martírio foi imediatamente seguido pelo cerco de Jerusalém." (*História eclesiástica* 2.23)

Mesmo o Novo Testamento confirma o papel de Tiago como chefe da comunidade cristã: é Tiago quem geralmente é mencionado primeiro quando se listam os "pilares" da Igreja: Tiago, Pedro e João; Tiago que, pessoalmente, envia seus emissários para as diferentes comunidades espalhadas na Diáspora (Gálatas 2:1-14); é Tiago a quem Pedro relata suas atividades antes de sair de Jerusalém (Atos 12:17); e é Tiago quem lidera os "anciãos" quando Paulo chega para fazer súplicas (Atos 21:18). Tiago é a autoridade que preside o Conselho Apostólico, quem fala por último durante suas deliberações e aquele cujo julgamento é definitivo (Atos 15:13). De fato, após o Conselho Apostólico, os apóstolos desaparecem do resto do Livro de Atos. Mas Tiago não. Pelo contrário, é a disputa decisiva entre Tiago e Paulo, em que o primeiro envergonha publicamente o segundo por seus ensinamentos desviantes, exigindo que ele faça a purificação no Templo, que leva ao clímax do livro: a prisão de Paulo e sua extradição para Roma.

Três séculos de documentação cristã primitiva e judaica, para não mencionar o consenso quase unânime dos estudiosos contemporâneos, reconhecem Tiago, irmão de Jesus, como chefe da primeira comunidade cristã, acima de Pedro e do resto dos Doze; acima de João, "o discípulo a quem Jesus amava" (João 20:2); e muito acima de Paulo, com quem Tiago entrou repetidamente em confronto. Por que, então, Tiago foi quase totalmente retirado do Novo Testamento e seu papel na Igreja primitiva ofuscado por Pedro e Paulo na imaginação da maioria dos cristãos modernos?

Em parte, isso tem a ver com a própria identidade de Tiago como o irmão de Jesus. Dinastia era a norma para os judeus daquele tempo. As famílias herodiana e hasmoniana, ou macabeia, os sumos sacerdotes e as aristocracias sacerdotais, os fariseus, mesmo as quadrilhas de bandidos, todos praticavam sucessão hereditária. O parentesco era talvez ainda mais crucial para um movimento messiânico, como o de Jesus, que baseou sua legitimidade na descendência de Davi. Afinal, se Jesus era um descendente do rei Davi, também o era Tiago. Por que então ele não deveria liderar a comunidade de Davi após a morte do messias? E Tiago não foi o único membro da família de Jesus a receber autoridade na Igreja primitiva. Simeão, filho de Cléofas, primo de Jesus, sucedeu Tiago como chefe da assembleia de Jerusalém, enquanto os outros membros de sua família, incluindo dois netos de outro irmão de Jesus, Judas, mantiveram um papel de liderança ativa durante todo o primeiro e segundo séculos do cristianismo.

Por volta dos séculos III e IV, no entanto, à medida que o cristianismo gradualmente se transformou de um movimento judaico heterogêneo, com uma variedade de seitas e cismas, em uma religião imperial institucionalizada e rigidamente ortodoxa de Roma, a identidade de Tiago como irmão de Jesus tornou-se um obstáculo para os que defendiam a virgindade perpétua de Maria, sua mãe. Algumas soluções excessivamente inteligentes foram desenvolvidas para conciliar os fatos imutáveis da família de Jesus com o dogma inflexível da Igreja. Havia, por exemplo, o argumento gasto e a-histórico de que os irmãos e irmãs de Jesus eram filhos de um casamento anterior de José, ou de que "irmão" na verdade significa "primo". Mas o resultado final foi que o papel de Tiago no início do cristianismo foi gradualmente diminuído.

Ao mesmo tempo em que a influência de Tiago estava em declínio, a de Pedro estava em ascensão. O cristianismo imperial, como o próprio Império, exigia uma estrutura de poder facilmente determinável, preferivelmente com sede em Roma, não em Jerusalém, e ligada diretamente a Jesus. O papel de Pedro como o primeiro bispo de Roma e seu status como o principal apóstolo fizeram dele a figura ideal sobre quem basear a autoridade da Igreja romana. Os bispos que sucederam Pedro em Roma (e que eventualmente se tornaram papas infalíveis) justificavam a cadeia de autoridade em que se apoiavam para manter o poder em uma igreja em constante expansão citando uma passagem do evangelho de Mateus em que Jesus diz ao apóstolo: "Eu lhe digo que tu serás chamado Pedro, e sobre esta pedra edificarei a minha igreja." (Mateus 16:18) O problema com esse versículo muito discutido, que a maioria dos estudiosos rejeita como não histórico, é que ele é a única passagem em todo o Novo Testamento que designa Pedro como chefe da Igreja. Na verdade, é a única passagem em qualquer documento histórico antigo – bíblico ou não – que nomeia Pedro como o sucessor de Jesus e líder da comunidade que ele deixou. Em contraste, há pelo menos uma dezena de passagens citando Tiago como tal. Os registros históricos que existem sobre o papel de Pedro no cristianismo primitivo são exclusivamente sobre a sua liderança da Igreja em Roma, que, embora certamente fosse uma comunidade significativa, era apenas uma das muitas assembleias que estavam sob a autoridade abrangente daquela de Jerusalém: a "assembleia-mãe". Em outras palavras, Pedro pode ter sido bispo de Roma, mas Tiago foi o "Bispo dos Bispos".

Há, porém, uma razão mais convincente para a constante diminuição de Tiago no cristianismo primitivo, uma que tem menos a ver com sua identidade como irmão de Jesus ou sua relação com Pedro, e mais com suas crenças e sua oposição a Paulo. Alguma medida do que Tiago representava na primitiva comunidade cristã já foi revelado através de suas ações no Livro de Atos e nas suas divergências teológicas com Paulo. Mas uma compreensão ainda mais profunda dos seus pontos de vista pode ser encontrada em sua própria epístola, muitas vezes esquecida e muito difamada, escrita entre 80 e 90 d.C.

Obviamente, Tiago não escreveu ele próprio a epístola – ele era, como seu irmão Jesus e a maioria dos apóstolos, um camponês analfabeto, sem educação formal. O texto foi provavelmente escrito por alguém de seu círculo íntimo. De novo, isso é verdade para quase todos os livros do Novo Testamento, incluindo os evangelhos de Marcos, Mateus e João, bem como para um bom número das cartas de Paulo (Colossenses, Efésios, 2 Tessalônicos, 1 e 2 Timóteo e Tito). Como já foi dito, intitular um livro com o nome de alguém significativo era uma maneira comum de homenagear essa pessoa e refletir seus pontos de vista. Tiago pode não ter escrito a sua própria carta, mas, sem dúvida, ela representa o que ele acreditava (a epístola é pensada para ser uma versão editada e ampliada de um sermão que Tiago fez em Jerusalém, pouco antes de sua morte em 62 d.C.). O consenso da maioria esmagadora dos estudiosos é que as tradições contidas na epístola podem, com confiança, ser atribuídas a Tiago, o Justo. Isso faria do texto sem dúvida um dos livros mais importantes do Novo Testamento, porque uma maneira possível de descobrir em que Jesus acreditava é determinar no que seu irmão acreditava.

A primeira coisa a notar sobre a epístola de Tiago é sua preocupação preponderante com a situação dos pobres. Isto, em si, não é surpreendente. Todas as tradições pintam Tiago como o defensor dos destituídos e despojados – foi como ele ganhou o apelido de "o Justo". A assembleia de Jerusalém foi fundada por Tiago sobre o princípio do serviço aos pobres. Há ainda evidências que sugerem que os primeiros seguidores de Jesus que se reuniram sob a liderança de Tiago referiam-se a si próprios, coletivamente, como "os pobres".

O que é mais surpreendente sobre a epístola é a sua amarga condenação dos ricos. "Eia agora, vós ricos, chorai e uivai pelas misérias que estão prestes a vir sobre vós. As vossas riquezas estão apodrecidas, e as vossas vestes estão roídas pela traça. O vosso ouro e prata estão corroídos, e o veneno dentro deles dará testemunho contra vós, e comerá a vossa carne como se fosse fogo." (Tiago 5:1-3) Para Tiago, não há caminho para a salvação dos ricos que "acumulam tesouros para os últimos dias" e que "vivem na terra em luxo e prazer" (Tiago 5:3, 5). Seu destino está escrito em pedra. "O homem rico passará como uma flor no campo. Pois tão logo o sol nasce com seu calor abrasador e faz murchar o campo, a flor morre e sua beleza perece. Assim será com o homem rico." (Tiago 1:11) Tiago até mesmo sugere que não se pode ser um verdadeiro seguidor de Jesus sem favorecer ativamente os pobres. "Vós, com vossos atos de favoritismo [para com os ricos], realmente acreditais em nosso glorioso Senhor Jesus Cristo?", ele pergunta. "Porque, se vós mostrais favoritismo, cometeis pecado e estais expostos como um transgressor da lei." (Tiago 2:1, 9)

O julgamento feroz de Tiago sobre os ricos pode explicar por que ele atraiu a ira do ganancioso sumo sacerdote Ananus, cujo pai tinha planejado empobrecer os sacerdotes das aldeias, roubando seus dízimos. Mas a verdade é que Tiago estava apenas ecoando as palavras do irmão nas Bem-aventuranças: "Ai de vós, os ricos, porque recebestes a vossa consolação. Ai de vós que estais alimentados, pois tereis fome. Ai de vós que estais rindo agora, pois logo ireis chorar." (Lucas 6:24-25) Na verdade, grande parte da epístola de Tiago reflete as palavras de Jesus – seja o tema os pobres ("Não escolheu Deus os pobres do mundo para serem ricos na fé e herdeiros do reino que ele prometeu aos que o amam?", Tiago 2:5; "Bem-aventurados os pobres, pois o Reino de Deus é de vós", Lucas 6:20), seja os juramentos ("Não jura nem pelo céu nem pela terra, ou por qualquer outro juramento; que teu sim seja sim e teu não seja não", Tiago 5:12; "Não jura, nem pelo céu, que é o trono de Deus, nem pela terra, que é o escabelo de Deus ... que o teu sim seja sim e o teu não seja não", Mateus 5:34, 37), seja a importância de colocar a própria fé em prática ("Sejam cumpridores da palavra e não apenas ouvintes que se enganam", Tiago 1:22; "Aquele que ouve estas minhas palavras e as põe em prática será como o homem prudente que edificou a sua casa sobre a rocha ... quem ouve estas minhas palavras e não as pratica é como um insensato que construiu a sua casa sobre a areia", Mateus 7:24, 26).

No entanto, o assunto sobre o qual Tiago e Jesus estão mais claramente de acordo é o papel e a aplicação da lei de Moisés. "Aquele que violar um dos menores desses mandamentos e ensinar os outros a fazê-lo será chamado o menor no reino dos céus", diz Jesus no evangelho de Mateus (Mateus 5:19). "Quem mantém toda a lei, mas pisa sobre um único ponto, é culpado de [violá-la] em tudo", ecoa Tiago em sua epístola (Tiago 2:10).

A principal preocupação da epístola de Tiago é como manter o equilíbrio adequado entre a devoção à Torá e a fé em Jesus como messias. Ao longo do texto, Tiago exorta repetidamente os seguidores de Jesus a permanecerem fiéis à lei. "Mas aquele que olha para a lei perfeita – a lei da liberdade – e persevera [em segui-la], sendo não apenas um ouvinte que se esquece, mas um praticante que atua [sobre ela], esse será bem-aventurado no que fizer." (Tiago 1:25) Ele compara os judeus que abandonam a lei após a conversão ao movimento de Jesus com aqueles que "olham-se no espelho ... e, ao afastarem-se, esquecem-se imediatamente de como são" (Tiago 1:23).

Não deveria haver dúvida quanto a quem Tiago está se referindo nesses versos. Na verdade, a epístola de Tiago foi muito provavelmente concebida como um corretivo para a pregação de Paulo, motivo pelo qual é dirigida às "Doze Tribos de Israel espalhadas na Diáspora". A hostilidade da epístola em relação à teologia paulina é inconfundível. Enquanto Paulo descarta a lei de Moisés como um "ministério da morte, esculpido com letras em uma tabuleta de pedra" (2 Coríntios 3:7), Tiago a celebra como "a lei da liberdade". Paulo afirma que "ninguém se justifica pelas obras da lei, mas apenas através da fé em Jesus Cristo" (Gálatas 2:16). Tiago enfaticamente rejeita a noção de Paulo de que a fé por si só gera salvação. "A crença pode salvá-lo?", ele retruca. "Até os demônios creem – e estremecem." (Tiago 2:14, 19) Paulo escreve em sua carta aos romanos que "o homem é justificado pela fé independentemente dos trabalhos da lei" (Romanos 3:28). Tiago chama isso de opinião de uma pessoa "sem sentido", contrapondo que "a fé sem obras é morta" (Tiago 2:26).

O que tanto Paulo como Tiago querem dizer com "obras" ou "trabalhos da lei" é a aplicação da lei judaica na vida cotidiana dos fiéis. Dito de forma simples, Paulo acredita que essas "obras" são irrelevantes para a salvação, enquanto Tiago as vê como um requerimento para a crença em Jesus como Cristo. Para demonstrar seu argumento, Tiago usa um exemplo significativo, que mostra que ele estava especificamente refutando Paulo em sua epístola. "Não foi o nosso pai Abraão justificado pelas obras, quando ofereceu seu filho Isaac sobre o altar?", diz ele, referindo-se à história do quase sacrifício de Isaac por Abraão a mando do Senhor (Gênesis 22:9-14). "Vós vedes como a fé estava de mãos dadas com as obras [de Abraão], como foi através de suas obras que a sua fé foi completada? Assim, o que as escrituras dizem foi cumprido: 'Abraão acreditou em Deus, e isso lhe foi imputado como justiça', e ele foi chamado amigo de Deus." (Tiago 2:23)

O que torna esse exemplo particular tão curioso é que é o mesmo que Paulo utiliza frequentemente em suas cartas ao defender o ponto de vista contrário. "O que podemos dizer a respeito de Abraão, nosso pai segundo a carne?", escreve Paulo. "Porque, se Abraão foi justificado pelas obras, ele tem de que se glorificar, mas não diante de Deus. Ao contrário, o que diz a Escritura? 'Abraão acreditou em Deus, e isso lhe foi imputado como justiça.'" (Romanos 4:1-3; ver também Gálatas 3:6-9)

Tiago pode não ter sido capaz de ler qualquer uma das cartas de Paulo, mas ele estava obviamente familiarizado com seus ensinamentos sobre Jesus. Os últimos anos de sua vida foram passados a despachar os próprios missionários às congregações de Paulo, a fim de corrigir o que via como erros daquele. O sermão que se transformou na epístola era apenas outra tentativa de Tiago de conter a influência de Paulo. A julgar pelas próprias epístolas de Paulo, os esforços de Tiago foram bem-sucedidos, já que muitos nas congregações de Paulo parecem ter virado as costas a ele em favor dos pregadores de Jerusalém.

A raiva e a amargura que Paulo sentia em relação a esses "falsos apóstolos [e] obreiros fraudulentos", esses "servos de Satanás" enviados para se infiltrar em suas congregações por um homem que ele com raiva descarta como um dos "supostamente reconhecidos líderes" da Igreja – um homem que ele afirma que em "nada contribuiu" para ele – escoam como veneno através das páginas de suas epístolas posteriores (2 Coríntios 11:13, Gálatas 2:6). No entanto, as tentativas de Paulo de convencer suas congregações a não abandoná-lo acabariam por revelarem-se inúteis. Nunca houve qualquer dúvida sobre onde se colocaria a lealdade da comunidade em uma disputa entre um ex-fariseu e a carne e o sangue do Cristo vivo. Não importa quão helenísticos os judeus da Diáspora possam ter se tornado, sua fidelidade aos líderes da assembleia-mãe não fraquejou. Tiago, Pedro, João, estes eram os pilares da Igreja. Eles eram os principais personagens de todas as histórias que as pessoas contavam sobre Jesus. Foram os homens que andaram e falaram com Jesus. Estavam entre os primeiros a vê-lo ressuscitar dos mortos, e seriam os primeiros a vê-lo retornar com as nuvens do céu. A autoridade que Tiago e os apóstolos mantinham sobre a comunidade durante suas vidas era inabalável. Nem mesmo Paulo poderia escapar dela, como ele descobriu em 57 d.C., quando foi forçado por Tiago a se arrepender publicamente de suas crenças, tomando parte naquele rigoroso ritual de purificação no Templo de Jerusalém.

Tal como acontece com a narrativa do Conselho Apostólico alguns anos antes, a descrição de Lucas desse encontro final entre Tiago e Paulo no Livro de Atos tenta deixar de lado qualquer sinal de conflito ou animosidade, apresentando Paulo como silenciosamente aquiescendo ao rito exigido dele no Templo. Mas nem mesmo Lucas consegue esconder a tensão que, é óbvio, existe nessa cena. No relato, antes de Tiago enviar Paulo ao Templo para provar à assembleia de Jerusalém que "observa e guarda a lei", ele primeiro faz uma distinção clara entre "as coisas que Deus fez entre os gentios no ministério [de Paulo]" e os "muitos milhares de crentes ... entre os judeus [que] são todos *zelosos da lei*" (Atos 21:20). Tiago então mostra a Paulo "quatro homens que fizeram um voto" e o instrui a "passar pelo ritual de purificação com eles e pagar pela raspagem de suas cabeças" (Atos 21:24).

O que Lucas está descrevendo nessa passagem é o chamado "voto nazireu" (Números 6:2). Os nazireus eram devotos estritos da lei de Moisés que se comprometiam a abster-se de vinho, se recusavam a raspar o cabelo ou a chegar perto de cadáveres por um determinado período de tempo, como um ato de devoção ou em troca da realização de um desejo – uma criança com saúde ou uma viagem segura, por exemplo (o próprio Tiago pode ter sido um nazireu, já que a descrição de quem fazia o voto combina perfeitamente com as descrições que temos dele nas crônicas antigas). Considerando as opiniões de Paulo sobre a lei de Moisés e o Templo de Jerusalém, sua participação forçada em tal ritual teria sido extremamente constrangedora para ele. Todo o propósito do ritual era demonstrar à assembleia de Jerusalém que ele não acreditava mais no que estava pregando há quase uma década. Não há outra maneira de ler a participação de Paulo no voto nazireu, exceto como uma renúncia solene de seu ministério e uma declaração pública da autoridade de Tiago sobre ele – mais uma razão para duvidar de Lucas representando Paulo como simplesmente indo para o ritual sem qualquer comentário ou reclamação.

De maneira curiosa, Lucas pode não ser a única narrativa desse momento crucial. Uma história assustadoramente semelhante é contada na compilação de escritos conhecidos de forma coletiva como *Pseudo-Clementinas*. Embora compiladas por volta de 300 d.C. (cerca de um século antes que o Novo Testamento fosse oficialmente canonizado), as *Pseudo-Clementinas* contêm em si dois conjuntos separados de tradições que podem ser datados de muito antes. O primeiro é conhecido como *Homilias*, e compreende duas epístolas: uma do apóstolo Pedro, outra do sucessor dele em Roma, Clemente. O segundo conjunto de tradições é chamado de *Reconhecimentos*, e por sua vez é baseado em um documento mais antigo intitulado *Ascensão de*

Tiago, que a maioria dos estudiosos data de meados do século II d.C., talvez duas ou três décadas depois que o evangelho de João foi escrito.

Reconhecimentos contém uma história incrível sobre a briga violenta que Tiago, irmão de Jesus, tem com alguém simplesmente chamado de "o inimigo". No texto, Tiago e o inimigo estão engajados em uma disputa aos gritos dentro do Templo quando, de repente, o inimigo ataca Tiago em um acesso de fúria e o joga escada abaixo. Tiago é gravemente ferido na queda, mas seus seguidores chegam rápido em seu socorro e o levam para um local seguro. De forma notável, o inimigo que atacou Tiago é posteriormente identificado como ninguém menos que Saulo de Tarso (*Reconhecimentos* 1:70-71).

Tal como acontece com a versão de Lucas, a história da briga entre Tiago e Paulo em *Reconhecimentos* tem suas falhas. O fato de que Paulo é mencionado como Saulo indica que o autor acredita que o acontecimento tenha ocorrido antes da conversão de Paulo (embora o texto nunca se refira, de fato, à conversão). No entanto, independentemente da historicidade da narrativa, a identidade de Paulo como "o inimigo" da Igreja é repetidamente afirmada, não só em *Reconhecimentos*, mas também nos outros textos das *Pseudo-Clementinas*. Na epístola de Pedro, por exemplo, o apóstolo-chefe e líder dos Doze reclama que "alguns dentre os gentios rejeitaram minha fiel pregação, ligando-se a certa pregação fora da lei e insignificante do homem que é meu inimigo" (Epístola de Pedro 2:3). Em outros lugares, Pedro categoricamente identifica esse "falso profeta" que ensina "a dissolução da lei" como Paulo, advertindo seus seguidores a "não acreditarem em nenhum pregador, a menos que ele traga de Jerusalém o testemunho de Tiago, irmão do Senhor, ou quem quer que venha depois dele" (*Reconhecimentos* 4:34-35).

O que o documento *Pseudo-Clementinas* indica, e o Novo Testamento confirma claramente, é que Tiago, Pedro, João e os demais apóstolos viam Paulo com cautela e desconfiança, se não escárnio, sendo por isso que eles tanto se esforçaram em contrariar seus ensinamentos, censurando-lhe as palavras, alertando os outros a não segui-lo, até mesmo enviando seus próprios missionários para as congregações dele. Não admira que Paulo estivesse tão interessado em fugir para Roma após o incidente no Templo em 57 d.C. Ele certamente não estava ansioso para ser julgado pelo imperador por seus supostos crimes, como Lucas parece sugerir. Paulo foi para Roma porque esperava poder escapar à autoridade de Tiago. Mas, como ele descobriu quando chegou a Roma e viu Pedro já estabelecido ali, não se podia escapar tão facilmente do alcance de Tiago e de Jerusalém.

Enquanto Paulo passava os últimos anos de sua vida em Roma, frustrado pela falta de entusiasmo que sua mensagem recebeu (talvez porque os judeus estivessem atendendo ao chamado de Pedro a "não acreditar em nenhum pregador, a menos que ele traga de Jerusalém o testemunho de Tiago, irmão do Senhor"), a assembleia de Jerusalém sob a liderança de Tiago prosperava. Os Hebreus em Jerusalém certamente não ficaram imunes à perseguição por parte das autoridades religiosas. Eram muitas vezes presos e, por vezes, mortos por sua pregação. Tiago, filho de Zebedeu, um dos Doze originais, foi até mesmo decapitado (Atos 12:3). Mas essas crises periódicas de perseguição eram raras e parecem não ter sido resultado de uma rejeição da lei por parte dos Hebreus, como foi o caso com os Helenistas, que foram expulsos da cidade. Obviamente, os Hebreus tinham descoberto uma maneira de acomodarem-se às autoridades sacerdotais judaicas, caso contrário não poderiam ter permanecido em Jerusalém. Eles foram certamente judeus cumpridores da lei que mantiveram os costumes e tradições de seus antepassados, mas que por acaso também acreditavam que o simples camponês judeu da Galileia chamado Jesus de Nazaré era o messias prometido.

Isso não quer dizer que Tiago e os apóstolos estavam desinteressados em alcançar os gentios, ou que acreditavam que estes não poderiam se juntar ao movimento. Como indicado por sua decisão no Conselho Apostólico, Tiago estava disposto a renunciar à prática da circuncisão e a outros "encargos da lei" para os gentios convertidos. Ele não queria forçar os gentios a se tornarem judeus antes de serem autorizados a se tornarem cristãos. Simplesmente insistia que eles não se divorciassem inteiramente do judaísmo, que mantivessem certa fidelidade às crenças e práticas do próprio homem que eles alegavam estar seguindo (Atos 15:12-21). Caso contrário, o movimento arriscava tornar-se uma nova religião totalmente, e isso é algo que nem Tiago nem seu irmão, Jesus, teriam imaginado.

A liderança firme de Tiago sobre a assembleia de Jerusalém chegou ao fim em 62 d.C., quando ele foi executado pelo sumo sacerdote Ananus – não porque fosse um seguidor de Jesus e, certamente, não porque tivesse transgredido a lei (senão "os mais justos e ... estritos observadores da lei" não teriam se levantado em armas contra sua injusta execução). Tiago provavelmente foi morto porque estava fazendo o que fazia de melhor: defendendo os pobres e oprimidos contra os ricos e poderosos. O esquema de Ananus para empobrecer o baixo sacerdócio, roubando o dízimo, não teria sido bem recebido por Tiago, o Justo. E, assim, Ananus aproveitou a breve ausência da autoridade romana em Jerusalém para se livrar de um homem que se tornara uma pedra em seu caminho.

Não se pode saber como Paulo se sentiu em Roma quando soube da morte de Tiago. Mas se ele presumiu que o falecimento do irmão de Jesus iria relaxar o aperto de Jerusalém sobre a comunidade, estava enganado. A liderança da assembleia de Jerusalém passou rapidamente para outro membro da família de Jesus, seu primo Simeão, filho de Cléofas, e a comunidade continuou inabalável até quatro anos após a morte de Tiago, quando os judeus de repente se levantaram em revolta contra Roma.

Alguns entre os Hebreus parecem ter fugido de Jerusalém para Pella quando a revolta começou. Mas não há nenhuma evidência para sugerir que a liderança do núcleo da assembleia-mãe tenha abandonado Jerusalém. Eles mantiveram sua presença na cidade da morte e ressurreição de Jesus, aguardando ansiosamente o seu retorno, até o momento em que o exército de Tito chegou e varreu a Cidade Santa e seus habitantes, cristãos e judeus, da face da Terra. Com a destruição de Jerusalém, a conexão entre as assembleias espalhadas por toda a Diáspora e a assembleia-mãe enraizada na cidade de Deus foi definitivamente cortada, assim como o foi a última ligação física entre a comunidade cristã e Jesus, o judeu. Jesus, o zelota.

Jesus de Nazaré.

Epílogo: Deus verdadeiro de Deus verdadeiro

Os ANCIÃOS DE BARBA GRISALHA e quase calvos que fixaram em pedra a fé e as práticas do cristianismo se reuniram pela primeira vez na cidade bizantina de Niceia, na margem oriental do lago de Izmit, na atual Turquia. Era o verão de 325 d.C. Os homens tinham sido reunidos pelo imperador Constantino e ordenados a chegar a um consenso sobre a doutrina da religião que ele tinha recentemente adotado como sua própria. Enfeitado com vestes de púrpura e ouro, um áureo louro descansando em sua cabeça, o primeiro imperador cristão de Roma chamou o conselho à ordem como se ele fosse o Senado romano, o que é compreensível, considerando-se que era romano cada um dos cerca de 2 mil bispos que se reuniram ali para definir permanentemente o cristianismo.

Os bispos não deveriam se dispersar até que tivessem resolvido as diferenças teológicas entre si, especialmente quando se tratava da natureza de Jesus e sua relação com Deus. Ao longo dos séculos, desde a crucificação de Jesus, houve muita discórdia e debate entre os líderes da Igreja sobre a humanidade ou divindade de Jesus. Ele era, como afirmavam aqueles como Atanásio de Alexandria, o Deus encarnado, ou era, como os seguidores de Ário pareciam sugerir, apenas um homem, um homem perfeito, talvez, mas ainda assim um homem?

Depois de meses de negociações acaloradas, o conselho entregou a Constantino o que ficou conhecido como o Credo de Niceia, descrevendo pela primeira vez as crenças ortodoxas, oficialmente sancionadas, da Igreja cristã. Jesus é o filho literal de Deus, o Credo declarou. Ele é Luz da Luz, Deus verdadeiro de Deus verdadeiro, gerado e não criado, da mesma substância do pai. Quanto àqueles que não concordavam com o Credo, que, como os seguidores de Ário, acreditavam que "houve um tempo quando [Jesus] não existia", eles foram imediatamente expulsos do Império e seus ensinamentos violentamente reprimidos.

Pode ser tentador ver o Credo de Niceia como uma tentativa abertamente politizada de abafar as vozes legítimas de dissidência na Igreja primitiva. Sem dúvida, é fato que aquela decisão resultou em mil anos ou mais de indizível derramamento de sangue em nome da ortodoxia cristã. Mas a verdade é que os membros do conselho estavam apenas codificando um credo que já era a opinião da maioria, não apenas dos bispos ali reunidos, mas de toda a comunidade cristã. Na verdade, a crença em Jesus como Deus tinha sido consagrada na Igreja séculos antes do Concílio de Niceia, graças à popularidade esmagadora das cartas de Paulo.

Depois que o Templo foi destruído, a Cidade Santa queimada até o chão e os remanescentes da assembleia de Jerusalém dispersos, Paulo passou por uma reabilitação impressionante na comunidade cristã. Com a possível exceção da Fonte Q (que é, afinal, um texto hipotético), os únicos escritos sobre Jesus que existiam em 70 d.C. eram as cartas de Paulo. Essas cartas já estavam em circulação desde os anos 50 d.C. Elas foram escritas para as comunidades da Diáspora que, após a destruição de Jerusalém, eram as únicas comunidades cristãs que sobraram no reino. Sem a assembleia original para guiar os seguidores de Jesus, a ligação do movimento com o judaísmo foi cortada e Paulo tornou-se o principal veículo através do qual uma nova geração de cristãos foi apresentada a Jesus, o Cristo. Até mesmo os evangelhos foram profundamente influenciados por suas cartas. Pode-se traçar a sombra da teologia paulina em Marcos e Mateus. Mas é no evangelho de Lucas, escrito por um dos discípulos fiéis de Paulo, que se pode ver o domínio dos seus pontos de vista, enquanto o evangelho de João é pouco mais que a teologia paulina em forma de narrativa.

A concepção de Paulo sobre o cristianismo pode ter sido um anátema antes de 70 d.C., mas, depois, sua noção de uma religião inteiramente nova, livre da autoridade de um Templo que já não existia, aliviada de uma lei que não mais importava e divorciada de um judaísmo que havia se tornado pária, foi entusiasticamente abraçada por convertidos em todo o Império

Romano. Assim, em 398 d.C., quando, segundo a lenda, outro grupo de bispos se reuniu em um conselho na cidade de Hippo Regius, na Argélia moderna, para canonizar o que se tornaria conhecido como o Novo Testamento, eles optaram por incluir nas escrituras cristãs uma carta de Tiago, o irmão e sucessor de Jesus, duas cartas de Pedro, o chefe dos apóstolos e primeiro entre os Doze, três cartas de João, o discípulo amado e pilar da Igreja, e quatorze cartas de Paulo, o pária desviado que foi rejeitado e zombado pelos líderes em Jerusalém. De fato, mais da metade dos 27 livros que agora compõem o Novo Testamento são ou de Paulo ou sobre Paulo.

Isso não deveria surpreender. O cristianismo depois da destruição de Jerusalém era quase exclusivamente uma religião de gentios, que precisava de uma teologia gentia. E isso foi precisamente o que Paulo forneceu. A escolha entre a visão de Tiago, de uma religião judaica ancorada na lei de Moisés e derivada de um nacionalista judeu que lutou contra Roma, e a visão de Paulo, de uma religião romana, que se divorciou do provincianismo judeu e nada exigia para a salvação a não ser a crença em Cristo, não foi uma tarefa difícil para a segunda e terceira gerações de seguidores de Jesus.

Dois mil anos depois, o Cristo da criação de Paulo totalmente subjugou o Jesus da história. A memória do zelota revolucionário que atravessou a Galileia reunindo um exército de discípulos com o objetivo de estabelecer o Reino de Deus na terra, o pregador magnético que provocou a autoridade do sacerdócio do Templo em Jerusalém, o nacionalista judeu radical que desafiou a ocupação romana e perdeu, ficou quase completamente perdida para a história. Isso é uma pena. Porque a única coisa que qualquer estudo abrangente sobre o Jesus histórico deveria ter esperança de revelar é que Jesus de Nazaré, Jesus, o homem, é tão atraente, carismático e louvável como Jesus, o Cristo. Ele é, em suma, alguém em que vale a pena acreditar.

Notas

Introdução (p.16-24)

Sou muito grato ao épico trabalho de J.P. Meier, *A Marginal Jew: Rethinking the Historical Jesus*, vols.I-IV. Conheci o padre Meier enquanto estava estudando o Novo Testamento na Universidade de Santa Clara, e foi o seu olhar definitivo sobre o Jesus histórico, que na época só existia em seu primeiro volume, que plantou as sementes do presente livro em minha mente. O livro do padre Meier responde à pergunta de por que temos tão pouca informação histórica sobre um homem que tão completamente mudou o curso da história humana. Sua tese, de que sabemos muito pouco sobre Jesus porque, em sua vida, ele teria sido visto como pouco mais que um camponês judeu marginal do sertão da Galileia, constitui a base teórica para o livro que você está lendo.

Claro, eu argumento ainda que parte da razão pela qual sabemos tão pouco sobre o Jesus histórico é que a sua missão messiânica – histórica, como acabou por se revelar – não era incomum na Palestina do século I. Daí a minha citação de Celso – "Eu sou Deus, ou o servo de Deus, ou um espírito divino..." –, que pode ser encontrada no estudo clássico de R. Otto, *The Kingdom of God and the Son of Man*, p.13.

Uma breve palavra sobre o meu uso da expressão "Palestina do século I" ao longo deste livro. Embora Palestina fosse a designação romana não oficial para a terra que engloba o território moderno de Israel, Palestina, Jordânia, Síria e Líbano durante a vida de Jesus, não foi senão até os romanos sufocarem a revolta de bar Kochba em meados do século II que a região foi oficialmente nomeada Síria Palestina. No entanto, a expressão "Palestina do século I" tornou-se tão comum nas discussões acadêmicas sobre a era de Jesus que não vejo nenhuma razão para não usá-la neste livro.

Para saber mais sobre os contemporâneos messiânicos de Jesus chamados "falsos messias", veja as obras de Richard A. Horsley, especificamente "Popular messianic movements around the time of Jesus"; "Popular prophetic movements at the time of Jesus: their principal features and social origins"; e, com J.S. Hanson, *Bandits, Prophets, and Messiahs*, p.135-89. O leitor notará que eu me apoio muito no trabalho do professor Horsley. Isso porque ele é de longe o pensador mais importante sobre o tema do apocalipticismo no século I.

Embora a chamada "Teoria das Duas Fontes" seja quase universalmente aceita pelos estudiosos, há alguns teóricos bíblicos que a rejeitam como uma explicação viável para a criação dos quatro evangelhos canônicos como nós os conhecemos. Por exemplo, J. Magne, em *From Christianity to Gnosis and from Gnosis to Christianity*, considera essa teoria como excessivamente simplista e incapaz de tratar de forma adequada o que ele vê como as complexas variantes entre os evangelhos sinópticos.

Além da história do diabólico sacerdote judeu Ananus, há outra passagem de *Antiguidades*, de Josefo, que menciona Jesus de Nazaré. Trata-se do chamado *Testimonium Flavianum*, no livro 18, cap.3, em que Josefo parece repetir toda a fórmula do evangelho. Mas essa passagem foi tão corrompida por interpolações cristãs tardias que sua autenticidade é duvidosa na melhor das hipóteses, e as tentativas acadêmicas de filtrar na passagem alguma nesga de historicidade foram inúteis. Ainda assim, essa segunda passagem é significativa na medida em que menciona a crucificação de Jesus.

Entre os romanos, a crucificação surgiu como uma dissuasão contra a revolta de escravos, provavelmente já em 200 a.C. Na época de Jesus, era a principal forma de punição por "incitar rebelião" (ou seja, traição ou sedição), o exato crime do qual Jesus foi acusado. Veja H. Cancick et al. (orgs.), *Brill's New Pauly Encyclopedia of the Ancient World: Antiquity*, p.60 e 966. A punição se aplicava unicamente a quem não era cidadão romano. Cidadãos romanos podiam ser crucificados, no entanto, por um crime tão grave que, basicamente, caçava-lhes a cidadania.

Não há aparições da ressurreição no evangelho de Marcos, sendo consenso unânime dos estudiosos que a versão original do evangelho termina em Marcos 16:8. Para saber mais sobre isso, veja a nota ao Capítulo 3 adiante.

Em 313 d.C., o imperador Constantino assinou o Edito de Milão, que iniciou um período de tolerância aos cristãos no Império Romano; as propriedades que haviam sido confiscadas dos cristãos pelo Estado foram devolvidas, e os cristãos passaram a ser livres para praticar sua fé, sem medo de represálias por parte do Estado. Embora o Edito de Milão tenha criado espaço para o cristianismo se tornar a religião oficial do Império, Constantino nunca o instituiu como tal. Juliano, o Apóstata (morto em 363 d.C.), o último imperador não cristão, na verdade tentou empurrar o Império de volta para o paganismo, enfatizando aquele sistema sobre e contra o cristianismo e purgando o governo de líderes cristãos, embora nunca revogasse o Edito de Milão. Não seria senão no ano 380 d.C., durante o reinado do imperador Flávio Teodósio, que o cristianismo se tornaria a religião oficial do Império Romano.

O breve resumo da vida e do ministério de Jesus apresentado no final da Introdução deste livro representa a visão da grande maioria dos estudiosos sobre o que se pode dizer com confiança a respeito do Jesus histórico. Para saber mais, consulte C.H. Talbert (org.), *Reimarus: Fragments*, e J.K. Beilby e P. Rhodes Eddy (orgs.), *The Historical Jesus: Five Views*.

Parte I

Prólogo: Um tipo diferente de sacrifício (p.29-35)

A ajuda para a descrição do Templo de Jerusalém e os sacrifícios nele feitos vem de uma variedade de fontes, bem como das minhas idas frequentes ao local. Mas alguns livros foram particularmente úteis na reconstrução do antigo templo judaico, incluindo M. Jaffee, *Early Judaism*, especialmente p.172-88; J. Comay, *The Temple of Jerusalem*; e J. Day (org.), *Temple and Worship in Biblical Israel*.

Instruções para a construção do altar de quatro chifres do Templo foram dadas a Moisés enquanto ele e os israelitas vagavam pelo deserto à procura de um lar: "E tu deves fazer o altar de madeira de acácia. E deves apor chifres sobre seus quatro cantos porque ele deve ser chifrudo, e deves cobri-lo com bronze. E deves fazer potes para receber as cinzas [do altar], e pás, e bacias, e os garfos e os braseiros; todos os seus vasos tu moldarás em bronze. E deves fazer para ele uma grade, uma rede feita de bronze, e na rede tu deves apor quatro argolas de bronze para os seus quatro cantos. E deves colocá-la sob a borda do altar, para que a rede se estenda até o meio do altar. Tu farás também varais para o altar, varais de madeira de acácia, cobrindo-os de bronze. E os postes devem ser inseridos nos anéis, de modo a que os polos estejam nos dois lados do altar quando for transportado. Tu deves torná-lo oco, de tábuas, como foi mostrado a ti na montanha. Assim será feito." (Êxodo 27:18)

O que significa o Templo ser a única fonte da divina presença de Deus? Considere o seguinte: os samaritanos negavam a primazia do Templo de Jerusalém como o único lugar de adoração. Eles adoravam Deus no monte Gerizim. Embora essa fosse, essencialmente, a única diferença entre as duas populações, já era suficiente para que os samaritanos não fossem considerados judeus. Havia outros locais de sacrifício para os judeus (por exemplo, em Heliópolis), mas eram considerados substitutos, e não equivalentes.

Para saber mais sobre a Judeia como "Templo-Estado", veja H.D. Mantel, "The high priesthood and the Sanhedrin in the time of the second Temple", in M. Avi-Yonah e Z. Baras (orgs.), *The World History of the Jewish People: The Herodian Period*, p.264-81. A citação de Josefo sobre Jerusalém como uma teocracia é de *Contra Apion*, Livro 2, 17. Para saber mais sobre o Templo de Jerusalém como um banco, veja N.Q. Hamilton, "Temple cleansing and Temple bank". Uma análise muito detalhada das receitas do Templo pode ser encontrada em M. Broshi, "The role of the Temple in the Herodian economy".

A comunidade de Qumran rejeitou o Templo de Jerusalém, por ter ele caído nas mãos de sacerdotes corruptos. Ela se via então como um substituto temporário para o Templo, referindo-se à comunidade como o "templo do homem/homens", ou *"miqdash adam"*. Alguns estudiosos têm argumentado que é por isso que os qumranitas estavam tão interessados na pureza ritual, pois eles acreditavam que suas orações e purificações eram mais potentes do que os rituais e sacrifícios em Jerusalém, que haviam sido contaminados pelos sacerdotes do Templo. Para uma discussão detalhada da expressão "templo do homem/homens" em Qumran, veja G. Brooke, *Exegesis at Qumran: 4QFlorilegium in its Jewish Context*, p.184-93, e D. Dimant, "4QFlorilegium and the idea of the community as Temple", in A. Caquot (org.), *Hellenica et Judaica: Hommage à Valentin Nikiprowetzky*, p.165-89.

É Josefo quem notoriamente se refere a toda a nobreza sacerdotal como "amantes do luxo" em *A Guerra Judaica*, embora ele não estivesse sozinho em suas críticas. Há uma crítica semelhante nos *Manuscritos do mar Morto*, onde os sacerdotes são chamados de "buscadores de coisas suaves" e "buscadores de bajulação".

Há uma descrição maravilhosa do sumo sacerdote na famosa *Carta de Aristeu*, escrita por volta do século II a.C. – cuja tradução pode ser encontrada no segundo volume de J.H. Charlesworth (org.), *The Old Testament Pseudepigrapha*, p.7-34. Eis o trecho: "Nós ficamos muito surpresos quando vimos Eleazar envolvido em seu ministério, sua vestimenta e a majestade de sua aparência, que era revelada pelo manto que ele usava e as pedras preciosas sobre a sua pessoa. Havia sinos dourados pregados na roupa que iam até os pés, oferecendo um tipo peculiar de melodia, e em ambos os lados dos sinos havia romãs e flores variadas de um tom maravilhoso. Ele estava cingido por um cinto de beleza notável, tecido nas mais belas cores. No peito, usava o oráculo de Deus, como é chamado, no qual doze pedras, de diferentes tipos, estavam inseridas, presas com ouro, contendo os nomes dos líderes das tribos, de acordo com sua ordem original, cada uma cintilando de forma indescritível com a sua própria cor especial. Na cabeça ele usava uma tiara, como é chamada, e, sobre ela, no meio da testa, um turbante inimitável, com o diadema real cheio de glória, com o nome de Deus inscrito em letras sagradas em uma placa de ouro ... ele tinha sido julgado digno de usar esses emblemas em seu ministério. Sua aparência criava tal temor e confusão de espírito que provocava a sensação de ter-se entrado na presença de um homem que pertencia a um mundo diferente. Estou convencido de que qualquer um que participe do espetáculo que descrevi será tomado de espanto e admiração indescritíveis e será profundamente afetado em sua mente com a ideia da santidade, que está ligada a cada detalhe da solenidade."

1. Um buraco no canto (p.36-42)

Para um manual sobre a política de Roma ao lidar com populações dominadas e, especialmente, sua relação com o sumo sacerdote e a aristocracia sacerdotal de Jerusalém, veja M. Goodman, *The Ruling Class of Judea*, e também R.A. Horsley, "High priests and the politics of Roman Palestine". A obra *Rome and Jerusalem: The Clash of Ancient Civilizations*, de Goodman, fornece uma discussão indispensável da atitude extremamente tolerante de Roma em relação aos judeus e, ao mesmo tempo, oferece uma gama de pontos de vista dos romanos sobre as exceções na maneira romana de tratar a causa judaica. É do livro de Goodman (p.390-1) que as citações de Cícero, Tácito e Sêneca foram extraídas. Uma discussão mais aprofundada das atitudes romanas em relação às práticas judaicas pode ser encontrada em E.S. Gruen, "Roman perspectives on the Jews in the age of the Great Revolt", in A.M. Berlin e J.A. Overman (orgs.), *The First Jewish Revolt*, p.27-42. Para saber mais sobre as práticas religiosas e os cultos de Roma, veja M. Beard, J. North e S. Price, *Religions of Rome: A Sourcebook*.

O ato de "aniquilação total" (*herem*, em hebraico), em que Deus ordena o massacre de "tudo o que respira", é um tema recorrente na Bíblia, como explico em meu livro *How to Win a Cosmic War*, p.66-9. É uma "limpeza étnica como um meio de garantir a pureza do culto", para citar o grande estudioso bíblico John Collins, "The zeal of Phinehas: The Bible and the legitimation of violence", p.7.

Para detalhes sobre impostos e medidas tomadas por Roma contra o campesinato judaico, consulte L.L. Grabbe, *Judaism from Cyrus to Hadrian*, p.334-7, e também R. Horsley e J. Hanson, *Bandits, Prophets, Messiahs*, p.48-87. Grabbe nota que alguns estudiosos têm dúvidas sobre se a população judaica era forçada a pagar tributo a Roma, embora ninguém questione que os judeus foram forçados a financiar a guerra civil romana entre Pompeu e Júlio César. Sobre o tema da urbanização em massa e transferência de populações das zonas rurais para os centros urbanos, veja J. Reed, "Instability in Jesus' Galilee: A demographic perspective".

2. Rei dos judeus (p.43-50)

O termo "messias" na Bíblia Hebraica é usado em referência ao rei Saul (1 Samuel 12:5), ao rei Davi (2 Samuel 23:1), ao rei Salomão (1 Reis 1:39) e ao sacerdote Aarão e seus filhos (Êxodo 29:1-9), assim como aos profetas Isaías (Isaías 61:1) e Eliseu (1 Reis 19:15-16). A exceção a esta lista pode ser encontrada em Isaías 45:1, onde o rei persa Ciro, apesar de não conhecer o Deus dos judeus (45:4), é chamado de messias. Ao todo, são 39 ocorrências da palavra "messias" na Bíblia Hebraica referindo-se especificamente à unção de alguém ou de alguma coisa, como o escudo de Saul (2 Samuel 1:21) ou o Tabernáculo (Números 7:1). No entanto, nenhuma dessas ocorrências refere-se ao messias como um futuro personagem salvacionista, que seria designado por Deus para reconstruir o reino de Davi e restaurar Israel a uma posição de glória e poder. Essa visão do messias, que parece ter sido bastante bem-estabelecida na época de Jesus, foi na verdade moldada durante o tumultuado período do exílio babilônio, no século VI a.C.

Embora pouco se duvide que as quadrilhas de bandidos da Galileia representassem um movimento apocalíptico, escatológico e milenar, Richard Horsley e John Hanson as veem como três categorias distintas e, como resultado, recusam-se a rotular os bandidos como um movimento "messiânico". Em outras palavras, os autores defendem que "messiânico" e "escatológico" não devem ser vistos como equivalentes. No entanto, como eu discuto nesta seção, não há nenhuma razão para acreditar que tal distinção existia na mente do camponês judeu que, longe de ter uma compreensão sofisticada do messianismo, teria provavelmente aglomerado todas essas "categorias distintas" em uma vaga expectativa do "Fim dos Tempos". Em qualquer caso, Horsley e Hanson admitem que "muitas das condições essenciais para o banditismo e os movimentos messiânicos são as mesmas. Na verdade, poderia não ter havido nenhuma diferença entre eles se não tivesse havido entre os judeus uma tradição de realeza popular e protótipos históricos de um 'ungido' popular", em *Bandits, Prophets, and Messiahs*, p.88-93.

Para César como Filho de Deus, veja A.Y. Collins, "Mark and his readers: The Son of God among Greeks and Romans". Dois rabinos zelosos – Judas, filho de Seforeus, e Matias, filho de Margalus – lideraram uma revolta que atacou o Templo e tentou destruir a águia que Herodes colocara no topo de suas portas. Eles e seus alunos foram capturados e torturados até a morte pelos homens de Herodes.

As complexidades do sectarismo judaico no judaísmo do século I são bem abordadas por Jeff S. Anderson em sua convincente análise *The Internal Diversification of Second Temple Judaism*.

Josefo diz que Simão da Pereia se chamou de "rei", a partir do que Horsley e Hanson inferem que ele fazia parte dos "movimentos messiânicos populares" que surgiram depois da morte de Herodes. Veja *Bandits, Prophets, and Messiahs*, p.93. Novamente, para mim, parece não haver nenhuma razão para supor distinção de qualquer natureza nas mentes dos camponeses judeus entre "messias" e "rei", na medida em que ambos os títulos não se apoiavam nas escrituras, que a grande maioria dos judeus não podia nem acessar nem ler, mas sim nas tradições e histórias de movimentos messiânicos da história judaica popular, bem como oráculos, imagens populares, fábulas e tradições orais. Claro, alguns estudiosos chegam a recusar-se a considerar que "rei" significa messias. Em outras palavras, eles fazem uma distinção entre os termos, como Craig Evans coloca, "pretendentes políticos à realeza e pretendentes messiânicos à realeza". Nesse território está M. De Jong, *Christology in Context: The Earliest Christian Response to Jesus*. Mas Evans está certo ao afirmar que, quando se trata de qualquer aspirante real na Palestina do século I, "a presunção deve ser de que qualquer reivindicação judaica ao trono de Israel é, com toda a probabilidade, de um reclamante messiânico em algum sentido". Eu concordo inteiramente. Veja C. Evans, *Jesus and His Contemporaries*, p.55.

3. Vós sabeis de onde venho (p.51-8)

Sobre a população da antiga Nazaré, consulte a relevante menção em *The Anchor Bible Dictionary*, organizado por D.N. Freedman et al. Veja também E. Meyers e J. Strange, *Archaeology, the Rabbis, and Early Christianity*, e J.D. Crossan, *The Historical Jesus: The Life of a Mediterranean Jewish Peasant*, p.18. Os estudiosos divergem sobre quantas pessoas viviam em Nazaré no tempo de Jesus, com alguns afirmando terem sido menos de duas centenas e outros dizendo até dois milhares. Meu instinto é o de ficar no meio da escala, daí a estimativa de uma população composta por cerca de cem famílias. Para saber mais sobre a vida provincial na Galileia de Jesus, veja S. Korb, *Life in Year One: What the World was like in First-Century Palestine*.

Apesar das histórias nos evangelhos sobre Jesus pregar na sinagoga de sua cidade natal, nenhuma evidência arqueológica foi descoberta para indicar a presença de uma sinagoga na antiga Nazaré, embora nada impeça que ela tenha sido uma pequena estrutura que serviu como tal (lembre-se que "a sinagoga" no tempo de Jesus poderia significar algo tão simples como um cômodo com um rolo da Torá). Também deve ser lembrado que no momento em que os evangelhos foram escritos, o Templo de Jerusalém havia sido destruído e o único local de encontro para os judeus eram as sinagogas. Portanto, faz sentido que Jesus seja constantemente apresentado como ensinando na sinagoga em cada cidade que visitava.

Não foram encontradas inscrições em Nazaré para indicar que a população era efetivamente alfabetizada. Os estudiosos estimam que entre 95% e 97% dos camponeses judeus na época de Jesus não sabiam ler nem escrever. Sobre este ponto, veja J.D. Crossan, *The Historical Jesus*, p.24-6.

Sobre Nazaré como o lugar do nascimento de Jesus, veja J.P. Meier, *A Marginal Jew*, vol.1, p.277-8; E.P. Sanders, *The Historical Figure of Jesus*, e J.D. Crossan, *Jesus: A Revolutionary Biography*, p.18-23.

Para mais informações sobre visões do messianismo no tempo de Jesus, veja G. Scholem, *The Messianic Idea in Judaism*, p.1-36. Scholem apresenta duas tendências messiânicas distintas no judaísmo antigo: a da restauração e a utópica. O messianismo restaurador busca o retorno a uma condição ideal no passado glorificado, ou seja, considera a melhoria do presente como sendo diretamente ligada às glórias do passado. Mas, apesar de o polo restaurador encontrar sua esperança no passado, ele é ainda assim diretamente relacionado com o desejo de um futuro ainda melhor, que traria "um estado de coisas que ainda nunca existiu". Relacionado a esse polo restaurador existe o messianismo utópico. De caráter mais apocalíptico, ele busca a mudança catastrófica com a vinda do messias, ou seja, a aniquilação do mundo atual e o início de uma era messiânica. O messianismo restaurador pode ser visto nas tradições régias que buscam o ideal davídico – que procura estabelecer um reino no tempo presente –, enquanto o messianismo utópico está associado à figura sacerdotal encontrada nos *Manuscritos do mar Morto*, em Qumran. Naturalmente, nenhuma dessas tendências messiânicas existia independentemente da outra. Pelo contrário, ambos os polos existiam de alguma forma em quase todos os grupos messiânicos. Na verdade, foi a tensão entre essas duas tendências que criou o caráter variado do messias no judaísmo. Para saber mais sobre o messianismo judaico, veja estudos de R. Horsley, incluindo "Messianic figures and movements in first-century Palestine", in *The Messiah*, organizado por J.H. Charlesworth, p.295; "Popular messianic movements around the time of Jesus"; e "'Like one of the prophets of old': Two types of popular prophets at the time of Jesus". Todos os três estudos foram vitais para o meu exame de ideias messiânicas à época de Jesus. Eu também recomendo os relevantes verbetes em D.N. Freedman et al. (orgs.), *The Anchor Bible Dictionary*, e J. Werblowsky et al. (orgs.), *The Encyclopedia of the Jewish Religion*.

Parece que a comunidade de Qumran, de fato, aguardava dois messias diferentes. O Estatuto da Comunidade sugere isso em 9:12 quando fala da vinda de "o Profeta e o Messias de Aarão e Israel". Evidentemente se está fazendo uma diferenciação entre as figuras messiânicas real e sacerdotal. Essa noção é mais desenvolvida no Estatuto da Congregação. Nesse rolo, um banquete é descrito nos "últimos dias" em que o messias de Israel se senta em uma posição subordinada ao sacerdote da congregação. Embora o texto não use a palavra "messias" para se referir ao sacerdote, sua posição superior à mesa indica seu poder escatológico. Esses textos têm levado os estudiosos a deduzir que a comunidade de Qumran acreditava na vinda de um messias real e um messias sacerdotal, com o último sendo dominante sobre o anterior. Veja J.

Charlesworth, "From Jewish messianology to Christian christology: Some caveats and perspectives", in J. Neusner et al. (orgs.), *Judaisms and Their Messiahs at the Turn of the Christian Era*, p.225-64.

Deve-se notar que em nenhum lugar nas Escrituras Hebraicas o messias é explicitamente denominado o descendente físico de Davi, ou seja, "Filho de Davi". Mas o imaginário associado ao messias e o fato de que sua tarefa principal seria restabelecer permanentemente o reino de Davi ligavam as aspirações messiânicas à linhagem de Davi. Isto é, em grande parte, devido ao chamado "pacto davídico", baseado na profecia do profeta Natã: "Sua [de Davi] casa e seu reino serão garantidos para sempre diante de mim; o seu trono será estabelecido para sempre." (2 Samuel 7:16)

A linhagem de Jesus a partir do rei Davi é afirmada repetidas vezes, não apenas ao longo dos evangelhos, mas também nas cartas de Paulo, em que Jesus é repetidamente descrito como "da semente de Davi" (Romanos 1:3-4; 2 Timóteo 2:8). Se é verdade, é impossível dizer. Muitas pessoas afirmavam descender do maior rei israelita (que viveu mil anos antes de Jesus de Nazaré) e, francamente, nenhum deles poderia provar tal linhagem ou refutá-la. Mas, obviamente, a ligação entre Jesus e Davi era vital para a comunidade cristã primitiva, pois ajudava a provar que aquele humilde camponês era de fato o messias.

É amplamente aceito que o texto original de Marcos termina em 16:8 e que Marcos 16:9-20 foi uma adição posterior. Para Norman Perrin: "É a opinião quase unânime dos estudiosos modernos que o que aparece na maioria das traduções do evangelho de Marcos 16:9-20 é um pastiche de material retirado de outros evangelhos e adicionado ao texto original, à medida que era copiado e transmitido pelos escribas das antigas comunidades cristãs." Veja N. Perrin, *The Resurrection According to Matthew, Mark, and Luke*, p.16. No entanto, ainda existem alguns que questionam essa hipótese, argumentando que um livro não pode terminar com a palavra grega γαρ,* como acontece em Marcos 16:8. Esse ponto de vista foi desmontado por P.W. van der Horst, "Can a book end with γαρ? A note on Mark XVI.8". Horst observa numerosos textos da antiguidade que de fato acabam dessa maneira (por exemplo, Plotino 32º tratado). De qualquer maneira, quem lê Marcos no original grego pode dizer que uma mão diferente escreveu os oito versos finais.

Para profecias alegando que "quando o messias vier, ninguém saberá de onde ele vem", veja 1 Enoque 48:6 e 4 Esdras 13:51-52. Para uma análise completa dos chamados "textos de prova" messiânicos, veja J.J.M. Roberts, "The Old Testament's contribution to messianic expectations", in J.H. Charlesworth (org.), *The Messiah*, p.39-51. Segundo Roberts, esses textos são classificados em cinco categorias. Primeiro, há aquelas passagens que parecem ser profecias *ex eventu*, feitas quando o autor já sabia dos acontecimentos. Roberts cita o oráculo de Balaão em Números 24:17 ("uma estrela sairá de Jacó") como um caso em que uma profecia que parece encontrar sua

---

* A palavra grega γαρ – "gár" – é uma conjunção para expressar inferência, causa ou continuação. Pode ser traduzida por: assim sendo, embora, de fato, desde que, então, na realidade. (N.T.)

realização no período monárquico antigo (nesse caso, a celebração das vitórias de Davi como rei de Israel sobre Moabe e Edom, como é indicado nos versículos 17b e 18) foi forçada a funcionar como uma profecia sobre a realeza divina futura. Tal interpretação futurista, afirma Roberts, ignora a configuração original da profecia.

A segunda categoria lida com passagens proféticas que parecem se basear nas cerimônias de entronização dos reis ungidos. Por exemplo, o Salmo 2 ("Tu és meu filho ... / hoje eu me tornei teu pai") e Isaías 9:6 ("Porque um menino nasceu para nós ... e seu título será: Maravilhoso Conselheiro, Poderoso Herói, Pai Eterno, Príncipe da Paz") foram provavelmente compostos para ocasiões específicas a fim de atender a ambas as funções, religiosas e políticas. O uso político desses textos é evidente em suas reivindicações de poder autoritário do rei e de sua ligação direta com Deus. Eles também estabelecem uma ligação entre as responsabilidades do rei para com seu povo e os comandos de Deus. O rei que serve no lugar de Deus deve mostrar a justiça de Deus. Mesmo assim, declarações tais como as encontradas nesses versos sem dúvida criariam uma ferramenta poderosa para a propaganda real. A terceira categoria dos textos de prova messiânicos fala, de fato, de um governante futuro, e esses são talvez os versos mais frequentemente citados por aqueles que querem dar uma interpretação salvacionista ao messias das Escrituras Hebraicas (Miqueias 5:1-5, Zacarias 9:1-10). Esses textos falam da personificação do ideal de Davi, metaforicamente (não fisicamente) referido como um rei da linhagem de Davi, que irá restaurar a monarquia de Israel à sua antiga glória. Mas para Roberts as promessas de um futuro rei (por exemplo, a promessa de Miqueias de um rei surgindo da humildade de Belém) "implicam uma crítica séria sobre o presente ocupante do trono davídico como inferior ao adequado para herdeiro de Davi". Essa crítica é aparente ao longo dos textos proféticos (Isaías 1:21-26, 11:1-9, 32:1-8). Roberts usa a mesma abordagem no quarto grupo de textos de prova messiânicos vislumbrando um futuro rei. Estes, principalmente Jeremias e Ezequiel, Roberts situa no final do reino da Judeia, quando a restauração da dinastia davídica foi uma resposta às crescentes preocupações existenciais sobre o futuro de Israel como uma teocracia.

A última categoria trata dos textos pós-exílio. De acordo com Roberts, após o retorno do exílio, os judeus foram confrontados com um Templo destruído, o sacerdócio desonrado e nenhum rei davídico. Os textos proféticos de Zacarias e Ageu trataram desses problemas em oráculos que colocaram Zorobabel na posição de restaurar a monarquia de Israel e do Templo (Ageu 2:20-23; Zacarias 4:6-10). Roberts acredita que as profecias sobre a restauração da coroa e do Templo (por exemplo, Zacarias 6:9-15) referem-se apenas às ações de Zorobabel e são uma resposta otimista diante das circunstâncias terríveis que existiram no período pós-exílio. Ele também traça as posteriores expectativas sacerdotais do messias aos textos desse período, que incluem a restauração do sacerdócio sob Josué (Zacarias 3:1-10). Roberts está convencido por seu estudo sobre os textos de prova messiânicos que a ideia de um messias salvador não está explicitamente declarada nas Escrituras Hebraicas, mas é, sim, um desenvolvimento posterior da escatologia judaica que foi adotada pelos fariseus, talvez no século II ou I a.C., e mais tarde incorporada ao "judaísmo normativo".

4. A Quarta Filosofia (p.59-69)

Alguns estudiosos acreditam que *tekton* não significa "carpinteiro", mas qualquer artesão que trabalha na construção civil. Enquanto Marcos 6:3 é o único versículo que chama Jesus de *tekton*, Mateus 13:55 afirma que o pai de Jesus era um *tekton*. Considerando as restrições da época, o versículo provavelmente queria indicar que Jesus era um *tekton* também (embora essa passagem de Mateus na verdade não nomeie o pai de Jesus). Alguns estudiosos acreditam que os artesãos e diaristas no tempo de Jesus devem ser considerados como uma classe média baixa na hierarquia social da Galileia, mas essa visão tem sido refutada por Ramsay MacMullen em *Roman Social Relations: 50 B.C. to A.D. 384*.

Muitos estudos têm sido feitos sobre a língua de Jesus e da Palestina do século I em geral, mas nenhum é melhor do que os de Joseph Fitzmyer. Consulte "Did Jesus speak Greek?" e "The Languages of Palestine in the First Century A.D.", in S.E. Porter (org.), *The Language of the New Testament*, p.126-62. Outros bons estudos sobre a língua de Jesus incluem J. Barr, "Which language did Jesus speak? Some remarks of a semitist", e M.O. Wise, "Languages of Palestine", in J.B. Green e S. McKnight (orgs.), *Dictionary of Jesus and the Gospels*, p.434-44.

John Meier faz um comentário interessante sobre a passagem de Lucas na qual Jesus está na sinagoga lendo o rolo de Isaías: "Qualquer um que gostaria de defender a representação de Lucas da leitura de Isaías como historicamente confiável, mesmo em seus detalhes, teria que explicar (1) como Jesus conseguiu ler a partir de um rolo de Isaías uma passagem composta por Isaías 61:1a, b, d; 58:6d; 61:2a, com a omissão de 61:1c, 2d; (2) por que é que Jesus leu um texto de Isaías que é basicamente o da Septuaginta grega, mesmo quando às vezes o texto da Septuaginta diverge do texto massorético." Veja J. Meier, *Marginal Jew*, vol.1, p.303. Apesar disso, Meier acredita que Jesus não era analfabeto e que pode ter tido algum tipo de educação formal, e fornece um relato esclarecedor do debate, abordando ambos os lados (p.271-8).

Quanto aos irmãos de Jesus, alguns argumentos têm sido levantados por teólogos católicos (e alguns protestantes) sobre a palavra grega *adelphos* (irmão) possivelmente significar "primo" ou "irmão postiço", filho de padrasto ou madrasta. Embora isso possa ser verdade, em nenhum lugar de todo o Novo Testamento a palavra *adelphos* é usada com esse significado (e ela é usada cerca de 340 vezes). Marcos 6:17 usa *adelphos* para indicar "meio-irmão" quando se refere ao relacionamento de Filipe com Herodes Antipas, mas mesmo esse uso significa "irmão físico".

Uma nota lateral interessante sobre a família de Jesus é que todos eles foram nomeados a partir de grandes heróis e patriarcas da Bíblia. O nome de Jesus era Yeshu, abreviação de Yeshua ou Joshua, o grande guerreiro israelita cuja matança das tribos que habitavam Canaã limpou o terreno para os israelitas. Sua mãe era Miriam, em homenagem à irmã de Moisés. Seu pai, José, recebeu o nome do filho de Jacó, que se tornaria conhecido como Israel. Seus irmãos, Tiago, José, Simão e Judas, foram todos chamados por nomes de heróis bíblicos. Aparentemente, a nomeação das crianças em homenagem aos grandes patriarcas tornou-se habitual após a revolta dos macabeus e pode indicar um sentido de despertar da identidade nacional, que parece ter sido particularmente acentuado na Galileia.

O argumento em Mateus sobre o nascimento virginal de Jesus ter sido profetizado em Isaías não se mantém, uma vez que os estudiosos são quase unânimes em traduzir a passagem de Isaías 7:14 não como "eis que a virgem conceberá", mas "eis que uma jovem donzela (*alma*) irá conceber". Não há disputa aqui: *alma* é o hebraico para uma mulher jovem.

Para um argumento particularmente controverso sobre o nascimento ilegítimo de Jesus, veja J. Schaberg, *The Illegitimacy of Jesus*. Schaberg sugere que Maria foi provavelmente estuprada, embora não seja claro como ela chega a essa conclusão.

A história de Celso sobre o soldado Panthera é de seu tratado do século II *Discurso verdadeiro*, que não mais existe. Nosso único acesso a ele vem da resposta polêmica de Orígenes ao trabalho intitulado *Contra Celso*, escrito em meados do século III.

Deve-se notar que tanto Mateus quanto Lucas recontam a passagem do "filho de Maria" de Marcos 6:3, mas ambos corrigem a declaração de Marcos referindo-se incisivamente a Jesus como "o filho do carpinteiro" (Mateus 13:55) e "o filho de José" (Lucas 4:22). Existem variantes de Marcos que inserem "o filho do carpinteiro" nesse versículo, mas é geralmente aceito que essas são adições posteriores. O original de Marcos 6:3, sem dúvida, chama Jesus de "filho de Maria". É possível, embora pouco provável, que Jesus fosse chamado assim porque José havia morrido há tanto tempo que fora esquecido. Mas John Meier observa que só há um único caso em todas as Escrituras Hebraicas em que um homem é chamado de filho de sua mãe: trata-se dos filhos de Zeruia – Joabe, Abisai e Asael –, que eram soldados do exército do rei Davi (1 Samuel 26:6; 2 Samuel 2:13). Todos os três são repetidamente mencionados como "filhos de Zeruia". Veja J. Meier, *Marginal Jew*, vol.1, p.226.

Para saber mais sobre a questão de se Jesus era ou não casado, veja W.E. Phipps, *Was Jesus Married?* e *The Sexuality of Jesus*. Karen King, professora da Universidade Harvard, descobriu recentemente um pequeno pedaço de papiro, que ela data do século IV, contendo uma frase copta que se traduz em "Jesus disse a eles: 'Minha esposa...'". No momento da redação deste texto, o fragmento ainda não havia sido autenticado, mas mesmo que não seja uma falsificação, ele só nos diz o que aqueles no século IV acreditavam a respeito do estado civil de Jesus.

Há algumas grandes histórias sobre o menino Jesus nos evangelhos gnósticos, especialmente o evangelho de Tomé, em que um petulante Jesus ostenta seus poderes mágicos ao trazer à vida pássaros de barro ou atingindo com a morte crianças da vizinhança que não lhe demonstravam respeito. A melhor e mais completa coleção dos evangelhos gnósticos em inglês é *The Nag Hammadi Library*, organizada por M.W. Meyer.

Para saber mais sobre Séforis, consulte o relevante verbete de Z. Weiss em *The New Encyclopedia of Archaeological Excavations in the Holy Land*, organizada por E. Stern, p.1.324-8. Para Séforis como um importante centro comercial na Galileia, veja A.

Fradkin, "Long-distance trade in the Lower Galilee: New evidence from Sepphoris", in D.R. Edwards e C.T. McCollough (orgs.), *Archaeology and the Galilee*, p.107-16. Há algum debate sobre se os *miqva'ot* (banhos rituais) descobertos em Séforis eram realmente o local de banhos rituais; Hanan Eshel, da Universidade de Bar Ilan, está entre aqueles que não acreditam nisso. Consulte "A note on 'Miqvaot' at Sepphoris", também em *Archaeology and the Galilee*, p.131-3. Veja também E. Meyers, "Sepphoris: City of Peace", in A.M. Berlin e A.J. Overman (orgs.), *The First Jewish Revolt: Archaeology, History, and Ideology*, p.110-20. Eu realmente acho o argumento de Eshel bastante convincente, embora a maioria dos estudiosos e arqueólogos não concorde.

Não há como se ter certeza da data exata da declaração de Antipas e reconstrução de Séforis como sua sede real. Eric Meyer diz que Antipas mudou-se para Séforis quase imediatamente depois que os romanos arrasaram a cidade, em 4 a.C.; veja E.M. Meyers, E. Netzer e C.L. Meyers, "Ornament of all Galilee". No entanto, Shirley Jackson Case coloca a data muito mais tarde, em torno de 10 d.C., em seu estudo "Jesus and Sepphoris". Seja como for, o mais próximo que podemos colocar a entrada de Antipas em Séforis é em torno da virada do século I. Deve-se notar que Antipas rebatizou a cidade de Autocratoris, ou "Cidade Imperial", depois que fez dela a sede da sua tetrarquia.

Para saber mais sobre a vida de Jesus em Séforis, veja R.A. Batey, *Jesus and the Forgotten City: New Light on Sepphoris and the Urban World of Jesus*. Trabalhos arqueológicos por Eric Meyers lançaram algumas dúvidas sobre a noção generalizada de que a cidade foi arrasada por Varo, como afirma Josefo em sua obra *Guerra* 2:68. Consulte "Roman Sepphoris in the light of new archeological evidence and research", in L.I. Levine (org.), *The Galilee in Late Antiquity*, p.323.

Embora pareça que Judas fosse realmente da cidade de Gamala, no Golan, ele era conhecido por todos como "Judas, o Galileu". Há um grande debate sobre a relação entre Ezequias e Judas, o Galileu, e embora não possa ser definitivamente provado que este último fosse a mesma pessoa que Judas, o bandido, que era filho de Ezequias, essa certamente é a suposição que Josefo faz (duas vezes!), e não vejo razão para duvidar dele. Veja *Guerra* 2.56 e *Antiguidades* 17.271-2. Para mais informações sobre a conexão genealógica entre Judas e Ezequias, consulte o relevante verbete de G. Vermes em *Who's Who in the Age of Jesus*, p.165-7, e também J. Kennard, "Judas the Galilean and his clan". Para o ponto de vista oposto, veja R.A. Horsley, "Menahem in Jerusalem: A brief messianic episode among the Sicarii – Not 'Zealot Messianism'". Sobre a inovação de Judas, o Galileu, e seu efeito sobre os grupos revolucionários que se seguiriam, consulte M. Smith, "The Zealots and the Sicarii".

O conceito bíblico de zelo é mais bem definido como "raiva zelosa", e é derivado do caráter divino de Deus, que a Bíblia chama de "um fogo devorador, um Deus zeloso" (Deuteronômio 4:24). O modelo mais famoso de zelo bíblico é Fineias, neto de Aarão (irmão de Moisés), cujo exemplo de ação individual espontânea como expressão da raiva zelosa de Deus e como expiação pelos pecados da nação judaica tornou-se o modelo de retidão pessoal na Bíblia (Números 25). Veja meu livro *How to Win a Cosmic War*, p.70-2, e também a entrada relevante no *The Anchor Bible Dictionary*, p.1.043-54.

Mais uma vez, Richard Horsley rejeita a proposição de que Judas, o Galileu, tivesse aspirações messiânicas. Mas sua rejeição baseia-se em dois pressupostos: primeiro, que Judas, o Galileu, não é descendente de Ezequias, o chefe dos bandidos, o que já questionamos anteriormente; segundo, que Josefo não chama diretamente Judas de "rei" ou "messias", mas, ao invés, o chama de "sofista", um termo sem conotações messiânicas. Veja *Menahem in Jerusalem*, p.342-3. No entanto, Josefo claramente ridiculariza Judas pelo que ele chama de suas "aspirações reais". O que mais isso poderia significar senão que Judas tinha ambições messiânicas (isto é, à realeza)? Além do mais, Josefo usa o mesmo termo "sofista" para descrever tanto Matatias (*Antiguidades* 17.6), que foi abertamente ligado às aspirações messiânicas durante a revolta dos macabeus, quanto Menahem (*A Guerra Judaica* 2.433-48), cujas pretensões messiânicas não estão em disputa. Neste ponto eu concordo com Martin Hengel quando ele escreve que "uma dinastia de líderes derivou de Judas [da Galileia], entre os quais a pretensão messiânica tornou-se evidente pelo menos em um, Menahem, permitindo-nos supor que a 'Quarta Seita' tinha uma base messiânica já em sua fundação"; veja o seu *The Zealots*, p.299. No entanto, não concordo com Hengel que os membros da Quarta Filosofia possam ser rotulados, de forma adequada, como zelotas. Pelo contrário, afirmo que eles pregavam "zelotismo" como uma doutrina bíblica exigindo a remoção de elementos estranhos à Terra Santa, e é por isso que uso o termo zelota, com z minúsculo, para descrevê-los. Para saber mais sobre o uso que Josefo faz do termo "sofista", veja a nota 71 da tradução de Whiston de *A Guerra Judaica* [*The Jewish War*], livro 2, cap.1, seção 3.

5. Onde está sua frota para varrer os mares romanos? (p.70-80)

Existe muito pouca evidência histórica sobre a vida de Pôncio Pilatos antes de seu mandato como prefeito de Jerusalém, mas Ann Wroe escreveu um interessante trabalho intitulado *Pontius Pilate* que, embora não seja um livro acadêmico, é definitivamente uma leitura simpática. No que diz respeito à diferença entre um prefeito romano e um procurador, a resposta curta é que não havia nenhuma, pelo menos não em uma pequena e bastante insignificante província como a Judeia. Josefo chama Pilatos de procurador em sua obra *Antiguidades* 18.5.6, enquanto Filo se refere a ele como prefeito. Os termos eram provavelmente intercambiáveis à época. Eu escolhi usar simplesmente o termo "governador" para significar tanto prefeito como procurador.

Para mais informações sobre a introdução dos escudos no Templo de Jerusalém por Pilatos, recomendo G. Fuks, "Again on the episode of the gilded Roman shields at Jerusalem", e P.S. Davies, "The meaning of Philo's text about the gilded shields".

Muito tem sido escrito sobre as razões pelas quais os judeus se rebelaram contra Roma. Sem dúvida, houve uma combinação de queixas sociais, econômicas, políticas e religiosas que levou à Guerra Judaica, mas David Rhoads apresenta seis causas principais em seu livro *Israel in Revolution: 6-74 C.E.*: (1) os judeus estavam defendendo a Lei de Deus; (2) os judeus acreditavam que Deus iria levá-los à vitória; (3) os judeus queriam livrar a Terra Santa de estrangeiros e gentios; (4) os judeus estavam tentando defender a cidade de Deus, Jerusalém, da profanação; (5) os judeus queriam limpar o Templo; e (6) os judeus esperavam que isso inaugurasse o fim dos tempos e a vinda do messias. No entanto, alguns estudiosos (e eu me incluo nessa categoria) enfatizam as motivações escatológicas dos judeus sobre esses outros motivos. Veja, por exemplo A.J. Tomasino, "Oracles of insurrection: The prophetic catalyst of the Great Revolt". Outros advertem contra colocar muito peso no papel que o fervor apocalíptico teve em levar os judeus à revolta. Veja, por exemplo, T. Rajak, "Jewish millenarian expectations", in A.M. Berlin e J.A. Overman (orgs.), *The First Jewish Revolt*, p.164-88. Rajak escreve: "A expectativa de um Fim iminente ... não era a mentalidade normal do judaísmo do século I." No entanto, acho que as provas em contrário superam esse ponto de vista, pois o elo entre o messianismo e a revolta judaica não poderia ser mais claro no relato de Josefo.

Em relação à lista de candidatos messiânicos que surgiram no desenvolvimento da Guerra Judaica, P.W. Barnett sugere que o fato de Josefo não chamar essas figuras de *basileu*, ou "rei" (com a exceção de "o Egípcio"), prova que eles pensavam em si mesmos não como messias, mas sim como "profetas de signos". Mas Barnett observa que mesmo esses profetas "antecipavam algum grande ato de redenção escatológica" que, afinal, é o direito inerente do messias. Veja P.W. Barnett, "The Jewish sign prophets". James S. McLaren tenta (e, na minha opinião, falha) evitar confiar demais na ideia de que os judeus esperavam "ajuda divina" para derrotar os romanos ou de que eram alimentados por fervor messiânico, afirmando que os judeus "foram simplesmente otimistas sobre terem sucesso", da mesma forma que, por exemplo, os alemães foram otimistas ao pensar que iriam derrotar a Grã-Bretanha. No entanto, o que mais "otimismo" significava na Palestina do século I senão a confiança em Deus? Consulte "Going to war against Rome: The motivation of the Jewish rebels", in M. Popovic (org.), *The Jewish Revolt Against Rome: Interdisciplinary Perspectives*, p.129-53.

Deve-se notar que, enquanto "o Samaritano" se chamou de "messias", ele não quis dizer isso *exatamente* no sentido judaico da palavra. O equivalente samaritano de "messias" é *Taheb*. No entanto, o *Taheb* estava diretamente relacionado com o messias. Na verdade, as palavras eram sinônimas, como evidenciado pela mulher samaritana no evangelho de João que diz a Jesus: "Eu sei que o messias está chegando. Quando ele chegar, ele vai nos mostrar todas as coisas." (João 4:25)

Josefo é o primeiro a fazer uso da palavra latina "sicários" (Josefo, *A Guerra Judaica* 2.254-55), embora seja óbvio que ele toma o termo emprestado dos romanos. A palavra aparece em Atos 21:38, em referência ao "falso profeta" conhecido como "o Egípcio", com quem Paulo foi confundido. No Livro de Atos se afirma que o Egípcio tinha 4 mil seguidores, que é um número mais provável do que os 30 mil alegados por Josefo em *A Guerra Judaica* 2.247-70 (embora em *Antiguidades* 20.171 Josefo forneça um número muito menor).

Embora Josefo descreva os sicários como "um tipo diferente de bandido", ele usa as palavras "sicários" e "bandidos" alternadamente em *A Guerra Judaica*. Na verdade, às vezes ele usa o primeiro termo para descrever grupos de bandidos que não usam adagas como armas. É provável que a sua razão para diferenciar os sicários dos "outros bandidos" era manter todas as diversas quadrilhas diferenciadas, pelo bem da narrativa, embora se possa discutir que após a ascensão de Menahem, no primeiro ano da guerra, os sicários tornaram-se um grupo reconhecível em separado – o mesmo grupo que assumiu o controle de Masada. Veja S. Applebaum, "The Zealots: The case for revaluation". Em minha opinião, o melhor e mais atualizado estudo sobre os sicários é o de M.A. Brighton, *The Sicarii in Josephus's Judean War: Rhetorical Analysis and Historical Observations*.

Outros pontos de vista sobre os sicários incluem E. Schurer, *A History of the Jewish People in the Time of Jesus Christ*, para quem os sicários são um desdobramento fanático do partido zelota; M. Hengel, *The Zealots*, que não concorda com Schurer, argumentando que os sicários eram apenas um subgrupo ultraviolento de bandidos; S. Zeitlin, "Zealots and Sicarii", que acredita que sicários e zelotas eram dois grupos distintos "mutuamente hostis"; R.A. Horsley, "Josephus and the Bandits", para quem os sicários são apenas um fenômeno localizado, parte do movimento mais amplo de "banditismo social" que era abundante nos campos da Judeia; e M. Smith, "Zealots and Sicarii: Their Origins and Relation", cuja visão de que rótulos como sicários e zelotas não eram designações estáticas mas, ao contrário, indicavam um anseio generalizado e difundido pela doutrina bíblica de zelo é plenamente adotada neste livro.

Em *Antiguidades*, obra escrita algum tempo depois de *A Guerra Judaica*, Josefo sugere que foi o procônsul romano Félix quem estimulou os sicários a assassinar o sumo sacerdote Jônatas, para obter seus próprios fins políticos. Alguns estudiosos, principalmente M. Goodman, *The Ruling Class of Judea*, continuam a discutir este ponto, vendo os sicários como pouco mais que assassinos ou mercenários contratados. Isso é improvável. Em primeiro lugar porque a explicação dada em *Antiguidades* contradiz a obra anterior e provavelmente mais confiável de Josefo, *A Guerra Judaica*, que não faz qualquer menção à mão de Félix no assassinato de Jônatas. Na verdade, a descrição desse assassinato em *Antiguidades* não menciona em absoluto o papel dos sicários. Em vez disso, o texto refere-se a assassinos geralmente como "bandidos" (*lestai*). Em qualquer caso, a narrativa do assassinato de Jônatas em *A Guerra Judaica* é escrita deliberadamente para enfatizar as motivações ideológicas/religiosas dos sicários (daí a palavra de ordem "Nenhum senhor senão Deus!"), e como um prelúdio para os assassinatos muito mais significativos do sumo sacerdote Ananus ben Ananus (62 d.C.) e Jesus ben Gamaliel (63-64 d.C.), que acabaram por fazer eclodir a guerra contra Roma.

A citação de Tácito sobre Félix vem de G. Vermes, *Who's Who in the Age of Jesus*, p.89. A citação de Josefo sobre os homens esperando a morte a qualquer hora é de *A Guerra Judaica* 7.253.

Roma realmente atribuiu mais um procurador para suceder Gessio Floro: Marco Antônio Juliano. Mas isso foi durante os anos da revolta judaica, e ele parece nunca ter posto os pés em Jerusalém.

O discurso de Agripa é de *A Guerra Judaica* 2.355-78. Por mais comovente que o discurso possa ser, ele é obviamente uma criação do próprio Josefo.

6. Ano Um (p.81-93)

Para saber mais sobre a história de Masada e suas mudanças sob Herodes, veja S. Zeitlin, "Masada and the Sicarii".

Josefo parece evitar deliberadamente o uso da palavra "messias" para se referir a Menahem, mas ao descrever a postura deste como um popularmente reconhecido "rei ungido" ele está, sem dúvida, descrevendo fenômenos que, de acordo com Richard Horsley, "podem ser entendidos como exemplos concretos de 'messias' populares e seus movimentos". R.A. Horsley, "Menahem in Jerusalem", p.340.

Para alguns ótimos exemplos de moedas cunhadas pelos rebeldes judeus vitoriosos, consulte Y. Meshorer, *Treasury of Jewish Coins from the Persian Period to Bar Kokhba*.

O discurso do líder sicário foi feito por Eleazar ben Yair e pode ser encontrado em Josefo, *A Guerra Judaica* 7.335. A descrição de Tácito sobre a época em Roma ser "rica em desastres" vem de M. Goodman, *Rome and Jerusalem*, p.430.

O partido zelota foi liderado por um sacerdote revolucionário chamado Eleazar, filho de Simão. Alguns estudiosos afirmam que este era o mesmo Eleazar, o capitão do Templo, que assumiu o controle do Templo no início da revolta e interrompeu todos os sacrifícios em nome do imperador. Para esse ponto de vista, veja D. Rhoads, *Israel in Revolution*, e G. Vermes, *Who's Who in the Age of Jesus*, p.83. Vermes afirma que esse foi o mesmo Eleazar que atacou e matou Menahem. Isso é improvável. O capitão do Templo chamava-se Eleazar, filho de Ananus, e, como tanto Richard Horsley quanto Morton Smith mostraram, ele não tinha nenhuma conexão com Eleazar, filho de Simão, que assumiu a liderança do partido zelota em 68 d.C. Veja M. Smith, "Zealots and Sicarii", e R.A. Horsley, "The Zealots: Their origin, relationship and importance in the Jewish Revolt".

A maioria das informações que temos sobre João de Gischala vem de Josefo, com quem João tinha relações extremamente hostis. Assim, o retrato que se depreende dos escritos de Josefo é o de um tirano louco que colocou toda Jerusalém em perigo com sua sede de poder e sangue. Nenhum estudioso contemporâneo leva essa descrição a sério. Para um retrato melhor, veja U. Rappaport, "John of Gischala: From Galilee to Jerusalem". No que diz respeito ao zelo de João e seus ideais escatológicos, Rappaport está correto ao observar que, embora seja difícil saber a sua exata perspectiva político-religiosa, a aliança com o partido zelota sugere, no mínimo, que ele era simpático à ideologia zelota. Em qualquer caso, João finalmente conseguiu dominar os zelotas e assumir o controle do Templo interior – embora, tudo indica, tenha permitido a Eleazar, filho de Simão, permanecer no comando do partido zelota, pelo menos nominalmente, até o momento em que Tito invadiu Jerusalém.

Para uma descrição da fome que se seguiu em Jerusalém durante o cerco de Tito, veja Josefo, *A Guerra Judaica* 5.427-571, 6.271-76. Josefo, que estava escrevendo a sua história da guerra para o próprio homem que a venceu, apresenta Tito como tentando desesperadamente impedir seus homens de matar de forma desenfreada e, em particular, de destruir o Templo. Isto é obviamente um disparate. É apenas Josefo favorecendo sua plateia romana. Josefo também define o número de judeus mortos em Jerusalém em um milhão. Isso é claramente um exagero.

Para a cobertura completa da taxa de câmbio entre as moedas antigas na Palestina do século I, veja a colossal obra de F.W. Madden, *History of Jewish Coinage and of Money in the Old and New Testament*. Madden observa que Josefo refere-se ao shekel como igual a quatro dracmas áticas, ou seja, duas dracmas valem meio shekel (p.238). Veja também J. Liver, "The half-shekel offering in biblical and post-biblical literature".

Alguns estudiosos afirmam, de forma pouco convincente, que nenhuma mudança perceptível ocorreu na atitude romana em relação aos judeus; veja, por exemplo, E.S. Gruen, "Roman perspectives on the Jews in the age of the Great Revolt", in A.M. Berlin e J.A. Overman (orgs.), *The First Jewish Revolt*, p.27-42. No que diz respeito ao símbolo de desfilar a Torá durante o Triunfo, acho que Martin Goodman foi preciso em *Rome and Jerusalem*: "Não poderia haver demonstração mais clara de que a conquista estava sendo comemorada não apenas sobre a Judeia, mas sobre o judaísmo." (p.453) Para saber mais sobre o judaísmo após a destruição do Templo, veja M.S. Berger, "Rabbinic pacification of second-century Jewish nationalism", in J.K. Wellman, Jr., *Belief and Bloodshed*, p.48.

É importante notar que os manuscritos mais antigos que temos do evangelho de Marcos terminam o primeiro verso em "Jesus, o Cristo". Foi só mais tarde que um redator acrescentou a expressão "o Filho de Deus". O significado dos evangelhos serem escritos em grego não deve ser menosprezado. Considere que os *Manuscritos do mar Morto*, o conjunto mais contemporâneo de escritos judaicos a sobreviver à destruição de Jerusalém, cujos temas e tópicos são muito próximos aos do Novo Testamento, foram escritos quase que exclusivamente em hebraico e aramaico.

Parte II

Prólogo: Zele por sua casa (p.97-103)

A história da entrada triunfal de Jesus em Jerusalém e a purificação do Templo pode ser encontrada em Mateus 21:1-22, Marcos 11:1-19, Lucas 19:29-48 e João 2:13-25. Note-se que o evangelho de João coloca o evento no início do ministério de Jesus, ao passo que os sinópticos o colocam no final. Que a entrada de Jesus em Jerusalém revela suas aspirações régias é bastante claro. Lembre-se que Salomão também monta um burro para ser proclamado rei (1 Reis 1:32-40), assim como Absalão, quando tenta tirar o trono de seu pai, Davi (2 Samuel 19:26). De acordo com David Catchpole, a entrada de Jesus em Jerusalém se encaixa perfeitamente em uma família de histórias que detalham "a entrada comemorativa em uma cidade por um herói que conquistou previamente o triunfo". Catchpole observa que esse "padrão fixo de entrada triunfal" ocorre precedentemente não só entre os reis israelitas (veja, por exemplo,

Reis 1:32-40), mas também na entrada de Alexandre em Jerusalém, na de Apolônio, na de Simão Macabeu, na de Marcos Agripa e assim por diante. Veja D.R. Catchpole, "The 'Triumphal' Entry", in E. Bammel e C.F.D. Moule (orgs.), *Jesus and the Politics of His Day*, p.319-34.

Jesus usa explicitamente o termo *lestai* para significar "covil de ladrões", em vez da palavra mais comum para os ladrões, *kleptai* (veja Marcos 11:17). Embora possa parecer óbvio que, nesse caso, Jesus não está usando o termo no seu sentido politizado como "bandido" – significando alguém com tendências zelotas –, alguns estudiosos acreditam que Jesus está, de fato, referindo-se especificamente aos bandidos nessa passagem. Na verdade, alguns ligam a purificação do Templo por Jesus a uma insurreição liderada por bar Abbas que ocorreu lá na mesma época (veja Marcos 15:7). O argumento é o seguinte: como bar Abbas é sempre caracterizado com o epíteto *lestai*, o uso do termo por Jesus deve estar se referindo ao massacre que ocorreu no Templo durante a insurreição de bandidos que bar Abbas liderou. Portanto, a melhor tradução para a admoestação de Jesus aqui não é "covil de ladrões", mas sim "caverna de bandidos", que significa "fortaleza zelota" e, portanto, refere-se especificamente à insurreição de bar Abbas. Veja G.W. Buchanan, "Mark 11:15-19: Brigands in the Temple". Este é um argumento interessante, mas há uma explicação mais simples para o uso por Jesus da palavra *lestai* ao invés de *kleptai*. O evangelista está provavelmente citando o profeta Jeremias (7:11), em sua tradução (grega) Septuaginta: "Será que esta casa, que se chama pelo meu nome, se tornou uma caverna de salteadores aos vossos olhos? Eis que eu mesmo já vi, pronuncia o Senhor!" Essa tradução usa a frase *spaylayon laystoun* para significar "covil de ladrões", o que faz sentido na medida em que a Septuaginta foi escrita muito antes que *lestai* se tornasse sinônimo de "bandidos" – de fato, muito antes de existir qualquer coisa como bandidos na Judeia ou Galileia. Aqui, *lestai* é a tradução grega preferida da palavra hebraica *paritsim*, que é mal-atestada na Bíblia Hebraica e é usada, no máximo, duas vezes em todo o texto. A palavra *paritsim* pode significar algo como "os violentos", embora em Ezequiel 7:22, que também usa essa palavra hebraica, a Septuaginta traduza para o grego usando *afulaktos*, que significa algo como "sem proteção". O ponto é que a palavra hebraica *paritsim* era obviamente problemática para os tradutores da Septuaginta, e qualquer tentativa de limitar o significado de palavras hebraicas ou gregas para um significado específico ou um campo semântico excessivamente circunscrito é difícil, para dizer o mínimo. Assim, é provável que, quando Jesus usa a palavra *lestai* nessa passagem, ele não queira dizer nada mais complicado do que "ladrões" – que, afinal, é a forma como ele via os comerciantes e cambistas do Templo.

O emaranhado que amarrava as autoridades do Templo a Roma e a noção de que um ataque a um teria sido considerado um ataque ao outro é um argumento feito brilhantemente por S.G.F. Brandon, *Jesus and the Zealots*, p.9. Brandon também observa corretamente que os romanos não teriam ficado sem saber do incidente da purificação, uma vez que a guarnição romana na fortaleza Antônia abrangia a visão dos pátios do Templo. Para o ponto de vista oposto à análise de Brandon, veja C.

Roth, *The Cleansing of the Temple and Zechariah XIV.21*". Roth parece negar qualquer significado nacionalista ou zelota que seja, quer na entrada de Jesus em Jerusalém, quer em sua purificação do Templo, que ele reinterpreta em um "sentido não político e basicamente espiritual", afirmando que a principal preocupação de Jesus foi tirar do Templo quaisquer "operações mercantis". Outros estudiosos levam esse argumento um passo adiante e afirmam que o incidente da "limpeza" nem mesmo aconteceu, pelo menos não como tem sido registrado por todos os quatro escritores do evangelho, porque ele contrasta muito com a mensagem de paz de Jesus. Veja B. Mack, *A Myth of Innocence: Mark and Christian Origins*. Mais uma vez, este parece ser um caso clássico de estudiosos que se recusam a aceitar uma realidade óbvia que não se encaixa em suas concepções cristológicas preconcebidas de quem era Jesus e do que Jesus quis dizer. A tese de Mack é habilmente refutada por Craig Evans, que demonstra não só que o incidente da purificação do Templo pode ser atribuído ao Jesus histórico mas, também, que não poderia ter sido entendido de qualquer outra forma senão como um ato de profundo significado político. Veja Evans, *Jesus and His Contemporaries*, p.301-18. No entanto, em outro estudo, Evans discorda de mim em relação à previsão de Jesus da destruição do Templo. Ele não só acredita que a previsão pode ser atribuída a Jesus – ao passo que eu a vejo como sendo colocada na boca de Jesus pelos escritores dos evangelhos –, como também acha que pode ter sido o principal fator que motivou o sumo sacerdote a tomar medidas contra ele. Veja C. Evans, "Jesus and predictions of the destruction of the Herodian Temple in the Pseudepigrapha, Qumran Scrolls, and related texts".

Tanto Josefo quanto o Talmude Babilônio indicam que os animais para sacrifício costumavam ser alojados no Monte das Oliveiras, mas que por volta de 30 d.C. Caifás transferiu-os para o Pátio dos Gentios. Bruce Chilton acredita que a inovação de Caifás foi o impulso para as ações de Jesus no Templo, bem como a principal razão para o desejo do sumo sacerdote em ter Jesus preso e executado; veja B. Chilton, "The trial of Jesus reconsidered", in B. Chilton e C. Evans (orgs.), *Jesus in Context*, p.281-500.

A pergunta feita a Jesus sobre a legalidade de pagar o tributo a César pode ser encontrada em Marcos 12:13-17, Mateus 22:15-22 e Lucas 20:20-26. O episódio não aparece no evangelho de João, porque neste o evento de limpeza é colocado entre os primeiros atos de Jesus e não no fim de sua vida. Veja H. Loewe, *Render unto Caesar*. As autoridades judaicas que tentam a armadilha contra Jesus, perguntando-lhe sobre o pagamento do tributo, são variadamente descritas nos evangelhos sinópticos como fariseus e herodianos (Marcos 12:13; Mateus 22:15), ou como "escribas e os principais sacerdotes" (Lucas 20:20). Essa mistura de autoridades díspares indica uma surpreendente ignorância por parte dos evangelistas (que estavam escrevendo suas narrativas uns quarenta a sessenta anos depois dos eventos que descrevem) sobre a hierarquia religiosa judaica na Palestina do século I. Os escribas eram estudiosos de classe baixa ou média, enquanto os principais sacerdotes eram da nobreza aristocrática; os fariseus e herodianos eram tão distantes econômica, social e (se por herodianos Marcos sugere uma ligação com os saduceus) teologicamente quanto possível de imaginar. É quase como se os escritores do evangelho estivessem simplesmente lançando essas fórmulas como sinônimos para "os judeus".

Que a moeda que Jesus pede, o denário, é a mesma usada para pagar o tributo a Roma está definitivamente comprovado por H. St. J. Hart em "The coin of 'Render unto Caesar'", in E. Bammel e C.F.D. Moule (orgs.), *Jesus and the Politics of His Day*, p.241-8.

Entre os muitos estudiosos que tentaram tirar da resposta de Jesus sobre o tributo o seu significado político estão J.D.M. Derrett, *Law in the New Testament*, e F.F. Bruce, "Render to Caesar", in *Jesus and the Politics of His Day*, p.249-63. Pelo menos Bruce reconhece o significado da palavra *apodidomi* e, de fato, é a sua análise do verbo que eu referencio acima. Helmut Merkel é um dos muitos estudiosos que veem a resposta de Jesus para as autoridades religiosas como uma não resposta; veja "The opposition between Jesus and Judaism", in *Jesus and the Politics of His Day*, p.129-44. Merkel cita o estudioso alemão Eduard Lohse ao refutar Brandon e aqueles que, como eu, acreditam que a resposta de Jesus revela seus sentimentos zelotas: "Jesus não se deixou ludibriar a conferir qualidade divina à estrutura de poder existente, nem concordou com os revolucionários que queriam mudar a ordem existente e obrigar a vinda do Reino de Deus pelo uso da força." Primeiro de tudo, deve-se notar que o uso da força não é a questão aqui. Se Jesus concordou com os seguidores de Judas, o Galileu, que apenas o uso de armas poderia libertar os judeus do jugo romano, não é o que está em jogo nessa passagem. Tudo o que está em jogo aqui é a questão de onde a opinião de Jesus se situa sobre o assunto mais decisivo daquele momento, que também passou a ser o teste fundamental do zelotismo: deveriam os judeus pagar tributo a Roma? Aqueles estudiosos que pintam a resposta de Jesus para as autoridades religiosas como apolítica são, a meu ver, totalmente cegos ao contexto político e religioso do tempo de Jesus e, mais importante ainda, ao fato de que a questão do tributo é claramente destinada a ser conectada à entrada provocante de Jesus em Jerusalém, da qual não pode haver interpretação apolítica.

Por alguma razão, o *titulus* acima da cabeça de Jesus foi visto pelos estudiosos e cristãos como uma espécie de piada, um pouco de humor sarcástico por parte de Roma. Os romanos podem ser conhecidos por muitas coisas, mas humor não é uma delas. Como de costume, essa interpretação se baseia em uma leitura à primeira vista de Jesus como um homem absolutamente sem ambições políticas. Isso é um absurdo. Todos os criminosos condenados à execução recebiam um *titulus* para que as pessoas pudessem conhecer o crime pelo qual estavam sendo punidos, e, portanto, fossem desencorajadas a tomar parte em atividade similar. Que as palavras no *titulus* de Jesus eram provavelmente genuínas é demonstrado por Joseph A. Fitzmeyer, que observa que "se [o *titulus*] tivesse sido inventado pelos cristãos, eles teriam usado *Christos*, pois os primeiros cristãos dificilmente teriam chamado seu Senhor de 'Rei dos Judeus'"; veja *The Gospel According to Luke I-IX*, p.773. Vou falar mais sobre o "julgamento" de Jesus nos capítulos seguintes, mas basta dizer que a noção de que um camponês judeu anônimo teria recebido uma audiência pessoal com o prefeito romano, Pôncio Pilatos, que provavelmente assinara uma dúzia de ordens de execução só naquele dia, é tão estranha que não pode ser levada a sério.

Curiosamente, Lucas se refere aos dois crucificados ao lado de Jesus não como *lestai* mas como *kakourgoi*, ou "malfeitores" (Lucas 23:32).

7. A voz clamando no deserto (p.104-13)

Todos os quatro evangelhos oferecem diferentes histórias de João Batista (Mateus 3:1-17; Marcos 1:2-15; Lucas 3:1-22; João 1:19-42). É geralmente aceito que muito desse material dos evangelhos, incluindo a narrativa da infância de João em Lucas, foi derivado de "tradições batistas" independentes, preservadas pelos seguidores de João. Sobre isso, veja C. Scobie, *John the Baptist*, p.50-1, e W. Wink, *John the Baptist in the Gospel Tradition*, p.59-60. No entanto, Wink pensa que apenas parte desse material veio das fontes próprias de João. Ele argumenta que as narrativas da infância de João e Jesus provavelmente foram desenvolvidas de forma simultânea. Veja também C. Murphy, *John the Baptist: Prophet of Purity for a New Age*.

Embora, de acordo com Mateus, João advirta os judeus da vinda do "reino dos céus", isso é apenas circunlóquio de Mateus para o Reino de Deus. Na verdade, Mateus usa a expressão "Reino dos Céus" em todo o seu evangelho, mesmo nos trechos que tomou emprestado de Marcos. Em outras palavras, podemos estar certos de que "o Reino de Deus" e "Reino dos Céus" significam a mesma coisa e que ambos derivam em parte dos ensinamentos de João Batista.

Há muitas imprecisões no relato evangélico da execução de João (Marcos 6:17-29; Mateus 14:1-12; Lucas 9:7-9). Em uma delas, os evangelistas referem-se a Herodias como a esposa de Filipe, quando ela era, na verdade, esposa de Herodes. A esposa de Filipe era Salomé. Qualquer tentativa por parte de comentaristas conservadores cristãos de compensar esse erro flagrante, como referir-se ao meio-irmão Antipas como "Herodes Filipe" (um nome que não aparece em nenhum registro), cai por terra. Os evangelhos também parecem confundir o local da execução de João (a fortaleza de Maqueronte) com a corte de Antipas, que na época teria sido em Tiberíades. Finalmente, deve ser mencionado que é inconcebível que uma princesa real dançasse para convidados de Antipas, considerando-se as restrições da época para as mulheres judias de qualquer status. Existem, é claro, muitas tentativas apologéticas de resgatar a história do evangelho sobre a decapitação de João e defender sua historicidade (por exemplo, G. Vermes, *Who's Who in the Age of Jesus*, p.49), mas eu concordo com R. Bultmann, *History of the Synoptic Tradition*, p.301-2, e L.L. Grabbe, *Judaism from Cyrus to Hadrian*, vol.2, p.427-8, ambos os quais argumentam que a história do evangelho é por demais fantasiosa e crivada de erros para ser tomada como histórica.

Para paralelos entre o relato de Marcos da execução de João e o livro de Ester, veja R. Aus, *Water into Wine and the Beheading of John the Baptist*. A história também tem ecos do conflito de Elias com Jezebel, a esposa do rei Acabe (1 Reis 19-22).

O relato de Josefo sobre a vida e a morte de João Batista pode ser encontrado em *Antiguidades* 18.116-19. O rei Aretas IV era pai da primeira esposa de Antipas, Fasaeles, de quem Antipas se divorciou para se casar com Herodias. Não está claro se Antipas foi exilado para a Espanha, como Josefo afirma em *A Guerra Judaica* 2.183, ou para a Gália, como ele alega em *Antiguidades* 18.252.

Um catálogo de abluções rituais com água nas escrituras e práticas judaicas pode ser encontrado em R.L. Webb, *John the Baptizer and Prophet: A Socio-Historical Study*, p.95-132. Para mais informações sobre o uso da água em rituais de conversão judaicos, consulte S.J.D. Cohen, "The rabbinic conversion ceremony". Havia alguns poucos indivíduos notáveis na Palestina do século I que praticavam atos rituais de imersão, o mais famoso sendo o asceta conhecido como Bano, que vivia como um eremita no deserto e que se banhava pela manhã e à noite em água fria, como meio de purificação ritual; veja Josefo, *Vida* 2.11-12.

Josefo escreve longamente sobre os essênios tanto em *Antiguidades* como em *A Guerra Judaica*, mas as mais antigas evidências sobre eles vêm por meio da *Hypothetica*, de Filo de Alexandria, escrita entre 35 e 45 d.C. Plínio, o Velho, também fala dos essênios em sua *História natural*, escrita por volta de 77 d.C. É Plínio quem afirma que os essênios viviam perto de Engeddi, na costa ocidental do mar Morto, embora a maioria dos estudiosos acredite que eles estivessem localizados em Qumran. O erro de Plínio pode ser devido ao fato de que ele escreveu após a guerra com Roma e a destruição de Jerusalém, quando Qumran foi abandonado. No entanto, um grande debate irrompeu entre os estudiosos sobre se a comunidade de Qumran era, na verdade, essênia. Norman Golb é talvez o mais conhecido estudioso que rejeita a hipótese. Golb vê o sítio de Qumran não como uma comunidade de essênios, mas sim como uma fortaleza dos macabeus. Ele acredita que os documentos encontrados nas cavernas perto do local, os chamados *Manuscritos do mar Morto*, não foram escritos pelos essênios, mas sim trazidos de Jerusalém para serem ali custodiados. Veja N. Golb, *Who Wrote the Dead Sea Scrolls? The Search for the Secret Qumran*, e "The problem of origin and identification of the Dead Sea Scrolls". Golb e seus contemporâneos levantam alguns pontos válidos, e deve-se admitir que alguns dos documentos encontrados nas cavernas de Qumran não foram escritos pelos essênios e não refletem a sua teologia. O fato é que não podemos ter certeza se os essênios viviam em Qumran. Dito isso, concordo com o grande Frank Moore Cross, que argumentou que o ônus da prova não recai sobre aqueles que ligam os essênios a Qumran, mas sim aos que não o fazem. "O estudioso que 'tem cautela' na identificação da seita de Qumran com os essênios se coloca em uma posição surpreendente", escreve Moore, pois "ele deve sugerir seriamente que dois grandes grupos formaram comunidades religiosas comunistas no mesmo distrito do deserto do mar Morto e viveram juntas na realidade durante dois séculos, mantendo opiniões excêntricas semelhantes, realizando purificações, refeições rituais e cerimônias semelhantes, ou melhor, idênticas. Ele deve supor que uma delas, cuidadosamente descrita por autores clássicos, desapareceu sem deixar restos de construção ou mesmo cacos de cerâmica; a outra, sistematicamente ignorada pelos autores clássicos, deixou extensas ruínas e, de fato, uma grande biblioteca. Eu prefiro ser imprudente e sem rodeios em identificar os homens de Qumran com o seu hóspede perene, os essênios". Veja F.M. Cross, *Canaanite Myth and Hebrew Epic: Essays in the History of the Religion of Israel*, p.331-2. Tudo o que você poderia querer saber, e ainda mais, sobre os rituais de pureza essênios pode ser encontrado em I.C. Werrett, *Ritual Purity and the Dead Sea Scrolls*.

Entre os que acreditam que João Batista foi um membro da comunidade essênia estão O. Betz, "Was John the Baptist an Essene?", in H. Shanks (org.), *Understanding the Dead Sea Scrolls*, p.205-14; W.H. Brownlee, "John the Baptist in the new light of ancient scrolls", in K. Stendahl (org.), *The Scrolls and the New Testament*, p.71-90; e J.A.T. Robinson, "The baptism of John and the Qumran community: Testing a hypothesis", in *Twelve New Testament Studies*, p.11-27. Entre aqueles que discordam estão H.H. Rowley, "The baptism of John and the Qumran sect", in A.J.B. Higgins (org.), *New Testament Essays: Studies in Memory of Thomas Walter Manson, 1893-1958*, p.218-29; B.D. Chilton, *Judaic Approaches to the Gospels*, p.17-22; e J.E. Taylor, *The Immerser: John the Baptist Within Second Temple Judaism*.

Deve notar-se que, enquanto Isaías 40:3 foi aplicado a ambos, João e os essênios, houve diferenças importantes no modo como a passagem parece ter sido interpretada por eles. Para saber mais sobre a possível infância de João "no deserto", veja J. Steinmann, *Saint John the Baptist and the Desert Tradition*. Independentemente de João ter sido um membro dos essênios, é evidente uma série de paralelos entre os dois, incluindo o local, o ascetismo, a linhagem sacerdotal, a imersão em água e a partilha de bens. Individualmente, nenhum desses paralelos demonstra uma conexão em definitivo, mas juntos eles constroem um forte argumento para certas afinidades entre os dois que não deve ser facilmente descartado. De qualquer modo, João não precisaria ter sido um membro efetivo da comunidade dos essênios para ser influenciado por seus ensinamentos e ideias, que estavam muito bem integrados na espiritualidade judaica da época.

Embora nunca se tenha dito explicitamente que o batismo de João não era para ser repetido, pode-se inferir que seja esse o caso, por duas razões: primeiro, porque o batismo parece exigir um administrador, como João, em oposição à maioria dos outros rituais de água, que são autoadministrados; segundo, porque o batismo de João assume o iminente fim do mundo, o que tornaria sua repetição um pouco difícil, para dizer o mínimo. Veja J. Meier, *Marginal Jew*, vol.2, p.51.

John Meier elabora um argumento convincente para aceitar a historicidade da expressão "batismo para a remissão dos pecados"; veja *Marginal Jew*, vol.2, p.53-4. A afirmação em contrário de Josefo pode ser encontrada em *Antiguidades* 18.116. Robert L. Webb afirma que o batismo de João era um "batismo de arrependimento, que funcionava para iniciar [os judeus] no grupo de pessoas preparadas, o verdadeiro Israel", querendo dizer que João tinha de fato formado sua própria e distinta seita; veja *John the Baptizer and Prophet*, p.197 e 364. Bruce Chilton desmonta completamente o argumento de Webb em "John the Purifier", in B. Chilton e C. Evans (orgs.), *Jesus in Context*, p.203-20.

A afirmação celestial "Este é o meu Filho, o Bem-Amado" está em Salmos 2:7, no qual Deus se dirige a Davi, por ocasião da sua entronização como rei em Jerusalém

(Bem-Amado era o apelido de Davi). Como John Meier observa, com razão, esse momento "não espelha nenhuma experiência interior que Jesus tenha tido na época; ele espelha o desejo da Igreja cristã da primeira geração de definir Jesus assim que a história do evangelho primitivo começa – tanto mais porque essa definição era necessária para contrariar a impressão de subordinação de Jesus a João, implícita na tradição de o primeiro ter sido batizado pelo último"; veja *Marginal Jew*, vol.2, p.107.

Entre os estudiosos que tornam convincente sua opinião sobre Jesus ter começado o seu ministério como um discípulo de João estão P.W. Hollenbach, "Social aspects of John the Baptizer's preaching mission in the context of Palestinian Judaism" e "The conversion of Jesus: From Jesus the Baptizer to Jesus the Healer", assim como R.L. Webb, "Jesus' baptism: Its historicity and implications". Webb assim resume a relação entre João e Jesus: "Jesus foi batizado por João e, provavelmente, permaneceu com ele por algum tempo no papel de discípulo. Mais tarde, em alinhamento e participando com João de seu movimento, Jesus também se envolveu em um ministério batizando perto de João. Embora ainda fosse um discípulo, Jesus, talvez, devesse ser visto nesse momento como o braço direito ou o protegido de João. Enquanto tensões possam ter surgido entre os discípulos de João e aqueles em torno de Jesus, os dois homens se viam como trabalhando juntos. Só mais tarde, depois da prisão de João, teve lugar uma mudança, na qual Jesus, em certos aspectos, foi além do quadro conceitual do movimento de João. No entanto, Jesus sempre parece apreciar a base que o quadro de João lhe garantiu no início."

Quanto à estada de Jesus no deserto, é preciso lembrar que "o deserto" é mais do que uma localização geográfica. É onde a aliança com Abraão foi feita, onde Moisés recebeu a Lei de Deus, onde os israelitas vagaram por uma geração, o lugar onde Deus habitava, onde ele poderia ser encontrado e onde se poderia conversar com ele. O uso do evangelho de "quarenta dias" – o número de dias que se diz que Jesus passou no deserto – não é feito para ser lido como um número literal. Na Bíblia, "quarenta" é sinônimo de "muitos", como em "choveu durante quarenta dias e noites". A leitura deve ser que Jesus ficou no deserto por um longo tempo.

Eu discordo de Rudolf Otto, que afirma que "João não pregou a vinda do reino dos céus, mas do juízo vindouro da ira", em *The Kingdom of God and the Son of Man*, p.69. A opinião de Otto é que João estava preocupado principalmente com a vinda do julgamento de Deus, o que ele chama de "o dia de Yahweh", enquanto o foco de Jesus era a natureza redentora do Reino de Deus na terra. No entanto, mesmo Jesus assinala as atividades de João como parte da inauguração do Reino de Deus na terra: "A Lei e os Profetas estavam [em vigor] até João; depois, o Reino de Deus é proclamado." (Lucas 16:16)

8. Segui-me (p.114-25)

A descrição que Josefo faz dos galileus pode ser encontrada em *A Guerra Judaica* 3.41-42. Richard Horsley habilmente detalha a história da resistência da Galileia, mesmo quando esta chegou à "subordinação político-econômico-religiosa ao sumo sacerdócio macabeu em Jerusalém", em *Galilee: History, Politics, People*. Horsley escreve que "o próprio Templo, suas regras e taxas e o gerenciamento do sumo sacerdócio, tudo isso seria estranho para os galileus, cujos ancestrais haviam se rebelado séculos antes contra a monarquia salomônica e o Templo. Assim, os galileus, como os edomitas, teriam experimentado as leis dos judeus sobrepostas aos seus próprios costumes, como meio de definir e legitimar a sua subordinação ao governo de Jerusalém" (p.51). Portanto, a afirmação de Lucas de que os pais de Jesus iam ao Templo para o Pêssach todos os anos reflete claramente uma posição do próprio Lucas, mais do que práticas galileias (Lucas 2:41-51). Veja também S. Freyne, *Galilee, Jesus, and the Gospels*, p.187-9.

Sobre o sotaque característico dos galileus, consulte O.M. Hendricks, *The Politics of Jesus*, p.70-3. Para as implicações do termo "povo da terra", veja o estudo completo feito por A. Oppenheimer, *The 'Am Ha-Aretz: A Study in the Social History of the Jewish People in the Hellenistic-Roman Period*.

Para saber mais sobre a família de Jesus como seguidores, veja J. Painter, *Just James: The Brother of Jesus in History and Tradition*, p.14-31.

A palavra grega para "discípulos", "*hoi mathetai*", pode significar tanto discípulos masculinos quanto femininos. Obviamente, a visão de mulheres desacompanhadas seguindo um pregador itinerante e seus companheiros – em sua maioria homens – de cidade em cidade teria causado um escândalo na Galileia e, na verdade, existem inúmeras passagens nos evangelhos em que Jesus é acusado de consorciar-se com "mulheres libertinas". Algumas variantes do evangelho de Lucas dizem que Jesus tinha setenta, não 72 discípulos. A discrepância é irrelevante, pois números na Bíblia, especialmente números evocativos, como três, doze, quarenta e 72, são destinados a ser lidos de forma simbólica, e não de forma literal – com exceção dos doze discípulos, que deve ser lido das duas maneiras.

Não pode haver dúvida de que Jesus designou especificamente doze pessoas para representar as doze tribos de Israel. No entanto, há muita confusão sobre os nomes reais e as biografias dos Doze. Agradeçamos a Deus por John Meier, que apresenta tudo o que há para se saber sobre os Doze em *Marginal Jew*, vol.3, p.198-285. Que os Doze eram especiais e separados do resto dos discípulos é claro: "E, quando já era dia, chamou os seus discípulos e dentre eles escolheu doze a quem deu o nome de apóstolos." (Lucas 6:13) Alguns estudiosos insistem que os Doze foram uma criação da Igreja primitiva, mas isso é improvável. Caso contrário, por que fazer Judas um dos Doze? Veja C. Evans, "The Twelve Thrones of Israel: Scripture and politics in Luke 22:24-30", in C. Evans e J.A. Sanders (orgs.), *Luke and Scripture: The Function of Sacred Tradition in Luke-Acts*, p.154-70; J. Jervell, "The Twelve on Israel's Thrones: Luke's Understanding of the Apostolate", in J. Jervell (org.), *Luke and the People of God: A New Look at Luke-Acts*, p.75-112; e R.P. Meyer, *Jesus and the Twelve*.

Para mais informações sobre a mensagem anticlerical de Jesus, veja J. Meier, *Marginal Jew*, vol.1, p.346-7. Meier observa que, no momento em que os evangelhos foram escritos, não havia mais sacerdotes no judaísmo. Após a destruição do

Templo, os herdeiros espirituais dos fariseus – o rabinato – tornaram-se os principais oponentes judeus do novo movimento cristão, e por isso é natural que os evangelhos os tivessem feito aparecer como os principais inimigos de Jesus. Essa é mais uma razão para que os poucos encontros hostis apresentados entre Jesus e os sacerdotes do Templo devam ser vistos como genuínos. Helmut Merkel amplia a divisão entre Jesus e o sacerdócio do Templo em "The opposition between Jesus and Judaism", in E. Bammel e C.F.D. Moule (orgs.), *Jesus and the Politics of His Day*, p.129-44. Curiosamente, Jesus é visto em conversa com os saduceus apenas uma vez, durante um debate em torno da ressurreição no último dia (Marcos 12:18-27).

9. Pelo dedo de Deus (p.126-36)

Um tratamento abrangente dos milagres individuais de Jesus pode ser encontrado em H. van der Loos, *The Miracles of Jesus*.

Para saber mais sobre Honi e Hanina ben Dosa, consulte G. Vermes, "Hanina ben Dosa: A controversial Galilean saint from the First Century of the Christian Era" e *Jesus the Jew*, p.72-8. Para um estudo mais geral sobre os milagreiros no tempo de Jesus, veja W.S. Green, "Palestinian holy men: Charismatic leadership and rabbinic tradition". Uma boa crítica de trabalhos acadêmicos sobre Hanina pode ser encontrada em B.M. Bokser, "Wonder-working and the rabbinic tradition: The case of Hanina ben Dosa".

O trabalho mais antigo sobre Apolônio é o texto do século III por Filóstrato de Atenas intitulado *A vida de Apolônio de Tiana*. Para uma tradução em inglês, consulte F.C. Conybeare (org.), *Philostratus: The Life of Apollonius of Tyana*. O livro de Conybeare também inclui a tradução de uma obra mais tardia sobre Apolônio, por Hierocles, intitulada *Lover of Truth*, que compara expressamente Apolônio com Jesus de Nazaré. Veja também R.J. Penella, *The Letters of Apollonius of Tyana*. Para uma análise dos paralelos entre Apolônio e Jesus, veja C.A. Evans, "Jesus and Apollonius of Tyana", in C. Evans, *Jesus and His Contemporaries*, p.245-50.

Pesquisa feita por Harold Remus indica que não há diferença na forma como os pagãos e os cristãos primitivos descreviam ou milagres ou os milagreiros; veja "Does terminology distinguish early Christian from pagan miracles?". Veja também J. Meier, *Marginal Jew*, vol.2, p.536. Mais sobre Eleazar, o Exorcista, pode ser encontrado em Josefo, *Antiguidades* 8.46-48.

Uma pesquisa sobre a magia e as leis contra ela no período do segundo Templo é fornecida por G. Bohak, *Ancient Jewish Magic: A History*. Como na fábula de Rumpelstiltskin, havia uma crença geral de que o conhecimento do nome de outra pessoa estabelece certo poder sobre ela. Orações mágicas, muitas vezes, derivavam seu poder do nome de quem estava sendo amaldiçoado ou abençoado. Segundo Bultmann: "A ideia ... de que saber o nome do demônio dá poder sobre ele é um motivo bem conhecido e difundido." Veja *History of the Synoptic Tradition*, p.232. Ulrich Luz cita como exemplo helenístico a história de Chonsu, "o Deus que expulsa demônios", como uma instância de reconhecimento do demônio; veja "The secrecy motif and the Marcan Christology", in C. Tuckett (org.), *The Messianic Secret*, p.75-96.

Joseph Baumgarten discute a relação entre a doença e a possessão demoníaca e fornece uma série de referências a outros artigos sobre o tema em "The 4Q Zadokite Fragments on Skin Disease".

Estudos adicionais úteis sobre a magia do mundo antigo são os de M.W. Dickie, *Magic and Magicians in the Greco-Roman World*; N. Janowitz, *Magic in the Roman World*; e A. Jeffers, *Magic and Divination in Ancient Palestine and Syria*. A palavra "mágico" vem do termo grego *mageia*, que tem suas raízes no termo persa para sacerdotes, magos. Como em "Reis Magos".

Contrariamente à percepção popular, os milagres de Jesus não pretendiam confirmar sua identidade messiânica. Em todas as profecias bíblicas já escritas sobre o messias, não há sua caracterização como milagreiro ou como exorcista – o messias é um rei, sua tarefa é restaurar Israel à glória e destruir seus inimigos, não curar o doente e expulsar demônios (na verdade, não existem tais coisas como demônios na Bíblia Hebraica).

Justino Mártir, Orígenes e Irineu são mencionados em A. Fridrichsen, *The Problem of Miracle in Primitive Christianity*, p.87-95. Talvez o mais famoso argumento levantado sobre Jesus como um mágico seja a controversa tese de M. Smith, *Jesus the Magician*. O argumento de Smith é realmente muito simples: as ações milagrosas de Jesus nos evangelhos têm uma notável semelhança com o que vemos em "textos mágicos" da época, o que indica que Jesus possa ter sido visto por seus companheiros judeus e pelos romanos como apenas mais um mágico. Outros estudiosos, sobretudo John Dominic Crossan, concordam com a análise de Morton. Veja J.D. Crossan, *Historical Jesus*, p.137-67. O argumento de Smith é sólido e não merece o opróbrio que recebeu em alguns círculos acadêmicos, apesar de minhas objeções a ele serem claras no texto. Para paralelos entre as histórias de milagres nos evangelhos e aquelas em escritos rabínicos, veja C.A. Evans, "Jesus and Jewish Miracle Stories", in *Jesus and His Contemporaries*, p.213-43.

Em relação à lei para a purificação dos leprosos, deve-se notar que a Torá permite aos que são pobres substituírem dois dos cordeiros por duas rolas ou dois pombos (Levítico 14:21-22).

10. Que venha a nós o teu Reino (p.137-47)

Para um tratamento claro e conciso da noção do Reino de Deus no Novo Testamento, veja J. Jeremias, *New Testament Theology: The Proclamation of Jesus*. Jeremias chama o Reino de Deus de "tema central da proclamação pública de Jesus". Veja também N. Perrin, *The Kingdom of God in the Teaching of Jesus* e *Rediscovering the Teachings of Jesus*. Perrin se refere ao Reino de Deus como sendo o cerne da mensagem de Jesus: "Tudo em seus ensinamentos tem como ponto de partida essa convicção central – inspiradora ou ridícula, de acordo com a perspectiva que se tenha."

Notas

De acordo com John Meier, "fora os evangelhos sinópticos e a boca de Jesus, [o termo Reino de Deus] não parece ter sido amplamente utilizado por judeus ou cristãos no início do século I d.C."; *Marginal Jew*, vol.2, p.239. A Bíblia Hebraica nunca usa a expressão "Reino de Deus", mas usa "Reino de Yahweh" em 1 Crônicas 28:5, quando Davi fala de Salomão sentado no trono do Reino de Yahweh. Eu acho que é seguro dizer que essa expressão significa a mesma coisa que o Reino de Deus. Dito isso, a expressão exata "Reino de Deus" é encontrada apenas no texto apócrifo *Sabedoria de Salomão* (10:10). Exemplos de reinado de Deus e seu direito de governar estão, é claro, em todos os lugares na Bíblia Hebraica. Por exemplo, "Deus reinará como rei para todo o sempre" (Êxodo 15:18). Perrin acredita que o impulso para o uso da palavra "reino" na oração do Pai-nosso venha de uma oração aramaica *kaddish* encontrada em uma antiga sinagoga em Israel, que ele afirma que estava em uso durante a vida de Jesus. A oração diz: "Exaltado e santificado seja seu grande nome no mundo que ele criou de acordo com sua vontade. Que ele possa estabelecer o seu reino no curso de sua vida e em vossos dias e na vida de toda a casa de Israel, mesmo de forma rápida e em um futuro próximo"; veja *Kingdom of God in the Teaching of Jesus*, p.19.

Assim como muitos outros estudiosos, Perrin está convencido de que Jesus usa o termo "Reino de Deus" em um sentido escatológico. Mas Richard Horsley observa que, embora as ações de Deus no que diz respeito ao reino possam ser pensadas como "finais", isso não implica necessariamente um evento escatológico. "Os símbolos que cercam o Reino de Deus não se referem ao 'último', 'final', 'escatológico' e 'totalmente transformador' 'ato' de Deus", escreve Horsley. "Se o cerne original de qualquer dos ditos sobre 'o filho do homem vindo sobre as nuvens do céu' ... decorre de Jesus, então, como a imagem em Daniel 7:13 a que se referem, eles são símbolos da defesa dos justos perseguidos e sofridos." A opinião de Horsley é que o Reino de Deus pode ser corretamente entendido em termos escatológicos, mas apenas na medida em que implica a atividade final e definitiva de Deus na terra. Ele observa corretamente que uma vez que abandonemos a noção de que a pregação de Jesus sobre o Reino de Deus refere-se a um Fim dos Tempos, também podemos abandonar o debate histórico sobre se Jesus pensava no Reino como algo presente ou algo futuro. Veja *Jesus and the Spiral of Violence: Popular Jewish Resistance in Roman Palestine*, p.168-9. No entanto, para aqueles interessados no debate "presente ou futuro", John Meier, que acredita que o Reino de Deus tenha sido concebido como um evento escatológico, discorre sobre os argumentos de ambos os lados em *Marginal Jew*, vol.2, p.289-351. Entre os que discordam de Meier estão J.D. Crossan, *Jesus: A Revolutionary Biography*, p.54-74; M.J. Borg, *Jesus: A New Vision*, p.1-21; e, é claro, eu mesmo. Nas palavras de Werner Kelber, "o Reino significa o fim de uma velha ordem das coisas"; veja *The Kingdom in Mark*, p.23.

Para saber mais sobre o "judaísmo" de Jesus de Nazaré, veja A.-J. Levine, *The Misunderstood Jew*. Declarações de Jesus contra os gentios podem ser aceitas como históricas com muita segurança, considerando-se que os primeiros cristãos tentavam ativamente atrair gentios à conversão e esses versículos nos evangelhos não os teriam ajudado em nada. É verdade que Jesus acreditava que os gentios acabariam por ser autorizados a entrar no Reino de Deus, uma vez que este fosse estabelecido.

Mas, como observa John Meier, Jesus parecia considerar que esse seria o caso apenas no final da história de Israel, quando os gentios poderiam entrar no reino como subservientes aos judeus; veja *Marginal Jew*, vol.3, p.251.

Concordo com Richard Horsley que os mandamentos para "amar seus inimigos" e "dar a outra face" no evangelho de Lucas provavelmente estão mais perto da Fonte Q original do que as declarações paralelas em Mateus, que contrapõem os mandamentos de Jesus com os comandos da Bíblia Hebraica de "olho por olho" (lei de talião). Veja *Jesus and the Spiral of Violence*, p.255-65.

Quanto a Mateus 11:12, eu incluí aqui a versão variante do verso – "o Reino dos Céus tem vindo violentamente" – porque estou convencido de que é a forma original do verso e porque é a que melhor se encaixa no contexto da passagem. A versão padrão da passagem diz: "Desde os dias de João Batista até agora, o Reino dos Céus *opera pela força*, e os violentos o arrebatam." Essa é a tradução feita por Rudolf Otto em *The Kingdom of God and the Son of Man*, p.78. Note-se que essa versão do verso é mais frequentemente traduzida, de maneira imprecisa, como "Desde os dias de João Batista até agora, o Reino dos Céus *sofre violência*, e os violentos o arrebatam", embora mesmo tais traduções incluam uma variante de leitura para indicar a voz ativa que uso na minha tradução. O problema reside no verbo *biazomai*, que significa "usar de violência ou força". No tempo presente perfeito, *biazomai* pode significar "ter violência feita a alguém", mas não é o tempo perfeito que ocorre nesse trecho. Da mesma forma, na voz passiva, *biazomai* pode significar "sofrer violência", mas, novamente, não é a voz passiva que é usada em Mateus 11:12. De acordo com o Léxico da UBS (United Bible Societies), a palavra *biazomai* nessa passagem é realmente na voz média grega e, portanto, significa "exercer a violência". Uma pista de como traduzir a passagem de Mateus 11:12 pode ser encontrada na passagem paralela de Lucas 16:16. Lucas, talvez querendo evitar a controvérsia, omite por completo a primeira metade do versículo, "o Reino de Deus opera através da força/violência". No entanto, na segunda metade do versículo, ele usa exatamente a mesma palavra, *biazetai*, no trecho "todo mundo usa violência ao entrar nele". Finalmente, a tradução usual, "o reino dos céus sofre violência", não está de acordo nem com o momento em que Jesus disse as palavras nem com o contexto em que ele viveu. E o contexto é tudo. Veja o *Analytic Greek New Testament*, e também a nota referente a Mateus 11:12 do *Thayer's Greek-English Lexicon of the New Testament*. Veja ainda J.P. Louw e E.A. Nida (orgs.), *Greek-English Lexicon of the New Testament*; esses autores notam corretamente que "em muitas línguas pode ser difícil, se não impossível, falar do reino dos céus 'sofrendo ataques violentos'", embora admitam que "alguma forma ativa pode ser empregada, por exemplo, 'e violentamente ataca o reino dos céus' ou '...o governo de Deus'".

11. Quem vós dizeis que sou? (p.148-65)

Sobre a expectativa quanto ao retorno de Elias e a inauguração da era messiânica entre os judeus na Palestina do século I, veja J.J. Collins, *Apocalypticism in the Dead*

Sea Scrolls. Sobre a deliberada imitação de Elias por Jesus, veja J. Meier, *Marginal Jew*, vol.3, p.622-6.

Ao contrário de Mateus e Lucas, que relatam uma mudança na aparência física de Jesus durante a transfiguração (Mateus 17:2, Lucas 9:29), Marcos afirma que Jesus foi transfigurado de uma forma que só afetou suas roupas (9:3). Os paralelos com o Êxodo na narrativa da transfiguração são claros: Moisés leva Aarão, Nadabe e Abiú ao monte Sinai, onde é tragado por uma nuvem e recebe a Lei e o projeto para a construção do tabernáculo de Deus. Assim como Jesus, Moisés é transformado estando em uma montanha, na presença de Deus. Mas há uma grande diferença entre as duas histórias: Moisés recebeu a Lei do próprio Deus, ao passo que Jesus só vê Moisés e Elias, nada recebendo fisicamente. A diferença serve para destacar a superioridade de Jesus sobre Moisés. Moisés é transformado por causa de seu confronto com a glória de Deus, mas Jesus é transformado por sua própria glória. Segundo Morton Smith, chega-se à conclusão de que Moisés e Elias, a Lei e os Profetas, aparecem como os subordinados de Jesus; veja "The origin and history of transfiguration story", p.42. Elias também subiu uma montanha e experimentou o espírito de Deus passando sobre ele. "O Senhor disse: 'Saia e apresente-se na montanha, na presença do Senhor, pois o Senhor está prestes a passar.' Então, um vento forte e poderoso fendeu os montes e despedaçou as rochas diante do Senhor, mas o Senhor não estava no vento. Depois do vento houve um terremoto, mas o Senhor não estava no terremoto. Depois do terremoto veio um incêndio, mas o Senhor não estava no fogo. E depois do fogo uma voz suave." (1 Reis 19:11-12) Deve-se notar que Smith acha que a história da transfiguração pertence "ao mundo da magia". Sua tese trata de seu conceito de Jesus como um mágico "como outros mágicos". Smith, portanto, acredita que a transfiguração tenha sido algum evento místico, hipnoticamente induzido, que exigia silêncio; consequentemente, o feitiço foi quebrado quando Pedro falou. A tentativa de Marcos de utilizar essa história como uma confirmação da messianidade de Jesus é, para Smith, um erro por parte do evangelista. Tudo isso demonstra a ideia de Marcos de que Jesus supera os dois personagens em glória. Essa, naturalmente, não é uma noção nova na cristologia do Novo Testamento. Paulo afirma explicitamente a superioridade de Jesus sobre Moisés (Romanos 5:14; 1 Coríntios 10:2), assim como o escritor de Hebreus (3:1-6). Em outras palavras, Marcos está simplesmente declarando uma crença familiar da Igreja primitiva de que Jesus é o novo Moisés, prometido no Deuteronômio 18:15. Veja também M.D. Hooker, "'What doest thou here, Elijah?' A look at St. Mark's account of the transfiguration", in L.D. Hurst et al. (orgs.), *The Glory of Christ in the New Testament*, p.59-70. Hooker vê grande importância no fato de que o evangelho de Marcos apresenta Elias primeiro, afirmando que Moisés estava com ele.

A expressão "segredo messiânico" é uma tradução do alemão *Messiasgeheimnis*, e é derivada do estudo clássico de William Wrede, *The Messianic Secret*. Teorias sobre o segredo messiânico podem ser divididas em duas escolas de pensamento: aquela que acredita que o segredo pode ser depreendido do Jesus histórico e aquela que o considera uma criação de Marcos ou de sua comunidade primitiva. Wrede defende que o segredo messiânico é um produto da comunidade em torno de Marcos, e um elemento literário do próprio evangelho. Ele argumenta que o segredo surge de uma tentativa de Marcos de conciliar uma crença cristã primitiva da Jerusalém do século I, que via Jesus como tendo se transformado em messias somente após a ressurreição, com a visão de que Jesus já era o messias durante toda a sua vida e o seu ministério. O problema com a teoria de Wrede é que não há nada em Marcos 16:1-8 (o final original do evangelho de Marcos) que sugira uma transformação da identidade de Jesus além de seu inexplicável desaparecimento da tumba. De qualquer forma, é difícil explicar como a ressurreição, uma ideia que não era familiar às expectativas messiânicas da Palestina do século I, poderia ter reforçado a crença de que Jesus era o messias. O objetivo do estudo de Wrede era usar o segredo messiânico para mostrar que, em suas palavras, "Jesus na verdade não se apresentou como messias" durante a vida, uma hipótese curiosa e, provavelmente, correta. Dentre os que discordam de Wrede e afirmam que o segredo messiânico pode ser traçado de volta até o Jesus histórico estão O. Cullman, *Christology of the New Testament*, p.111-36, e J.D.G. Dunn, "The messiah secret in Mark", in Tuckett, C. (org.), *The Messiah Secret*, p.116-36. Para informações mais gerais sobre o segredo messiânico, veja J.L. Blevins, *The Messianic Secret in Markan Research, 1901-1976*, e H. Raisanen, *The "Messianic Secret" in Mark*. Raisanen argumenta corretamente que muitas das teorias sobre o segredo messiânico presumem que "o ponto de vista teológico do evangelho de Marcos é baseado em uma única teologia do segredo". Ele acredita, e a maioria dos estudiosos contemporâneos concorda, que o segredo messiânico só pode ser entendido quando o conceito de segredo é "desmembrado ... em partes conectadas apenas de forma solta umas com as outras"; veja Raisanen, *The "Messianic Secret" in Mark*, p.242-3.

Para um resumo preciso dos diversos paradigmas messiânicos que existiam na Palestina do século I, veja C. Evans, "From anointed prophet to anointed king: Probing aspects of Jesus' self-understanding", in *Jesus and His Contemporaries*, p.437-56.

Embora muitos estudiosos contemporâneos concordem comigo que o uso do título Filho do Homem pode ser atribuído ao Jesus histórico, continua a haver muito debate sobre quantas e quais das menções da expressão são autênticas. Marcos indica três funções principais na interpretação por Jesus desse título obscuro. Em primeiro lugar, ele é usado nas descrições de uma figura futura que vem para julgar (Marcos 8:38, 13:26, 14:62). Em segundo, ele é usado quando se fala dos esperados sofrimento e morte de Jesus (Marcos 8:31, 9:12, 10:33). E, finalmente, há um número de passagens em que o Filho do Homem é apresentado como um governante terrestre com a autoridade para perdoar pecados (Marcos 2:10, 2:28). Desses três casos, talvez o segundo seja o mais influente em Marcos. Alguns estudiosos, incluindo H.S. Reimarus, *The Goal of Jesus and His Disciples*, aceitam a historicidade apenas do que não é escatológico, os chamados ditos "humildes". Outros, incluindo B. Lindars, *Jesus Son of Man*, aceitam como autênticos somente aqueles entre os "ditos tradicionais" (Fonte Q e Marcos) que reproduzem a subjacente expressão *bar enasha* (há nove delas) como um modo de autorreferência. Outros, ainda, acreditam que apenas as palavras apocalípticas são autênticas: "As passagens autênticas são aquelas em que a expressão é usada nesse sentido apocalíptico que remonta a Daniel", escreve A. Schweitzer, *The Quest of the Historical Jesus*, p.283. E, claro, há os estudiosos que rejeitam como inautênticas quase todas as referências a Filho do Homem. Na verdade, essa foi mais ou menos a conclusão do famoso "Jesus Seminar", organizado por R.W. Funk e R.W. Hoover, *The Five Gospels: The Search for the Authentic Words of Jesus*. Uma análise abrangente do secular debate sobre o Filho do Homem é fornecida por Delbert Burkett em sua monografia indispensável *The Son of Man Debate*. Um comentário interessante feito por Burkett é que os gnósticos aparentemente entenderam "filho" literalmente, crendo que Jesus estava afirmando sua relação filial com o "aeon" ou deus gnóstico Anthropos, ou "Homem".

Geza Vermes demonstra que o *bar enasha* nunca é um título em nenhuma das fontes em aramaico; veja "The Son of Man debate". Deve ser mencionado que Vermes está entre um grupo pequeno de estudiosos que acreditam que "Filho do Homem", na expressão aramaica, é apenas um circunlóquio para "eu", uma forma indireta e respeitosa de se referir a si mesmo, como quando Jesus diz: "As raposas têm suas tocas e as aves do céu têm ninhos, mas o Filho do Homem não tem [ou seja, eu não tenho] nenhum lugar para reclinar a [minha] cabeça." (Mateus 8:20 | Lucas 9:58) Veja também P.M. Casey, *Son of Man: The Interpretation and Influence of Daniel 7*. Mas, como observa Burkett, o problema básico com a teoria do circunlóquio é que "o idoma requer um pronome demonstrativo ('este homem') que a expressão no evangelho não tem"; veja *The Son of Man Debate*, p.96. Outros tomam o rumo oposto, afirmando que "Filho do Homem" não se refere de maneira alguma a Jesus, mas a outra figura, alguém que Jesus esperava que o seguisse. "Quando o Filho do Homem vier na sua glória, e os santos anjos com ele, ele se assentará no trono da sua glória." (Mateus 25:31) Proeminentes defensores da teoria de que Jesus estava se referindo a alguém mais como o Filho do Homem incluem Julius Wellhausen e Rudolf Bultmann. No entanto, isso também é improvável; no contexto da maioria das menções de Jesus a Filho do Homem, fica claro que ele está falando de si mesmo, como quando compara-se a João Batista: "Veio João, não comendo nem bebendo, e eles dizem: 'Ele tem um demônio.' O Filho do Homem [isto é, eu] veio comendo e bebendo, e dizem: 'Olhem! Um glutão bêbado.'" (Mateus 11:18-19 | Lucas 7:33-34) Entre aqueles que acreditam que "o Filho do Homem" é uma expressão idiomática aramaica significando ou "um homem", em geral, ou, mais especificamente, "um homem como eu" estão B. Lindars, *Jesus Son of Man*, e R. Fuller, "The Son of Man: A reconsideration", in D.E. Groh e R. Jewett (orgs.), *The Living Texts: Essays in Honor of Ernest W. Saunders*, p.207-17. Esses estudiosos notam que Deus se dirige ao profeta Ezequiel como *ben adam*, o que significa um ser humano, mas, talvez, implicando um ser humano ideal. Para a falta de concepção unificada entre os judeus sobre a expressão Filho do Homem, veja N. Perrin, "Son of Man", in *Interpreter's Dictionary of the Bible*, p.833-6, e A.Y. Collins, "The influence of Daniel on the New Testament", in J.J. Collins (org.), *Daniel*, p.90-123.

Embora a expressão "um como filho do homem" nunca seja identificada como o messias, parece que os estudiosos judeus e rabinos do século I a entendiam como tal. Não é claro se Jesus também entendia o uso que Daniel fazia de "um como um filho do homem" como sendo referência a uma figura messiânica. Nem todos os estudiosos acreditam que Daniel está se referindo a uma personalidade distinta ou um indivíduo específico quando usa a expressão "filho do homem". Ele pode estar usando o termo como um símbolo para Israel vitorioso sobre seus inimigos. O mesmo é verdadeiro de Ezequiel, onde o "filho do homem" pode não ser um indivíduo distinto chamado Ezequiel, mas um representante simbólico do homem ideal. Na verdade, Maurice Casey pensa até mesmo que a expressão em Enoque não se refere a um indivíduo distinto, mas simplesmente a um "homem" genérico; veja "The use of the term 'Son of Man' in the *Similitudes* of Enoch". Eu não estou em desacordo com essa posição, mas penso que há uma diferença significativa entre a forma como o termo genérico é usado em, por exemplo, Jeremias 51:43 – "Suas cidades tornaram-se objeto de horror, e uma terra de seca e um deserto, uma terra em que nenhum homem vive, nem filho de homem [*ben adam*] passa" – e a maneira como ele é usado em Daniel 7:13 para se referir a uma figura singular.

Tanto Enoque quanto 4 Esdras identificam explicitamente a figura do "filho do homem" com o messias, mas em 4 Esdras ele também é chamado de "meu filho" por Deus: "Porque o meu filho, o messias, será revelado com aqueles que estão com ele, e aqueles que permanecem se alegrarão por quatrocentos anos. E depois desses anos o meu filho, o messias, morrerá, e todos os que tiverem respiração humana." (4 Esdras 7:28-29) Não há dúvida de que 4 Esdras foi escrito no final do século I, ou talvez no início do século II d.C. No entanto, há muito existe um debate sobre a data de *Similitudes*. Como não havia cópias desse texto entre as muitas cópias de Enoque encontradas em Qumran, a maioria dos estudiosos está convencida de que ela não foi escrita senão bem depois da destruição do Templo em 70 d.C. Veja M. Black, *The Book of Enoch or 1 Enoch: A New English Edition with Commentary and Textual Notes*. Veja também D. Suter, "Weighed in the balance: The Similitudes of Enoch in recent discussion", e J.C. Hindly, "Towards a date for the Similitudes of Enoch: A historical approach". Hindly oferece uma data entre 115 e 135 d.C. para a obra *Similitudes*, que é um pouco tarde, na minha opinião. Bem ou mal, a melhor data que podemos dar é algum tempo depois da destruição de Jerusalém em 70 d.C., mas antes da composição do evangelho de Mateus, em torno de 90 d.C.

Sobre os paralelos entre o Filho do Homem de Enoque e o Filho do Homem do evangelho no material que é exclusivo de Mateus, consulte Burkett, *The Son of Man Debate*, p.78, e também J.J. Collins, "The heavenly representative: The 'Son of Man' in the Similitudes of Enoch", in J.J. Collins e G. Nickelsburg (orgs.), *Ideal Figures in Ancient Judaism: Profiles and Paradigms*, p.111-33. Sobre o Filho do Homem como um ser celestial preexistente no quarto evangelho, consulte D. Burkett, *The Son of the Man in the Gospel of John*, e R.G. Hamerton-Kelly, *Pre-Existence, Wisdom, and the Son of Man*. Deve-se notar que nem no texto *Similitudes* nem em 4 Esdras a expressão "Filho do Homem" é usada.

Jesus diante de Caifás cita não só Daniel 7:13, mas também Salmos 110:1 ("O Senhor disse ao meu senhor: 'Senta-te à minha direita até que eu faça de teus inimigos o teu escabelo.'"). A conexão entre Daniel 7:13 e Salmos 110:1 na resposta de Jesus ao sumo sacerdote pode parecer, à primeira vista um pouco desconexa. Mas, de acordo com T.F. Glasson, Jesus está estabelecendo uma relação natural. Glasson observa que, em Daniel, a vinda do Filho do Homem "com as nuvens do céu" simboliza o estabelecimento do Reino de Deus na terra. Assim, uma vez que Jesus é exaltado à mão direita de Deus, o reino que ele pregava em 1:15 irá emergir como a "nova comunidade dos santos". De acordo com Glasson, a referência aos Salmos demonstra exaltação pessoal de Jesus, enquanto que a referência a Daniel indica a inauguração do reino na terra – um evento que deve começar com a sua morte e ressurreição. Essa ideia é bastante conectada com a tríplice interpretação de Jesus do Filho do Homem. Em outras palavras, Glasson acredita que esse é o momento em que os dois títulos, messias e Filho do Homem, se reúnem para Jesus. Veja T.F. Glasson, "Reply to Caiaphas (Mark 14:62)". Mary Ann L. Beavis observa os paralelos entre a história de Jesus diante de Caifás e a confissão anterior feita por Pedro. Ambas as cenas começam com a questão da identidade de Jesus (8:27, 14:60) e ambas terminam com um discurso sobre o Filho do Homem. Além disso, em ambos os casos, a reinterpretação de Jesus do título messiânico é recebida com uma condenação contundente (8:32-33, 14:63-65); veja M.A.L. Beavis, "The trial before the Sanhedrin (Mark 14:53-65): Reader response and Greco-Roman readers".

12. Nenhum rei senão César (p.166-78)

Por mais tentador que seja descartar a traição de Judas Iscariotes como um simples recurso narrativo, o fato é que esse é um detalhe atestado por todos os quatro evangelistas, embora cada um apresente uma explicação diferente para a traição.

Marcos e Mateus deixam claro que "a multidão" tinha sido expressamente enviada pelo Sinédrio, e Lucas acrescenta a presença dos capitães do Templo no grupo de aprisionamento, para deixar seu ponto bem claro. Somente o evangelho de João indica a presença de tropas romanas no grupo de aprisionamento. Isso é altamente improvável, já que nenhum soldado romano iria deter um criminoso e entregá-lo ao Sinédrio, a menos que fosse obrigado a fazê-lo pelo governador, e não há nenhuma razão para pensar que Pilatos estivesse envolvido na situação de Jesus até que este fosse levado diante dele. Embora Marcos pareça sugerir que quem empunhou a espada não era um discípulo, mas "alguém entre os que estavam por perto" (Marcos 14:47), os outros evangelhos deixam claro que foi de fato um discípulo que cortou a orelha do funcionário do Templo. João chega mesmo a identificar o discípulo espadachim como Simão Pedro (João 18:8-11). O desconforto de Lucas com um Jesus que parece resistir à prisão é amenizado por sua insistência em que Jesus parou o tumulto e curou a orelha do pobre funcionário antes de permitir-se ser levado (Lucas 22:49-53).

Dito isto, é Lucas que afirma especificamente que os discípulos foram comandados por Jesus a trazer duas espadas ao Getsêmani (Lucas 22:35-38).

Sobre Eusébio, consulte *Pamphili Eusebius, Ecclesiastical History III.3*, citado em G.R. Edwards, *Jesus and the Politics of Violence*, p.31. A narrativa de Eusébio tem sido contestada por alguns estudiosos contemporâneos, incluindo L.M. White, *From Jesus to Christianity*, p.230.

Raymond Brown descreve o argumento usando um conjunto de narrativas da paixão anteriores aos evangelhos em sua enciclopédica obra de dois volumes *The Death of the Messiah*, p.53-93. Contra Brown existe a chamada Escola Perrin, que rejeita a noção de uma narrativa da paixão pré-Marcos e afirma que a narrativa do julgamento e crucificação foi moldada por Marcos e adaptada por todos os evangelhos canônicos, incluindo João; veja W.H. Kelber (org.), *The Passion in Mark: Studies on Mark 14-16*.

Para o uso da crucificação entre os judeus, veja E. Bammel, "Crucifixion as a punishment in Palestine", in E. Bammel (org.), *The Trial of Jesus*, p.162-5. Josef Blinzler observa que no tempo dos romanos havia algum senso de uniformidade no processo de crucificação, especialmente quando se tratava de pregar as mãos e os pés em uma viga. Havia geralmente um açoitamento prévio e, pelo menos entre os romanos, era esperado que o criminoso carregasse a própria cruz até o local da crucificação. Veja J. Blinzler, *The Trial of Jesus*.

Josefo observa que os judeus que tentaram escapar de Jerusalém quando a cidade foi sitiada por Tito foram executados primeiro, depois crucificados: *A Guerra Judaica* 5.449-51. Martin Hengel escreve que embora a crucificação fosse uma punição reservada para cidadãos não romanos, houve exceções, mas deliberadamente como resposta a crimes considerados traições. Em outras palavras, dando ao cidadão um "castigo de escravo" a mensagem era que o crime fora tão grave que cancelava a cidadania romana do criminoso. Veja M. Hengel, *Crucifixion in the Ancient World and the Folly of the Message of the Cross*, p.39-45. A citação de Cícero é de Hengel, p.37. Veja também J.W. Hewitt, "The use of nails in the crucifixion".

Quanto ao julgamento de Jesus diante de Caifás nos evangelhos, Mateus e Marcos afirmam que Jesus foi levado para o pátio (*aule*) do sumo sacerdote, e não ao Sinédrio. Ao contrário de Marcos, Mateus cita especificamente o sumo sacerdote Caifás. João diz que Jesus foi levado primeiro ao sumo sacerdote anterior, Ananus, antes de ser transferido para o seu genro e sumo sacerdote na ocasião, Caifás. É interessante notar que Marcos trata como falsa a afirmação de que Jesus vai derrubar o Templo e construir outro sem mãos humanas. Como Mateus, Lucas-Atos e João deixam claro, aquilo foi precisamente o que Jesus ameaçou fazer (Mateus 26:59-61; Atos 6:13-14; João 2:19). Na verdade, uma versão dessa mesma declaração pode ser encontrada no evangelho de Tomé: "Eu vou destruir esta casa e ninguém será capaz de reconstruí-la." Mesmo Marcos coloca essa exata frase nas bocas dos transeuntes que zombam de Jesus na cruz. Se a declaração fosse falsa, como Marcos alega, onde os transeuntes a teriam ouvido? Na sessão noturna fechada do Sinédrio? Improvável. De fato, tal afirmação parece ter sido parte dos acréscimos da fundação cristológica da Igreja pós-70 d.C., que considerou a comunidade cristã como sendo o "Templo feito sem mãos humanas". Não pode haver dúvida de que, seja quais tiverem sido as palavras reais de Jesus, na verdade ele tinha ameaçado o Templo de alguma forma. O próprio Marcos atesta isso: "Vedes essas construções? Nenhuma pedra será deixada sobre outra, tudo vai ser derrubado." (Marcos 13:2) Para mais informações sobre as ameaças de Jesus ao Templo, veja R. Horsley, *Jesus and the Spiral of Violence*, p.292-6. Com tudo isso em mente, a sobreposição de desculpas de Marcos no julgamento perante o Sinédrio surge como uma tentativa ridiculamente artificial para mostrar a injustiça de quem fez acusações contra Jesus, não importando se essas acusações fossem verdadeiras – o que, neste caso, elas muito provavelmente eram.

Raymond Brown apresenta 27 discrepâncias entre o julgamento de Jesus perante o Sinédrio e procedimentos rabínicos posteriores; veja *Death of the Messiah*, p.358-9. D.R. Catchpole examina o argumento contra a historicidade do julgamento em "The historicity of the Sanhedrin trial", in E. Bammel (org.), *The Trial of Jesus*, p.47-65. Que os julgamentos noturnos eram, no mínimo, incomuns é demonstrado por Atos 4:3-5, em que Pedro e João são presos durante a noite, mas têm que esperar até o amanhecer para serem julgados perante o Sinédrio. Lucas, que escreveu aquela passagem do Livro de Atos, tenta corrigir o erro de seus colegas evangelistas, defendendo duas reuniões do Sinédrio: uma na noite em que Jesus foi preso e outra "quando veio o dia". Em Atos 12:1-4, Pedro é preso durante o Pêssach, mas não é levado perante o povo para julgamento até depois de a festa acabar, embora Solomon Zeitlin apresente exceção à ideia de que o Sinédrio não podia reunir-se na véspera do sabá; S. Zeitlin, *Who Crucified Jesus?*. Poder-se-ia defender aqui a sequência de acontecimentos de João, em que o Sinédrio se reuniu dias antes de prender Jesus, mas considerando que nesse evangelho a entrada triunfal de Jesus em Jerusalém e sua purificação do Templo – que todos os estudiosos concordam ter sido o impulso para sua prisão – estavam entre os primeiros atos de seu ministério, a lógica de João desmorona.

A respeito da discussão sobre se os judeus tinham o direito, sob a ocupação romana, de condenar criminosos à morte, veja R. Brown, *Death of the Messiah*, vol.1, p.331-48. A conclusão de Catchpole sobre essa questão é, na minha opinião, a correta: "Os judeus poderiam julgar [um caso de pena de morte], mas não poderiam executar"; veja "The historicity of the Sanhedrin trial", p.63. G.W.H. Lampe sugere que um registro oficial do "julgamento" de Jesus diante de Pilatos poderia ter sido preservado, considerando-se a preservação de atas semelhantes dos mártires cristãos. Aparentemente, vários escritores cristãos mencionam uma *Acta Pilati* existente nos séculos II e III. Mas mesmo que isso fosse verdade (e muito provavelmente não é), não há razão para acreditar que tal documento representaria nada além de uma polêmica cristológica. Veja G.W.H. Lampe, "The trial of Jesus in the *Acta Pilati*", in E. Bammel e C.F.D. Moule (orgs.), *Jesus and the Politics of His Day*, p.173-82.

Plutarco escreveu que "todo malfeitor que vai para a execução carrega a sua própria cruz".

Parte III

Prólogo: Deus feito carne (p.181-9)

A evidência de que Estevão era um judeu da Diáspora vem do fato de que ele é designado como o líder dos Sete, os "Helenistas" que entraram em conflito com os "Hebreus", como narrado em Atos 6 (veja adiante mais informações sobre os Helenistas). Os apedrejadores de Estevão eram libertos, eles próprios helenistas, mas recentemente imigrados a Jerusalém e teologicamente alinhados com a liderança judaica local; veja M.-E. Rosenblatt, *Paul the Accused*, p.24.

As primeiras fontes que temos para a crença na ressurreição dos mortos podem ser encontradas nas tradições ugarítica e iraniana. As escrituras de Zoroastro, principalmente Gathas, apresentam o mais antigo e talvez o mais bem-desenvolvido conceito de ressurreição do indivíduo quando fala dos mortos "levantando-se em seus corpos" no final do tempo (Yasna 54). Os egípcios acreditavam que o faraó seria ressuscitado, mas não aceitavam a ressurreição das massas.

Stanley Porter encontra exemplos de ressurreição corporal nas religiões grega e romana, mas afirma que há pouca evidência da ideia de ressurreição física dos mortos no pensamento judaico; veja S.E. Porter, M.A. Hayes e D. Tombs, *Resurrection*. Jon Douglas Levenson discorda de Porter, argumentando que a crença na ressurreição do corpo está enraizada na Bíblia Hebraica e não é, como alguns argumentaram, apenas parte do período do segundo Templo ou da literatura apocalíptica escrita depois de 70 d.C.; veja *Resurrection and the Restoration of Israel*. Levenson afirma que, após a destruição de Jerusalém, havia uma crença crescente entre o rabinato de que a redenção de Israel exigia a ressurreição em carne e osso dos mortos. Mas mesmo ele admite que a grande maioria das tradições da ressurreição encontradas no judaísmo não é sobre a exaltação individual, mas sobre restauração nacional. Em outras palavras, trata-se de uma ressurreição metafórica do povo judeu como um todo, e não da ressurreição literal dos mortais que tinham morrido e voltam em carne e osso. Na verdade, Charlesworth observa que, se por "ressurreição" queremos dizer "o conceito de Deus de levantar o corpo e a alma após a morte (literalmente entendido) para uma vida nova e eterna (e não um retorno à existência mortal)", então só há uma passagem em toda a Bíblia Hebraica que se adapta a esse critério – Daniel 12:2-3: "Muitos dos que dormem no pó da terra ressuscitarão, uns para a vida eterna e outros para vergonha e desprezo eternos." As muitas outras passagens que foram interpretadas como referência à ressurreição dos mortos simplesmente não resistem ao escrutínio. Por exemplo, Ezequiel 37 – "Assim diz o Senhor Deus a esses ossos: eu farei com que a respiração entre em vós e vós vivereis novamente" – refere-se de forma explícita a esses ossos como "a casa de Israel". O Salmo 30, no qual Davi escreve "Eu gritei por ti e tu me curaste. Ó Senhor, tu me trouxeste do Sheol, impediu-me de descer à cova" (30:2-4), trata, obviamente, da cura de uma doença, não sendo literalmente uma ressurreição dos mortos. O mesmo vale para a história de Elias ressuscitando os mortos (1 Reis 17:17-24), ou, aliás, para Jesus ressuscitando Lázaro (João 11:1-46), narrativas que se enquadram na categoria de histórias de cura e não de ressurreição, já que a pessoa que "ressuscitou" presumivelmente morrerá de novo. Charlesworth, no entanto, vê provas da crença na ressurreição dos mortos para a imortalidade nos *Manuscritos do mar Morto*, em especial em um livro chamado *Sobre a ressurreição* (4Q521), que afirma que Deus, através do messias, vai trazer os mortos à vida. Curiosamente, isso parece se encaixar com a crença de Paulo de que os crentes em Cristo ressuscitado também serão ressuscitados: "E os mortos em Cristo ressuscitarão" (1 Tessalônicos 4:15-17); veja J.H. Charlesworth et al., *Resurrection: The Origin and Future of a Biblical Doctrine*. Esses pergaminhos que parecem implicar que o Pregador Justo de Qumran vai ressuscitar dentre os mortos falam não sobre a ressurreição literal do corpo, mas sobre um ressuscitar metafórico de libertação para um povo que tinha se divorciado do Templo. Há algo parecido com uma ideia de ressurreição nas pseudoepígrafes, por exemplo em 1 Enoque 22-27 ou em 2 Macabeus 14, em que Razis dilacera suas entranhas e Deus as coloca de volta. Além disso, *O Testamento de Judá* implica que Abraão, Isaac e Jacó vão se alçar para viver de novo (25:1). No que diz respeito às ideias da ressurreição na Mishná, Charlesworth observa corretamente que tais passagens são demasiado tardias (pós-século II d.C.) para serem citadas como exemplos de crenças judaicas antes de 70 d.C., embora ele admita ser possível que "a tradição no Sinédrio da Mishná tenha definido as crenças de alguns fariseus pré-anos 70 d.C.".

Rudolf Bultmann encontra evidências para o conceito de morte e ressurreição do filho da divindade nas chamadas "religiões de mistério" de Roma. Ele afirma que "o gnosticismo acima de tudo está ciente da noção do Filho de Deus que se fez homem – e um homem celestial redentor"; veja *Essays: Philosophical and Theological*, p.279. Mas eu acho que Martin Hengel está certo ao notar que a grande onda de interesse em "religiões de mistério" que surgiu no Império Romano e a síntese com o judaísmo e o protocristianismo daí resultante não aconteceu até o século II. Em outras palavras, pode ter sido o cristianismo que influenciou o conceito de morte e ressurreição da divindade no gnosticismo e nas religiões de mistério, e não o contrário; veja M. Hengel, *The Son of God*, p.25-41.

Outros textos importantes para o estudo histórico e cultural da ressurreição no mundo antigo incluem G. Vermes, *The Resurrection: History and Myth*, e N.T. Wright, *The Resurrection of the Son of God*.

Não pode haver dúvida alguma de que o Salmo 16 é autorreferencial, já que a primeira pessoa do singular é usada desde o início: "Guarda-me, ó Deus, porque em ti me refugio." A palavra hebraica traduzida aqui como "devoto" é *chasid*. Parece-me óbvio que a referência de Davi a si mesmo como "um devoto" tem mais a ver com sua piedade e devoção a Deus do que com a deificação, seja do próprio Davi (que teria sido inimaginável), seja de qualquer figura davídica futura. Claro, Lucas teria usado a Septuaginta do Salmo 16:8-11, que traduz o hebraico *chasid* como o grego *hosion*, que significa "santo" e que, dado o contexto e o significado do salmo, deve ser visto como sinônimo de "devoto". Pode ser um enorme esforço de imaginação considerar esse salmo como sendo sobre o messias, mas é ridículo interpretar isso como prevendo a morte e a ressurreição de Jesus.

A longa defesa de Estevão no Livro de Atos é, obviamente, composição de Lucas – ela foi escrita seis décadas após a morte de Estevão. Mas o trecho resiste ao escrutínio, pois Lucas foi ele próprio um judeu da Diáspora, um convertido sírio de língua grega da cidade de Antioquia, e sua percepção de quem era Jesus teria se alinhado com a percepção de Estevão.

Entre os erros mais flagrantes na negligente narrativa de Estevão da história bíblica: Estevão fala de Abraão comprar o túmulo em Siquém para seu neto Jacó ser enterrado, enquanto a Bíblia diz que foi Jacó quem comprou o túmulo em Siquém (Gênesis 33:19), embora ele mesmo tenha sido enterrado com Abraão em Hebron (Gênesis 50:13). Estevão afirma que Moisés viu a sarça ardente no monte Sinai, quando na verdade foi no monte Horebe, que, apesar de alguns argumentos em contrário, não era o mesmo que o Sinai (Êxodo 3:1). Ele, então, passa a afirmar que um anjo deu a lei a Moisés, quando foi o próprio Deus quem o fez. É possível, claro, que Lucas tenha sido influenciado pela tradição do Jubileu, que afirma que a lei foi dada a Moisés pelo "Anjo da Presença". Jubileu 45.15-16 diz: "E Israel abençoou seus filhos antes de morrer e disse-lhes tudo o que iria acontecer a eles na terra do Egito; e tornou conhecido a eles o que lhes ocorreria nos últimos dias, e os abençoou, e deu a José duas porções de terra. E ele dormiu com seus pais, e foi sepultado na dupla caverna na terra de Canaã, perto de Abraão seu pai, na sepultura que cavou para si mesmo na dupla caverna na terra de Hebron. E ele deu todos os seus livros e os livros de seus pais para Levi seu filho para que ele pudesse preservá-los e renová-los para os seus filhos até o dia de hoje." Curiosamente, Jubileu também sugere que a Torá foi escrita por Moisés, sendo o mais antigo testemunho da tradição da autoria mosaica para a Torá.

Para saber mais sobre o significado da frase "à direita de Deus", veja o verbete em D.N. Freedman et al., *Eerdmans Dictionary of the Bible*. Para Freedman, o anel de sinete era usado na mão direita real (Jeremias 22:24); o filho mais velho recebia a bênção maior pela mão direita (Gênesis 48:14,17); a posição de honra era à direita de alguém (Salmos 110:1); e a mão direita de Deus realiza atos de libertação (Êxodo 15:6), vitória (Salmos 20:6) e força (Isaías 62:8). As observações de Tomás de Aquino são da *Summa Theologica*, questão 58.

13. Se Cristo não foi ressuscitado (p.190-200)

Houve, na realidade, dois (embora alguns digam três) véus que dividiam o Santo dos Santos do resto do Templo: um véu exterior que estava pendurado na entrada para o santuário interior e um véu interior dentro do santuário propriamente dito, que separava o *hekal*, ou portal, a partir da câmara menor na qual o Espírito de Deus habitava. Que véu é o indicado nos evangelhos é irrelevante, já que a história é lenda, mas deve-se notar que apenas o véu exterior teria sido visível para qualquer pessoa além do sumo sacerdote; veja D. Gurtner, *Torn Veil: Matthew's Exposition of the Death of Jesus.*

Embora tanto a evidência histórica quanto o Novo Testamento demonstrem claramente que os seguidores de Jesus permaneceram em Jerusalém após a sua crucificação, é interessante notar que o evangelho de Mateus tem Jesus ressuscitado dizendo aos discípulos para encontrá-lo de volta na Galileia (Mateus 28:7).

O. Cullman, *The State in the New Testament*; *The Christology of the New Testament*; J. Gager, *Kingdom and Community: The Social World of the Early Christians*; e M. Dibelius, *Studies in the Acts of the Apostles*, demonstraram que os primeiros seguidores de Jesus não tiveram sucesso em persuadir os outros habitantes de Jerusalém a aderir ao movimento. Gager observa corretamente que, em geral, "os mais antigos convertidos não representavam os setores estabelecidos da sociedade judaica" (p.26). Dibelius sugere que a comunidade de Jerusalém não estava nem mesmo interessada em pregar fora da cidade, mas que levava uma vida tranquila de devoção e contemplação enquanto aguardava a segunda vinda de Jesus.

Gager explica o sucesso do movimento inicial de Jesus, apesar de suas muitas contradições doutrinárias, confiando em um estudo sociológico fascinante feito por L. Festinger, H.W. Riecken e S. Schachter intitulado *When Prophecy Fails: A Social and Psychological Study of a Modern Group That Predicted the Destruction of the World*, que, nas palavras de Gager, demonstra que "sob certas condições, uma comunidade religiosa cujas crenças fundamentais são contraditadas pelos acontecimentos do mundo não necessariamente entra em colapso e se dissolve. Em vez disso, pode realizar a atividade missionária zelosa como uma resposta ao seu sentido de dissonância cognitiva, ou seja, uma condição de angústia e dúvida decorrente da não confirmação de uma crença importante" (p.39). Como o próprio Festinger coloca em seu estudo subsequente, *A Theory of Cognitive Dissonance*: "A presença de dissonância dá origem a pressões para reduzir ou eliminar a dissonância. A intensidade da pressão para reduzir a dissonância é uma função da magnitude da dissonância." (p.18)

Há um grande debate sobre o que significava exatamente "Helenista". O termo poderia ter significado que eram gentios convertidos ao cristianismo, como W. Bauer argumenta na obra *Orthodoxy and Heresy in Earliest Christianity*. H.J. Cadbury concorda com Bauer. Ele acha que os Helenistas eram cristãos gentios que podem ter vindo da Galileia ou de outras regiões de gentios e que não eram favoravelmente inclinados à lei de Moisés; veja "The Hellenists", in K. Lake e H.J. Cadbury (orgs.), *The Beginnings of Christianity*, vol.1, p.59-74. No entanto, o termo Helenista provavelmente se refere aos judeus de língua grega da Diáspora, como Martin Hengel demonstra de maneira convincente em *Between Jesus and Paul*. Marcel Simon concorda com Hengel, embora também acredite (contra Hengel) que o termo tinha conotações pejorativas entre os judeus da Judeia por seu conteúdo grego (isto é, pagão). Simon observa que

Helenismo consta da lista das heresias de Justino Mártir em *Trypho* (80.4); veja *St. Stephen and the Hellenists in the Primitive Church*.

Que os Sete eram líderes de uma comunidade independente na Igreja primitiva é comprovado pelo fato de que eles são apresentados como pregando ativamente, curando e realizando sinais e maravilhas. Eles não são garçons cuja principal responsabilidade é a distribuição de alimentos, como sugere Lucas em Atos 6:1-6.

Hengel escreve que "a parte da comunidade de língua aramaica quase não foi afetada" pela perseguição dos Helenistas, e observa que, considerando o fato de que os Hebreus tinham ficado em Jerusalém, pelo menos até o início da guerra, em 66 d.C., eles devem ter chegado a algum tipo de acomodação com as autoridades sacerdotais. "Na Palestina judaica, apenas uma comunidade que se mantivesse rigorosamente fiel à lei poderia sobreviver ao longo do tempo", *Between Jesus and Paul*, p.55-6.

Outra razão para considerar o movimento de Jesus nos primeiros anos após a crucificação como uma missão exclusivamente judaica é que, entre os primeiros atos dos apóstolos após a morte de Jesus, substituiu-se Judas Iscariotes por Matias (Atos 1:21-26). Isso pode indicar que a noção de reconstituição das tribos de Israel ainda estava viva imediatamente após a crucificação. De fato, entre as primeiras perguntas que os discípulos fizeram a Jesus ressuscitado era saber, agora que ele estava de volta, se pretendia "restaurar o reino de Israel". Ou seja, você irá executar agora a função messiânica que não conseguiu realizar durante a sua vida? Jesus se esquiva da pergunta: "Não cabe a vós saber os tempos ou as estações que o Pai estabeleceu como seu poder [de realizar tais coisas]." (Atos 1:7)

14. Não sou eu um apóstolo? (p.201-14)

Das cartas do Novo Testamento atribuídas a Paulo, apenas sete podem ser seguramente ligadas a ele: 1 Tessalônicos, Gálatas, 1 e 2 Coríntios, Romanos, Filipenses e Filemon. Cartas atribuídas a Paulo, mas provavelmente não escritas por ele incluem Colossenses, Efésios, 2 Tessalônicos, 1 e 2 Timóteo e Tito.

Há algum debate sobre a data da conversão de Paulo. A confusão decorre da declaração de Paulo em Gálatas 2:1 de que ele foi para o Conselho Apostólico em Jerusalém "depois de catorze anos". Supondo que o conselho foi realizado por volta do ano 50 d.C., isso colocaria a conversão de Paulo em torno de 36 ou 37 d.C. Esta é a data preferida por J. Tabor, *Paul and Jesus*. No entanto, alguns estudiosos acreditam que Paulo quer dizer catorze anos depois de sua *primeira* aparição diante dos apóstolos, que ele afirma ter ocorrido três anos após sua conversão. Isso colocaria a conversão perto de 33 d.C., data preferida por M. Hengel, *Between Jesus and Paul*, p.31. A. Harnack, em *The Mission and Expansion of Christianity in the First Three Centuries*, calcula que Paulo se converteu dezoito meses após a morte de Jesus, mas acho que é muito cedo. Concordo com Tabor e outros que a conversão de Paulo deu-se mais provavelmente por volta de 36 ou 37 d.C., catorze anos antes do Conselho Apostólico.

Que a referência de Paulo na carta aos Gálatas aos "chamados pilares da Igreja" era dirigida de forma específica aos apóstolos baseados em Jerusalém e não a alguns judeus cristãos anônimos de quem discordava está definitivamente comprovado por Gerd Ludemann em sua obra indispensável *Paul: The Founder of Christianity*, especialmente p.69 e 120, e por M.E. Boring, *Opposition to Paul in Jewish Christianity*; veja também Tabor, *Paul and Jesus*, p.19, e J.D.G. Dunn, "Echoes of the intra-Jewish polemic in Paul's letter to the Galatians".

Houve um debate feroz, recentemente, sobre o papel de Paulo na criação do que hoje consideramos o cristianismo, com um número de estudiosos contemporâneos vindo em defesa de Paulo e pintando-o como judeu devoto, que se manteve fiel à herança judaica e às leis e aos costumes de Moisés, mas que por acaso via sua missão como a de adaptar o judaísmo messiânico para um público gentio. A visão tradicional de Paulo entre os estudiosos do cristianismo poderia talvez ser mais bem resumida por R. Bultmann, *Faith and Understanding*, que sabiamente descreveu a doutrina de Paulo sobre Cristo como "basicamente uma nova religião, em contraste com o cristianismo palestino original". Estudiosos que mais ou menos concordam com Bultmann incluem A. Harnak, *What Is Christianity?*; H.J. Schoeps, *Paul: The Theology of the Apostle in the Light of Jewish History*; e G. Ludemann, *Paul: The Founder of Christianity*. Entre os recentes estudiosos que veem Paulo como um judeu fiel que apenas tentou traduzir o judaísmo para um público gentio estão L.M. White, *From Jesus to Christianity*, e minha antiga professora M.-É. Rosenblatt, *Paul the Accused*.

Em última análise, há alguma verdade em ambas as perspectivas. Os que acreditam que Paulo foi o criador do cristianismo como o conhecemos, ou que foi ele quem totalmente divorciou a nova fé do judaísmo, muitas vezes não levam em devida consideração o ecletismo do judaísmo da Diáspora ou a influência dos Helenistas de língua grega (entre os quais o próprio Paulo se inclui), de quem ele provavelmente ouviu pela primeira vez sobre Jesus de Nazaré. Mas, para ser claro, os Helenistas podem não ter dado ênfase à lei de Moisés em sua pregação, mas não a demonizaram; podem ter abandonado a circuncisão como requisito para a conversão, mas não a relegaram a cães e malfeitores ou sugeriram que aqueles que discordassem fossem castrados, como Paulo fez (Gálatas 5:12). Não importa se Paulo adotou sua incomum doutrina dos Helenistas ou inventou-a ele próprio; o que mesmo seus mais ferrenhos defensores não podem negar é o quão desviante suas opiniões eram até dos movimentos judaicos mais experimentais do seu tempo.

Que Paulo está falando de si mesmo quando cita Isaías 49:1-6 sobre "a raiz de Jessé" servindo como "uma luz para os gentios", é óbvio, já que até mesmo Paulo admite que Jesus não pregava para os gentios (Romanos 15:12).

Uma pesquisa feita por N.A. Dahl demonstra o quão incomum era o uso que Paulo fazia de *Xristos* (Cristo). Dahl observa que, para Paulo, *Xristos* nunca é um predicado, nunca regido por um genitivo, nunca um título, mas sempre uma designação, e nunca usado na forma aposicional, como em *Yesus ha Xristos*, ou Jesus, o Cristo. Veja N.A. Dahl, *Jesus the Christ: The Historical Origins of Christological Doctrine*.

Não era incomum ser chamado de Filho de Deus no judaísmo antigo. Deus chama Davi de seu filho: "Hoje gerei a ti." (Salmos 2:7) Ele ainda chama Israel de seu "filho primogênito" (Êxodo 4:22). Mas, em todos os casos, Filho de Deus é entendido como um título, não uma descrição. A visão de Paulo de Jesus como o filho literal de Deus é sem precedentes no judaísmo do segundo Templo.

Lucas afirma que Paulo e Barnabé se separaram por causa de uma "contenda afiada", que Lucas afirma ter sido sobre a possibilidade de levar Marcos com eles em sua próxima viagem missionária, mas que é obviamente ligada ao que aconteceu em Antioquia logo após o Conselho Apostólico. Enquanto Pedro e Paulo estavam em Antioquia, eles se engajaram em uma briga pública feroz porque, de acordo com Paulo, Pedro parou de compartilhar uma mesa com os gentios assim que uma delegação enviada por Tiago chegou à cidade, "por medo da facção da circuncisão" em Jerusalém (Gálatas 2:12). Claro, Paulo é a nossa única fonte para esse evento, e há muitas razões para duvidar de sua versão, sobretudo pelo fato de que a partilha de uma mesa com os gentios não é proibida pela lei judaica. É mais provável que a discussão tenha sido sobre a manutenção das leis da dieta judaica – isto é, não comer alimentos gentios –, e Barnabé teria se colocado ao lado de Pedro na questão.

Lucas diz que Paulo foi enviado a Roma para escapar de uma conspiração judaica para matá-lo. Ele também afirma que o tribuno romano ordenou que quase quinhentos de seus soldados acompanhassem pessoalmente Paulo a Cesareia. Isto é simplesmente absurdo e pode ser ignorado de maneira categórica. Lucas também pode estar errado ao afirmar que Paulo era cidadão romano. Paulo chama a si mesmo de cidadão de Tarso, não de Roma.

Cláudio expulsou os judeus de Roma, de acordo com o historiador Suetônio, "porque os judeus de Roma estavam envolvendo-se em tumultos constantes por instigação de Cresto". Acredita-se que, por Cresto, Suetônio queria dizer Cristo, e que essa briga entre os judeus era entre os judeus cristãos e não cristãos da cidade. Como F.F. Bruce observa, "devemos nos lembrar que, enquanto nós com a nossa retrospectiva podemos distinguir entre judeus e cristãos desde o reinado de Cláudio, as autoridades romanas da época não sabiam fazer tal distinção"; veja F.F. Bruce, "Christianity under Claudius".

15. O Justo (p.215-29)

As descrições de Tiago e das súplicas dos judeus são ambas tomadas da narrativa do palestino hebreu cristão Hegésipo (100-180 d.C.). Temos acesso aos cinco livros da história da Igreja primitiva de Hegésipo apenas por meio de passagens citadas no texto da *História eclesiástica* do século III de Eusébio de Cesareia (c.260-c.339 d.C.), um arcebispo da Igreja sob o imperador Constantino.

Quão confiável Hegésipo é como fonte pode ser um assunto de grande debate. Por um lado, há uma série de declarações suas cuja historicidade a maioria dos estudiosos aceita sem contestação, incluindo a afirmação de que "o controle da Igreja passou, juntamente com os apóstolos, para o irmão do Senhor, Tiago, a quem todos, desde o tempo do Senhor, até o nosso próprio, chamam de o Justo, pois havia muitos Tiagos, mas esse era santo desde o seu nascimento" (Eusébio, *História eclesiástica* 2.23). Essa afirmação é apoiada com várias comprovações (veja a seguir) e pode ser rastreada até as cartas de Paulo e o Livro de Atos. No entanto, existem algumas tradições em Hegésipo que são confusas e absolutamente incorretas, incluindo sua afirmação de que Tiago foi autorizado a "entrar no Santuário sozinho". Se por "Santuário" Hegésipo queria dizer o Santo dos Santos (e há alguma dúvida em saber se é realmente o que ele quer dizer), então a afirmação é claramente falsa, pois só o sumo sacerdote podia entrar ali. Há também uma tradição variante da morte de Tiago em Hegésipo que contradiz o que os estudiosos aceitam como o relato mais confiável, o de Josefo em *Antiguidades*. Conforme registrado na *História eclesiástica*, foi a resposta de Tiago ao pedido dos judeus para ajudar a dissuadir as pessoas de seguir Jesus como o messias que finalmente leva à sua morte: "E [Tiago] respondeu com grande voz: 'Por que vós me perguntais a respeito de Jesus, o Filho do Homem? Ele se senta no céu à direita do grande poder, e está prestes a vir sobre as nuvens do céu!' Então eles agrediram o homem justo e disseram-se uns aos outros: 'Vamos apedrejar Tiago, o Justo.' E eles começaram a apedrejá-lo, porque ele não foi morto pela queda; ele virou-se, ajoelhou-se e disse: 'Rogo-vos, Senhor Deus, nosso Pai, perdoai-lhes, porque não sabem o que fazem.'"

O que é fascinante sobre essa história é que ela parece ser uma variante da história do martírio de Estêvão no Livro de Atos, ela própria um empréstimo da resposta de Jesus ao sumo sacerdote Caifás no evangelho de Marcos. Note também o paralelo entre o discurso de morte de Tiago e o de Jesus na cruz em Lucas 23:24.

Hegésipo termina a história do martírio de Tiago assim: "E um deles, um dos tintureiros, tomou o porrete com o qual batia roupas [na profissão de tintureiro] e golpeou o homem justo apenas na cabeça. E, assim, ele sofreu o martírio. E o sepultaram no local, perto do Templo, e seu monumento permanece ali. Ele se tornou um verdadeiro testemunho, tanto a judeus como a gregos, que Jesus é o Cristo. E logo Vespasiano os sitiou." (Eusébio, *História eclesiástica* 2.23.1-18). Novamente, embora os estudiosos sejam quase unânimes em preferir a narrativa de Josefo para a morte de Tiago à de Hegésipo, vale mencionar que essa última tradição encontra eco na obra de Clemente de Alexandria, que escreve: "Havia dois Tiagos, um, o Justo, que foi jogado do parapeito [do Templo] e espancado até a morte com o porrete do pisoteador, e o outro Tiago [filho de Zebedeu], que foi decapitado." (Clemente, *Disposições*, Livro 7)

Josefo escreve sobre a rica aristocracia sacerdotal apoderando-se dos dízimos dos sacerdotes inferiores em *Antiguidades* 20.180-1: "Mas o sumo sacerdote, Ananus, ele aumentou em glória a cada dia, e isso em grande medida, e obteve o favor e a estima dos cidadãos de forma bem marcada, pois ele era um grande colecionador de dinheiro: ele, portanto, cultivou a amizade de Albino e do sumo sacerdote [Jesus, filho de Damneus], dando-lhes presentes; ele também tinha servos que eram muito maus, que se juntaram aos mais ousados tipos do povo e foram devastando, e retiraram pela violência os dízimos que pertenciam aos sacerdotes, e não deixaram de espancar quem se recusasse a entregar-lhes esses dízimos. Então os outros altos sacerdotes agiram de maneira semelhante, como o fizeram os seus servos, sem que qualquer um fosse capaz de coibi-los. Assim, [alguns dos] sacerdotes, que de há muito estavam acostumados a serem mantidos com os dízimos, morreram por falta de alimentos." Esse Ananus foi, provavelmente, Ananus, o Velho, pai do Ananus que matou Tiago.

A narrativa do martírio de Tiago por Josefo pode ser encontrada em *Antiguidades* 20.9.1. Nem todo mundo está convencido de que Tiago foi executado por ser um cristão. Maurice Goguel, por exemplo, argumenta que se os homens executados juntamente com Tiago também fossem cristãos, então seus nomes teriam sido preservados na tradição cristã; M. Goguel, *Birth of Christianity*. Alguns estudiosos acreditam que ele foi executado por condenar a apreensão, por Ananus, dos dízimos que deveriam ir para os sacerdotes de classe inferior; veja S.G.F. Brandon, "The death of James the Just: A new interpretation", in E.E. Urbach et al., *Studies in Mysticism and Religion*, p.57-69.

Se os judeus estavam indignados com o procedimento ilegal do julgamento ou o veredito injusto é difícil de decifrar a partir do relato de Josefo. O fato de que eles se queixaram a Albino sobre a ilegalidade de Ananus chamar o Sinédrio sem um procurador em Jerusalém parece sugerir que era ao procedimento do julgamento que eles se opunham, não ao veredito. No entanto, concordo com John Painter, que observa que "a sugestão de que o grupo opôs-se foi ao fato de Ananus tomar a lei nas próprias mãos, já que a autoridade romana era necessária para a imposição da pena de morte (veja João 18:31), não se encaixa com uma objeção levantada pelos 'mais imparciais ... e rigorosos no cumprimento da lei'. ... Pelo contrário, sugere que os que eram justos e rigorosos em sua observância da lei consideravam injusta a condenação de Tiago e os outros por terem transgredido a lei"; veja J. Painter: "Who was James?", in B. Chilton e J. Neusner (orgs.), *The Brother of Jesus*, p.10-65 e 49.

Pierre-Antoine Bernheim concorda: "Josefo, ao indicar a divergência dos 'observadores mais precisos da lei' provavelmente queria enfatizar não a irregularidade da convocação do Sinédrio nos termos das regras impostas pelos romanos, mas a injustiça do veredito em relação à lei de Moisés como ela foi interpretada pelos especialistas mais reconhecidos"; veja *James, The Brother of Jesus*, p.249.

Enquanto alguns estudiosos – por exemplo, C.C. Hill, *Hellenists and Hebrews* – discordam de Painter e Bernheim, argumentando que a queixa dos judeus não tinha nada a ver com o próprio Tiago, a maioria (e eu me incluo) está convencida de que a queixa dos judeus foi sobre a injustiça da sentença, não sobre o processo de julgamento; veja também F.F. Bruce, *New Testament History*, especialmente p.372-3.

A citação de Hegésipo sobre a autoridade de Tiago pode ser encontrada em Eusébio, *História eclesiástica* 2.23.4-18. Não está claro se Hegésipo queria dizer que o controle da Igreja passou aos apóstolos e a Tiago, ou que o controle sobre os apóstolos também passou a Tiago. De qualquer forma, a liderança de Tiago é afirmada. Gerd Ludemann realmente acha que a expressão "com os apóstolos" não é original, mas foi adicionada por Eusébio em conformidade com a visão tradicional de autoridade apostólica; veja o seu *Opposition to Paul in Jewish Christianity*.

O material de Clemente de Roma é tomado do texto chamado *Pseudo-Clementinas*, que, embora compilado por volta de 300 d.C., reflete tradições judaico-cristãs muito anteriores, que podem ser rastreadas através dos dois documentos principais do texto: *Homilias* e *Reconhecimentos*. *Homilias* contém duas epístolas: a epístola de Pedro, a partir da qual é citada a referência a Tiago como "Senhor e Bispo da Santa Igreja", e a epístola de Clemente, que é dirigida a Tiago, "o Bispo dos Bispos, que governa Jerusalém, a Santa Assembleia dos Hebreus e todas as Assembleias em toda parte". O texto *Reconhecimentos* é em si provavelmente baseado em um documento mais antigo, intitulado *Ascensão de Tiago*, que a maioria dos estudiosos traça em meados dos anos 100. Georg Strecker acha que *Ascensão* foi escrito em Pella, onde os cristãos baseados em Jerusalém supostamente se reuniram após a destruição da Cidade Santa; veja seu verbete "Pseudo-Clementinas", in W. Schneemelker (org.), *New Testament Apocrypha*, vol.2, p.483-541.

A passagem do evangelho de Tomé pode ser encontrada no Capítulo 12. Aliás, o apelido "Tiago, o Justo" também aparece no evangelho dos Hebreus; veja *The Nag Hammadi Library* para o texto completo de ambos. Clemente de Alexandria é citado em Eusébio, *História eclesiástica* 2.1.2-5. Obviamente, o título de bispo na descrição de Tiago é anacrônico, mas a implicação do termo é clara. A obra de Jerônimo, *Sobre homens ilustres*, pode ser encontrada em uma edição em inglês organizada por E.C. Richardson, *A Select Library of the Nicene and Post-Nicene Fathers of the Christian Church*, vol.3. A passagem já não existente em Josefo relacionando a destruição de Jerusalém à morte injusta de Tiago é citada por Orígenes em *Contra Celso* 1.47, por Jerônimo em *Sobre homens ilustres* e em seu *Comentário sobre os Gálatas*, e por Eusébio em *História eclesiástica* 2.23.

Que Tiago estava em posição de comando no Conselho Apostólico é comprovado pelo fato de que ele é o último a falar e de que começa seu julgamento com a palavra *krino*, ou "Eu decreto". Veja Bernheim, *James, Brother of Jesus*, p.193. Como Bernheim observa corretamente, o fato de que Paulo, ao fazer referência aos três pilares da Igreja, sempre menciona Tiago primeiro é devido à sua proeminência. Isso é afirmado por redações posteriores do texto em que copistas inverteram a ordem para colocar Pedro antes de Tiago, a fim de colocá-lo como chefe da Igreja. Qualquer dúvida quanto à proeminência de Tiago sobre Pedro se desfaz na passagem de Gálatas 2:11-14, em que emissários enviados por Tiago para Antioquia obrigam Pedro a parar de comer com os gentios, enquanto a luta que se seguiu entre Pedro e Paulo leva Barnabé a deixar Paulo e voltar para Tiago.

Bernheim descreve o papel da sucessão dinástica e seu uso entre a Igreja cristã primitiva em *James, Brother of Jesus*, p.216-7. É Eusébio quem menciona que Simeão, filho de Cléofas, sucedeu Tiago: "Após o martírio de Tiago e a tomada de Jerusalém que se seguiu imediatamente, está registrado que os apóstolos e discípulos do Senhor que ainda sobreviviam se reuniram vindos de todos os lados e, *juntamente com os pa-*

rentes de sangue de Nosso Senhor (pois a maior parte deles ainda estava viva), decidiram, todos em comum, quem seria digno de ser o sucessor de Tiago, e, o que é mais, todos eles em uníssono aprovaram Simeão, filho de Cléofas, de quem também o livro dos Evangelhos faz menção, como digno do trono da comunidade naquele lugar. Ele era um primo – pelo menos assim o dizem – do Salvador; na verdade, Hegésipo relata que Cléofas era irmão de José." (*História eclesiástica* 3.11; grifo meu) Quanto aos netos de outro irmão de Jesus, Judas, Hegésipo escreve que "governaram as igrejas, na medida em que ambos eram mártires e da família do Senhor" (*História eclesiástica* 3.20).

Deve-se notar que a famosa declaração de Jesus chamando Pedro de pedra sobre a qual vai fundar sua Igreja é rejeitada como não histórica pela maioria dos estudiosos. Ver, por exemplo, P. Perkins, *Peter, Apostle for the Whole Church*; B.P. Robinson, "Peter and his successors: Tradition and redaction in Matthew 16:17-19"; e A.J. Nau, *Peter in Matthew*. John Painter demonstra que não existe tradição sobre a liderança de Pedro da Igreja de Jerusalém. Tais tradições existem apenas em relação a Roma; veja J. Painter, "Who was James?", p.31.

Alguns estudiosos pensam que Pedro foi o chefe da Igreja até ser forçado a fugir de Jerusalém. Veja, por exemplo, O. Cullman, *Peter: Disciple. Apostle. Martyr*. Mas essa opinião é baseada principalmente numa leitura errônea de Atos 12:17, em que Pedro, antes de ser forçado a fugir de Jerusalém, diz a João Marcos para informar Tiago de sua partida para Roma. Cullman e outros argumentam que esse é o momento em que a liderança da Igreja de Jerusalém se transfere de Pedro para Tiago. No entanto, como Painter demonstra, a leitura correta de Atos 12:17 é que Pedro está simplesmente informando Tiago (seu "chefe", por assim dizer) de suas atividades antes de fugir de Jerusalém. Não há nada nessa passagem, ou em qualquer passagem de Atos, que sugira que Pedro alguma vez liderou a Igreja de Jerusalém; veja J. Painter, "Who was James?", p.31-6.

Cullman também afirma que a Igreja sob Pedro era bem mais frouxa em sua observância da lei antes que Tiago assumisse e tornasse a obediência mais rígida. A única evidência para essa opinião vem da conversão do romano Cornélio por Pedro. Essa é uma história de historicidade duvidosa, e não prova a frouxidão da lei por parte de Pedro – muito menos indica liderança de Pedro sobre a assembleia de Jerusalém. O Livro de Atos deixa bem claro que havia uma grande divergência de opiniões entre os primeiros seguidores de Jesus sobre a rigidez da lei. Pedro pode ter sido menos rígido que Tiago, mas e daí? Como Bernheim observa: "Não há nenhuma razão para sustentar que a Igreja de Jerusalém foi menos liberal nos anos 48/49 do que no início dos anos 30." (*James, Brother of Jesus*, p.209)

Wiard Popkes detalha as evidências para uma datação da epístola de Tiago no século I em "The mission of James in his time", in *The Brother of Jesus*, p.88-99. Martin Dibelius não concorda com essa datação. Ele acredita que a epístola é realmente uma mistura de ensinamentos judaico-cristãos que deveria ser datada do século II; veja M. Dibelius, *James*. É interessante notar que a epístola de Tiago é dirigida às "Doze Tribos de Israel espalhadas na Diáspora". Tiago parece continuar a pressupor a restauração das tribos de Israel ao seu número total e à libertação de Israel. Estudiosos acreditam que a razão pela qual grande parte da epístola de Tiago tem ecos no evangelho de Mateus é porque neste está integrada uma tradição, muitas vezes referida como M, que pode ser atribuída a Tiago.

Bruce Chilton escreve sobre o voto nazireu a que Paulo é forçado a se submeter em "James in relation to Peter, Paul, and Jesus", in *The Brother of Jesus*, p.138-59. Chilton acredita que não só Tiago era um nazireu mas que Jesus também o era. Na verdade, ele acredita que a referência a Jesus como o Nazareno é uma corruptela do termo nazireu. Note-se que em Atos 18:18 Paulo é retratado como tomando parte em algo semelhante a um voto nazireu. Depois de sair de barco para a Síria, Paulo desembarca em Cencreia, no porto oriental de Corinto. Lá, Lucas escreve que "ele teve o cabelo cortado pois estava sob um juramento". Embora Lucas esteja claramente se referindo a um voto nazireu aqui, ele parece estar confuso sobre a natureza e a prática do mesmo. A especificidade do ritual era cortar o cabelo no final do voto. Lucas não dá nenhuma pista sobre o que poderia ter sido o voto de Paulo, mas se fosse para uma viagem segura à Síria, ele ainda não tinha chegado ao seu destino e, portanto, não teria cumprido a promessa. Além disso, o voto nazireu de Paulo não havia sido feito no Templo e não envolvera um padre.

John Painter descreve todo o material antipaulino na obra *Pseudo-Clementinas*, incluindo a briga no Templo entre Paulo e Tiago, em "Who was James?", p.38-9. Painter também aborda a expansão de Jesus da lei de Moisés, p.55-7.

A comunidade que continuou a seguir os ensinamentos de Tiago nos séculos que se seguiram à destruição de Jerusalém referia-se a si própria como os ebionitas, ou "os pobres", em honra ao foco de Tiago sobre estes. A comunidade pode ter sido chamada de ebionitas mesmo durante a vida de Tiago, já que o termo é encontrado no segundo capítulo de sua epístola. Os ebionitas insistiam na circuncisão e no cumprimento rigoroso da lei. Em pleno século IV, eles viam Jesus como apenas um homem. Eles foram uma das muitas comunidades heterodoxas marginalizadas e perseguidas depois que o Concílio de Niceia, em 325 d.C., tornou o cristianismo paulino a religião ortodoxa do Império Romano.

Referências bibliográficas

Livros

Anderson, Jeff S. *The Internal Diversification of Second Temple Judaism*. Lanham, Md., University Press of America, 2002.

Aslan, Reza. *How to Win a Cosmic War: God, Globalization, and the End of the War on Terror*. Nova York, Random House, 2009.

Aus, Roger. *Water into Wine and the Beheading of John the Baptist*. Providence, Brown Judaic Studies, 1988.

Avi-Yonah, M. e Z. Baras (orgs.). *The World History of the Jewish People: The Herodian Period*. Jerusalém, New Brunswick, 1975.

Bammel, Ernst (org.). *The Trial of Jesus*. Naperville, Ill., Alec R. Allenson, 1970.

Bammel, Ernst e C.F.D. Moule (orgs.). *Jesus and the Politics of His Day*. Nova York, Cambridge University Press, 1984.

Batey, Richard A. *Jesus and the Forgotten City: New Light on Sepphoris and the Urban World of Jesus*. Grand Rapids, Mich., Baker Book House, 1991.

Bauer, Walter. *Orthodoxy and Heresy in Earliest Christianity*. Mifflintown, Pa., Sigler Press, 1971.

Beard, Mary, John North e Simon Price. *Religions of Rome: A Sourcebook*, 2 vols. Cambridge, Cambridge University Press, 1998.

Beilby, James K. e Paul Rhodes Eddy (orgs.). *The Historical Jesus: Five Views*. Downers Grove, Ill., InterVarsity Press, 2009.

Berlin, Andrea M. e J. Andrew Overman. *The First Jewish Revolt: Archaeology, History, and Ideology*. Nova York, Routledge, 2002.

Bernheim, Pierre-Antoine. *James, the Brother of Jesus*. Londres, SCM Press, 1997.

Black, Matthew. *The Book of Enoch or 1 Enoch: A New English Edition with Commentary and Textual Notes*. Leiden, Brill, 1985.

Blevins, James L. *The Messianic Secret in Markan Research, 1901-1976*. Lanham, Md., University Press of America, 1981.

Blinzler, Josef. *The Trial of Jesus*. Westminster, Md., Newman Press, 1959.

Bohak, Gideon. *Ancient Jewish Magic: A History*. Londres, Cambridge University Press, 2008.

Borg, Marcus J. *Jesus: A New Vision*. Nova York, HarperCollins, 1991.

Brandon, S.G.F. *Jesus and the Zealots*. Manchester, Manchester University Press, 1967.

Brighton, Mark Andrew. *The Sicarii in Josephus's Judean War: Rhetorical Analysis and Historical Observations*. Atlanta, Society of Biblical Scholarship, 2009.

Brooke, G. *Exegesis at Qumran: 4QFlorilegium in Its Jewish Context*. Sheffield, Sheffield Academic Press, 1985.
Brown, Raymond. *The Death of the Messiah*, 2 vols. Nova York, Doubleday, 1994.
Bruce, F.F. *New Testament History*. Nova York, Doubleday, 1980.
Bultmann, Rudolf. *Essays: Philosophical and Theological*. Nova York, Macmillan, 1995.
____. *Faith and Understanding*. Londres, SCM Press, 1969.
____. *History of the Synoptic Tradition*. São Francisco, Harper and Row, 1968.
Burkett, Delbert. *The Son of Man Debate*. Nova York, Cambridge University Press, 1999.
____. *The Son of the Man in the Gospel of John*. Sheffield, Sheffield Academic Press, 1991.
Cadbury, H.J. e K. Lake (orgs.). *The Beginnings of Christianity*, vol.1. Londres, Macmillan, 1933.
Caquot, André (org.). *Hellenica et Judaica: Hommage à Valentin Nikiprowetzky*. Leuben-Paris, Peeters, 1986, p.165-89.
Casey, P. Maurice. *Son of Man: The Interpretation and Influence of Daniel 7*. Londres, SPCK Publishing, 1979.
Charlesworth, James H. (org.). *The Messiah*. Minneapolis, Fortress Press, 1992.
____ (org.). *The Old Testament Pseudepigrapha*. Garden City, NY, Doubleday, 1985.
____ et al. *Resurrection: The Origin and Future of a Biblical Doctrine*. Londres, T&T Clark, 2006.
Chilton, Bruce D. *Judaic Approaches to the Gospels*. Atlanta, Scholars Press, 1994.
____ e Craig A. Evans (orgs.). *Jesus in Context: Temple, Purity and Restoration*. Leiden, Brill, 1997.
____ e Jacob Neusner (orgs.). *The Brother of Jesus*. Louisville, Westminster John Knox Press, 2001.
Collins, John J. *Apocalypticism in the Dead Sea Scrolls*. Londres, Routledge, 1997.
____ (org.). *Daniel*. Minneapolis, Fortress Press, 1993.
Collins, John J. e George Nickelsburg. *Ideal Figures in Ancient Judaism: Profiles and Paradigms*. Chico, Calif., Scholars Press, 1980.
Comay, Joan. *The Temple of Jerusalem*. Londres, Weidenfeld and Nicolson, 1975.
Conybeare, F.C. (org.). *Philostratus: The Life of Apollonius of Tyana*. Londres, Heinemann, 1912.
Cross, Frank Moore. *Canaanite Myth and Hebrew Epic: Essays in the History of the Religion of Israel*. Cambridge, Mass., Harvard University Press, 1973.
Crossan, John Dominic. *The Historical Jesus: The Life of a Mediterranean Jewish Peasant*. Nova York, HarperCollins, 1992.
____. *Jesus: A Revolutionary Biography*. Nova York, HarperOne, 1995.
Cullman, Oscar. *Christology of the New Testament*. Filadélfia, Westminster Press, 1963.
____. *Peter: Disciple. Apostle. Martyr*. Londres, SCM Press, 1953.
____. *The State in the New Testament*. Nova York, Charles Scribner's Sons, 1956.
Dahl, N.A. *Jesus the Christ: The Historical Origins of Christological Doctrine*. Minneapolis, Fortress Press, 1991.

Day, John (org.). *Temple and Worship in Biblical Israel*. Nova York, T&T Clark, 2005.
De Jong, M. *Christology in Context: The Earliest Christian Response to Jesus*. Filadélfia, Westminster Press, 1988.
Derrett, J.D.M. *Law in the New Testament*. Eugene, Ore., Wipf and Stock, 2005.
Dibelius, Martin. *James*. Filadélfia, Fortress Press, 1976.
_____. *Studies in the Acts of the Apostles*. Nova York, Charles Scribner's Sons, 1956.
Dickie, Matthew W. *Magic and Magicians in the Greco-Roman World*. Londres, Routledge, 2001.
Edwards, Douglas R. e C. Thomas McCollough (orgs.). *Archaeology and the Galilee*. Atlanta, Scholars Press, 1997.
Edwards, George R. *Jesus and the Politics of Violence*. Nova York, Harper and Row, 1972.
Evans, Craig. *Jesus and His Contemporaries*. Leiden, Brill, 1995.
_____ e J.A. Sanders. *Luke and Scripture: The Function of Sacred Tradition in Luke-Acts*. Minneapolis, Fortress Press, 1993.
Festinger, Leon. *A Theory of Cognitive Dissonance*. Stanford, Stanford University Press, 1957.
_____, H.W. Riecken e S. Schachter. *When Prophecy Fails: A Social and Psychological Study of a Modern Group That Predicted the Destruction of the World*. Nova York, Harper and Row, 1956.
Fitzmeyer, Joseph A. *The Gospel According to Luke I-IX*. Garden City, Doubleday, 1981.
Freyne, Sean. *Galilee, Jesus, and the Gospels*. Dublin, Gill and Macmillan, 1988.
Fridrichsen, Anton. *The Problem of Miracle in Primitive Christianity*. Minneapolis, Augsburg, 1972.
Funk, Robert W. e Roy W. Hoover. *The Five Gospels: The Search for the Authentic Words of Jesus*. Nova York, Polebridge Press, 1993.
Gager, John. *Kingdom and Community: The Social World of the Early Christians*. Englewood Cliffs, NJ, Prentice Hall, 1975.
Goguel, Maurice. *Birth of Christianity*. Nova York, Macmillan, 1954.
Golb, Norman. *Who Wrote the Dead Sea Scrolls? The Search for the Secret Qumran*. Nova York, Scribner, 1995.
Goodman, Martin. *Rome and Jerusalem: The Clash of Ancient Civilizations*. Londres, Penguin, 2007.
_____. *The Ruling Class of Judea*. Nova York, Cambridge University Press, 1987.
Grabbe, Lester L. *Judaism from Cyrus to Hadrian*, 2 vols. Minneapolis, Fortress Press, 1992.
Groh, Dennis E. e Robert Jewett (orgs.). *The Living Texts: Essays in Honor of Ernest W. Saunders*. Lanham, Md., University Press of America, 1985.
Gurtner, Daniel. *Torn Veil: Matthew's Exposition of the Death of Jesus*. Cambridge, Cambridge University Press, 2007.
Hamerton-Kelly, R.G. *Pre-Existence, Wisdom, and the Son of Man*. Cambridge, Cambridge University Press, 1973.
Harnack, Adolf. *The Mission and Expansion of Christianity in the First Three Centuries*. Nova York, Harper and Row, 1972.

_____. *What Is Christianity?*. Nova York, G.P. Putnam's Sons, 1902.
Hendricks, Obery M. *The Politics of Jesus*. Nova York, Doubleday, 2006.
Hengel, Martin. *Between Jesus and Paul*. Eugene, Ore., Wipf and Stock, 1983.
_____. *Crucifixion in the Ancient World and the Folly of the Message of the Cross*. Filadélfia, Fortress Press, 1977.
_____. *The Son of God*. Eugene, Ore., Wipf and Stock, 1976.
_____. *The Zealots*. Londres, T&T Clark, 2000.
Higgins, A.J.B. (org.). *New Testament Essays: Studies in Memory of Thomas Walter Manson, 1893-1958*. Manchester, Manchester University Press, 1959.
Hill, Craig C. *Hellenists and Hebrews*. Minneapolis, Fortress Press, 1992.
Horsley, Richard e John S. Hanson. *Bandits, Prophets, and Messiahs*. Minneapolis, Winston Press, 1985.
_____. *Galilee: History, Politics, People*. Pensilvânia, Trinity Press International, 1995.
_____. *Jesus and the Spiral of Violence: Popular Jewish Resistance in Roman Palestine*. Minneapolis, Fortress Press, 1993.
Hurst, L.D. et al. (orgs.). *The Glory of Christ in the New Testament*. Oxford, Clarendon, 1987.
Jaffee, Martin. *Early Judaism*. Bethesda, University Press of Maryland, 2006.
Janowitz, Naomi. *Magic in the Roman World*. Londres, Routledge, 2001.
Jeffers, Ann. *Magic and Divination in Ancient Palestine and Syria*. Leiden, Brill, 1996.
Jeremias, Joachim. *New Testament Theology: The Proclamation of Jesus*. Nova York, Charles Scribner's Sons, 1971.
Jervell, Jacob (org.). *Luke and the People of God: A New Look at Luke-Acts*. Minneapolis, Augsburg, 1972.
Kelber, Werner. *The Kingdom in Mark*. Filadélfia, Fortress Press, 1974.
_____ (org.). *The Passion in Mark: Studies on Mark 14-16*. Filadélfia, Fortress Press, 1976.
Korb, Scott. *Life in Year One: What the World Was Like in First-Century Palestine*. Nova York, Riverhead, 2011.
Levenson, Jon Douglas. *Resurrection and the Restoration of Israel*. New Haven, Yale University Press, 2006.
Levine, Amy-Jill. *The Misunderstood Jew*. Nova York, HarperOne, 2006.
Levine, Lee I. (org.). *The Galilee in Late Antiquity*. Nova York, Jewish Theological Seminary of America, 1992.
Lindars, Barnabas. *Jesus Son of Man*. Londres, SPCK Publishing, 1983.
Loewe, Herbert. *Render unto Caesar*. Cambridge, Cambridge University Press, 1940.
Ludemann, Gerd. *Paul: The Founder of Christianity*. Nova York, Prometheus Books, 2002.
_____ e M. Eugene Boring. *Opposition to Paul in Jewish Christianity*. Minneapolis, Fortress Press, 1989.
Mack, Burton. *A Myth of Innocence: Mark and Christian Origins*. Filadélfia, Fortress Press, 1988.
MacMullen, Ramsay. *Roman Social Relations: 50 B.C. to A.D. 384*. New Haven, Yale University Press, 1974.

Madden, Fredric William. *History of Jewish Coinage and of Money in the Old and New Testament*. Londres, Bernard Quaritch, 1864.
Meier, John P. *A Marginal Jew: Rethinking the Historical Jesus*, 4 vols. New Haven, Yale University Press, 1991-2009.
Meshorer, Ya'akov. *Treasury of Jewish Coins from the Persian Period to Bar Kokhba*. Jerusalém e Nyack, NY, Amphora Books, 2001.
Meyer, Marvin W. (org.). *The Nag Hammadi Library*. Nova York, Harper and Row, 1977.
Meyer, R.P. *Jesus and the Twelve*. Grand Rapids, Mich., Eerdmans, 1968.
Meyers, Eric e J. Strange. *Archaeology, the Rabbis, and Early Christianity*. Nashville, Abingdon, 1981.
Murphy, Catherine. *John the Baptist: Prophet of Purity for a New Age*. Collegeville, Minn., Liturgical Press, 2003.
Nau, Arlo J. *Peter in Matthew*. Collegeville, Minn., Liturgical Press, 1992.
Neusner, Jacob et al. (orgs.). *Judaisms and Their Messiahs at the Turn of the Christian Era*. Cambridge, Cambridge University Press, 1987.
Oppenheimer, Aharon. *The 'Am Ha-Aretz: A Study in the Social History of the Jewish People in the Hellenistic-Roman Period*. Leiden, Brill, 1977.
Otto, Rudolf. *The Kingdom of God and the Son of Man*. Boston, Starr King Press, 1957.
Penella, Robert J. *The Letters of Apollonius of Tyana*. Leiden, Brill, 1979.
Perkins, Pheme. *Peter, Apostle for the Whole Church*. Filadélfia, Fortress Press, 2000.
Perrin, Norman. *The Kingdom of God in the Teaching of Jesus*. Filadélfia, Westminster Press, 1963.
_____. *Rediscovering the Teachings of Jesus*. Nova York, Harper and Row, 1967.
_____. *The Resurrection According to Matthew, Mark, and Luke*. Filadélfia, Fortress Press, 1977.
Phipps, William E. *The Sexuality of Jesus*. Nova York, Harper and Row, 1973.
_____. *Was Jesus Married?* Nova York, Harper and Row, 1970.
Popovic, M. (org.). *The Jewish Revolt Against Rome: Interdisciplinary Perspectives. Supplements to the Journal for the Study of Judaism 154*. Leiden, Brill, 2011.
Porter, Stanley E. *The Language of the New Testament*. Sheffield, Sheffield Academic Press, 1991.
_____, Michael A. Hayes e David Tombs. *Resurrection*. Sheffield, Sheffield Academic Press, 1999.
Raisanen, Heikki. *The "Messianic Secret" in Mark*. Edimburgo, T&T Clark, 1990.
Reimarus, Hermann Samuel. *The Goal of Jesus and His Disciples*. Leiden, Brill, 1970.
Rhoads, David. *Israel in Revolution: 6-74 C.E.* Filadélfia, Fortress Press, 1976.
Robinson, John Arthur Thomas. *Twelve New Testament Studies*. Norwich, SCM Press, 1962.
Rosenblatt, Marie-Éloise. *Paul the Accused*. Collegeville, Minn., Liturgical Press, 1995.
Sanders, E.P. *The Historical Figure of Jesus*. Nova York, Penguin, 1993.
Schaberg, Jane. *The Illegitimacy of Jesus*. São Francisco, Harper and Row, 1978.
Schoeps, H.J. *Paul: The Theology of the Apostle in the Light of Jewish History*. Filadélfia, Westminster Press, 1961.

Scholem, Gershom. *The Messianic Idea in Judaism*. Nova York, Schocken Books, 1971.
Schurer, Emil. *A History of the Jewish People in the Time of Jesus Christ*, 3 vols. Edimburgo, T&T Clark, 1890.
Schweitzer, Albert. *The Quest of the Historical Jesus*. Nova York, Macmillan, 1906.
Scobie, Charles. *John the Baptist*. Minneapolis, Fortress Press, 1964.
Shanks, Hershel (org.). *Understanding the Dead Sea Scrolls*. Nova York, Random House, 1992.
Simon, Marcel. *St. Stephen and the Hellenists in the Primitive Church*. Nova York, Longmans, 1958.
Smith, Morton. *Jesus the Magician*. Nova York, Harper and Row, 1978.
Steinmann, Jean. *Saint John the Baptist and the Desert Tradition*. Nova York, Harper, 1958.
Stendahl, Krister (org.). *The Scrolls and the New Testament*. Nova York, Harper, 1957.
Tabor, James. *Paul and Jesus*. Nova York, Simon and Schuster, 2012.
Talbert, Charles H. (org.). *Reimarus: Fragments*. Chico, Calif., Scholars Press, 1985.
Taylor, Joan E. *The Immerser: John the Baptist Within Second Temple Judaism*. Grand Rapids, Mich., Eerdmans, 1997.
Tuckett, Christopher (org.). *The Messianic Secret*. Filadélfia, Fortress Press, 1983.
Urbach, Ephraim E. et al. *Studies in Mysticism and Religion: Presented to Gershom G. Scholem on His Seventieth Birthday by Pupils, Colleagues and Friends*. Jerusalém, Magnes Press, 1967.
van der Loos, H. *The Miracles of Jesus*. Leiden, Brill, 1965.
Vermes, Geza. *Jesus the Jew*. Minneapolis, Fortress Press, 1981.
_____. *The Resurrection: History and Myth*. Nova York, Doubleday, 2008.
_____. *Who's Who in the Age of Jesus*. Nova York, Penguin, 2006.
Webb, R.L. *John the Baptizer and Prophet: A Socio-Historical Study*. Sheffield, Sheffield Academic Press, 1991.
Wellman, James K., Jr. (org.). *Belief and Bloodshed*. Lanham, Md., Rowman and Littlefield, 2007.
Werrett, Ian C. *Ritual Purity and the Dead Sea Scrolls*. Leiden, Brill, 2007.
White, L. Michael. *From Jesus to Christianity*. Nova York, HarperOne, 2004.
Wink, Walter. *John the Baptist in the Gospel Tradition*. Eugene, Ore., Wipf and Stock, 2001.
Wrede, William. *The Messianic Secret*. Londres, Cambridge University Press, 1971.
Wright, N.T. *The Resurrection of the Son of God*. Minneapolis, Fortress Press, 2003.
Wroe, Ann. *Pontius Pilate*. Nova York, Random House, 1999.
Zeitlin, Solomon. *Who Crucified Jesus?*. Nova York, Bloch, 1964.

Artigos

Applebaum, Shimon. "The Zealots: The case for revaluation", *Journal of Roman Studies*, n.61, 1971, p.155-70.

Barnett, P.W. "The Jewish Sign Prophets", *New Testament Studies*, n.27, 1980, p.679-97.

Barr, James. "Which language did Jesus speak? Some remarks of a semitist", *Bulletin of the John Rylands Library*, n.53/1, outono 1970, p.14-5.

Baumgarten, Joseph. "The 4Q Zadokite fragments on skin disease", *Journal of Jewish Studies*, n.41, 1990, p.153-65.

Beavis, Mary Ann L. "The trial before the Sanhedrin (Mark 14:53-65): Reader response and Greco-Roman readers", *Catholic Biblical Quarterly*, n.49, 1987, p.581-96.

Bokser, Baruch M. "Wonder-working and the rabbinic tradition: The case of Hanina ben Dosa", *Journal of Jewish Studies*, n.16, 1985, p.42-92.

Broshi, Magen. "The role of the Temple in the Herodian economy", *Jewish Studies*, n.38, 1987, p.31-7.

Bruce, F.F. "Christianity under Claudius", *Bulletin of the John Rylands Library*, n.44, mar 1962, p.309-26.

Buchanan, George Wesley. "Mark 11:15-19: Brigands in the Temple", *Hebrew Union College Annual*, n.30, 1959, p.169-77.

Case, Shirley Jackson. "Jesus and Sepphoris", *Journal of Biblical Literature*, n.45, 1926, p.14-22.

Casey, Maurice. "The use of the term 'Son of Man' in the Similitudes of Enoch", *Journal for the Study of Judaism*, n.7.1, 1976, p.11-29.

Cohen, Shaye J.D. "The rabbinic conversion ceremony", *Journal of Jewish Studies*, n.41, 1990, p.177-203.

Collins, Adela Yarbro. "Mark and his readers: The Son of God among Greeks and Romans", *Harvard Theological Review*, n.93.2, 2000, p.85-100.

Collins, John. "The zeal of Phinehas: The Bible and the legitimation of violence", *Journal of Biblical Literature*, n.122.1, 2003, p.3-21.

Davies, P.S. "The meaning of Philo's text about the gilded shields", *Journal of Theological Studies*, n.37, 1986, p.109-14.

Dunn, J.D.G. "Echoes of the intra-Jewish polemic in Paul's letter to the Galatians", *Journal of Biblical Literature*, n.112/3, 1993, p.459-77.

Evans, Craig. "Jesus and predictions of the destruction of the Herodian Temple in the Pseudepigrapha, Qumran Scrolls, and related texts", *Journal for the Study of the Pseudepigrapha*, n.10, 1992, p.89-147.

Fitzmyer, Joseph. "Did Jesus speak Greek?", *Biblical Archaeology Review*, n.18/5, set/out 1992, p.58-63.

Fuks, G. "Again on the episode of the gilded Roman shields at Jerusalem", *Harvard Theological Review*, n.75, 1982, p.503-7.

Glasson, Thomas Francis. "Reply to Caiaphas (Mark 14:62)", *New Testament Studies*, n.7, 1960, p.88-93.

Golb, Norman. "The problem of origin and identification of the Dead Sea Scrolls", *Proceedings of the American Philosophical Society*, n.124, 1980, p.1-24.

Green, William Scott. "Palestinian holy men: Charismatic leadership and rabbinic tradition", *ANRW*, n.19.2, 1979, p.619-47.

Hamilton, Neill Q. "Temple cleansing and Temple bank", *Journal of Biblical Literature*, n.83.4, 1964, p.365-72.

Hewitt, J.W. "The use of nails in the crucifixion", *Harvard Theological Review*, n.25, 1932, p.29-45.

Hindly, J.C. "Towards a date for the Similitudes of Enoch: A historical approach", *New Testament Studies*, n.14, 1967-68, p.551-65.

Hollenbach, P.W. "The conversion of Jesus: From Jesus the Baptizer to Jesus the Healer", *ANRW*, n.2.25.1, 1982, p.198-200.

____. "Social aspects of John the Baptizer's preaching mission in the context of Palestinian Judaism", *ANRW*, n.2.19.1, 1979, p.852-3.

Horsley, Richard A. "High priests and the politics of Roman Palestine", *Journal for the Study of Judaism*, n.17.1, 1986, p.23-55.

____. "Josephus and the bandits", *Journal for the Study of Judaism*, n.10, 1979, p.37-63.

____. "'Like one of the prophets of old': Two types of popular prophets at the time of Jesus", *Catholic Biblical Quarterly*, n.47, 1985, p.435-63.

____. "Menahem in Jerusalem: A brief messianic episode among the Sicarii – Not 'Zealot Messianism'", *Novum Testamentum*, n.27.4, 1985, p.334-48.

____. "Popular messianic movements around the time of Jesus", *Catholic Biblical Quarterly*, n.46, 1984, p.409-32.

____. "Popular prophetic movements at the time of Jesus: Their principal features and social origins", *Journal for the Study of the New Testament*, n.26, 1986, p.3-27.

____. "The Zealots: Their origin, relationship and importance in the Jewish Revolt", *Novum Testamentum*, n.28, 1986, p.159-92.

Kennard, J. "Judas the Galilean and his clan", *Jewish Quarterly Review*, n.36, 1946, p.281-6.

Liver, J. "The half-shekel offering in biblical and post-biblical literature", *Harvard Theological Review*, n.56.3, 1963, p.173-98.

Meyers, Eric M., Ehud Netzer e Carol L. Meyers. "Ornament of all Galilee", *Biblical Archeologist*, n.49.1, 1986, p.4-19.

Rappaport, Uriel. "John of Gischala: From Galilee to Jerusalem", *Journal of Jewish Studies*, n.33, 1982, p.479-93.

Reed, Jonathan. "Instability in Jesus' Galilee: A Demographic Perspective", *Journal of Biblical Literature*, n.129.2, 2010, p.343-65.

Remus, Harold. "Does terminology distinguish Early Christian from Pagan miracles?", *Journal of Biblical Literature*, n.101.4, 1982, p.531-51.

Robinson, B.P. "Peter and his successors: Tradition and redaction in Matthew 16:17-19", *Journal for the Study of the New Testament*, n.21, 1984, p.85-104.

Roth, Cecil. "The cleansing of the Temple and Zechariah XIV.21", *Novum Testamentum*, n.4, 1960, p.174-81.

Smith, Morton. "The origin and history of transfiguration story", *Union Seminary Quarterly Review*, n.36, 1980, p.39-44.

____. "The Zealots and the Sicarii", *Harvard Theological Review*, n.64, 1971, p.1-19.

Suter, David. "Weighed in the balance: The Similitudes of Enoch in recent discussion", *Religious Studies Review*, n.7, 1981, p.217-21.

Tomasino, A.J. "Oracles of insurrection: The prophetic catalyst of the Great Revolt", *Journal of Jewish Studies*, n.59, 2008, p.86-111.
van der Horst, P.W. "Can a book end with γαρ? A note on Mark XVI.8", *Journal of Theological Studies*, n.23, 1972, p.121-4.
Vermes, Geza. "Hanina ben Dosa: A controversial Galilean saint from the First Century of the Christian Era", *Journal of Jewish Studies*, n.23, 1972, p.28-50.
____. "The Son of Man debate", *Journal for the Study of the New Testament*, n.1, 1978, p.19-32.
Webb, Robert L. "Jesus' baptism: Its historicity and implications", *Bulletin for Biblical Research*, n.10.2, 2000, p.261-309.
Zeitlin, Solomon. "Masada and the Sicarii", *Jewish Quarterly Review*, n.55.4, 1965, p.299-317.
____. "Zealots and Sicarii", *Journal of Biblical Literature*, n.81, 1962, p.395-8.

Dicionários e enciclopédias

Analytic Greek New Testament. Grand Rapids, Mich., Baker Book House, 1981.
Cancick, Hubert et al. (orgs.). *Brill's New Pauly Encyclopedia of the Ancient World: Antiquity*. Leiden, Brill, 2005.
Freedman, D.N. et al. (orgs.). *The Anchor Bible Dictionary*. Nova York, Doubleday, 1992.
____ et al. *Eerdmans Dictionary of the Bible*. Cambridge, Eerdmans, 2000.
Green, Joel B. e Scot McKnight (orgs.). *Dictionary of Jesus and the Gospels*. Downers Grove, Ill., InterVarsity Press, 1992.
Interpreter's Dictionary of the Bible. Nashville, Abingdon Press, 1976.
Louw, Johannes P. e Eugene A. Nida (orgs.). *Greek-English Lexicon of the New Testament*. Grand Rapids, Mich., United Bible Societies, 1988.
Richardson, Ernest Cushing (org.). *A Select Library of the Nicene and Post-Nicene Fathers of the Christian Church*, vol.3. Edimburgo, T&T Clark, 1892.
Schneemelker, Wilhelm (org.). *New Testament Apocrypha*, vol.2. Londres, Cambridge University Press, 1991.
Stern, Ephraim (org.). *The New Encyclopedia of Archaeological Excavations in the Holy Land*. Nova York, Simon and Schuster; Jerusalém, Israel Exploration Society, 1993.
Thayer's Greek-English Lexicon of the New Testament. Ann Arbor, University of Michigan Press, 1996.
Werblowsky, J. et al. (orgs.). *The Encyclopedia of the Jewish Religion*. Nova York, Holt, Rinehart and Winston, 1966.

Agradecimentos

Este livro é resultado de duas décadas de pesquisa sobre o Novo Testamento e as origens do movimento cristão, realizada na Universidade de Santa Clara, na Universidade Harvard e na Universidade da Califórnia em Santa Bárbara. Embora eu seja obviamente grato a todos os meus professores, gostaria de destacar minha professora de grego Helen Moritz, extremamente paciente, e minha brilhante orientadora, a falecida Catherine Bell, em Santa Clara; Harvey Cox e Jon Levinson em Harvard, e Mark Juergensmeyer na UCSB. Agradeço também o apoio incondicional que recebi de meu editor Will Murphy e de toda a equipe da Random House. Um agradecimento especial a Elyse Cheney, o melhor agente literário do mundo, e a Ian Werrett, que não só traduziu todas as passagens em hebraico e aramaico no livro, mas também leu vários rascunhos e fez comentários vitais ao manuscrito. Os maiores agradecimentos de todos vão, como sempre, para a minha amada esposa e melhor amiga, Jessica Jackley, cujo amor e dedicação fizeram de mim o homem que eu sempre esperei que pudesse ser.

Índice remissivo

1 Coríntios, epístola, 18, 193, 195, 202, 203, 206, 207, 210
1 Crônicas, Livro de, 140
1 Enoque, Livro de, 115, 160, 161, 164
1 Macabeus, Livro de, 67, 98
1 Reis, Livro de, 149, 150
1 Tessalônicos, epístola, 18, 210
1 Timóteo, epístola, 202, 221
2 Baruque, Livro de, 67
2 Coríntios, epístola, 203, 204, 210, 223, 225
2 Esdras, Livro de, 87
2 Reis, Livro de, 97, 150
2 Samuel, Livro de, 157
2 Tessalônicos, epístola, 221
2 Timóteo, epístola, 202, 221
4 Esdras, Livro de, 160-1, 164

Aarão, irmão de Moisés, 31, 45, 130, 151
Abba Hilqiah, 128
Abias, ordem sacerdotal de, 106
Abiú, 151
Abraão, 104, 143, 150, 185, 224
Acabe, rei, 105
Achiab, 49
Adão, 207
Aelia Capitolina, Jerusalém renomeada, 92
Agripa I, 78
Agripa II, 78-9
Albino, Luceio, governador da Judeia, 18, 77-8, 216, 217
Alexandre, o Grande, 38
Alexandria, 170, 197
"amar o próximo", 124, 143
"amar os vossos inimigos", 142-4
Amós, 57, 140
analfabetismo, 51, 59-60, 185, 196, 221
Ananias, 201
Ananus (filho), sumo sacerdote, 216-7, 222, 229
Ananus (pai), sumo sacerdote, 17-8, 72, 216-7, 222
André, apóstolo, 112, 120, 121, 126
Antígono, filho de Aristóbulo, 46
Antiguidades (Josefo), 17, 18, 105, 216

Antíoco Epifânio, rei dos selêucidas, 38, 140, 159
Antíoco, o Grande, rei selêucida, 38
Antioquia, 170, 171, 197, 198
Antípater, 45
Antônia, fortaleza, 36, 147, 167, 178
Apolônio de Tiana, 128
apóstolos *ver* doze apóstolos; *indivíduos específicos*
Aquino, Tomás de, 186
Arab, aldeia de, 128
aramaico, língua, 14, 59, 60, 93, 106, 122, 132, 157-8, 188, 198
Arca da Aliança, 32
Aretas IV, rei dos nabateus, 106
Ário, 230-1
Aristóbulo, 38, 46
aristocracia judaica, 43-4, 66, 69, 75-6, 78, 87-8, 116, 141, 211, 219
Arquelau, etnarca da Judeia, Samaria e Edom, 49-50, 70
Ascensão de Tiago, 226-7
Ashdod, 198
"assembleia-mãe" dos hebreus em Jerusalém, 196-8, 209, 219, 221-2, 225, 228-9, 231
Atanásio de Alexandria, 230
Atos, Livro de, 16, 123, 184, 197, 198, 199, 202, 209, 211, 213
 Estevão em, 185-6
 exorcistas e mágicos em, 129, 133
 "Filho do Homem" em, 157, 177
 João Batista em, 109, 111-2, 203
 Tiago em, 219, 221, 225-6, 228
Atronges, o pastor, 16, 49, 72, 102, 155

Baal, deus cananeu, 40, 130, 149-50
babilônios, 36, 37, 159
bandidos, 44-6, 49, 64-5, 66, 72, 73-7, 140, 142, 165, 175
 Jesus preso como, 21, 168
bar Abbas, 168
Barnabé, 208, 210
Bartolomeu, apóstolo, 121
batismo, 19, 104-13

Índice remissivo

Belém, 44, 52, 54-8
"Bem-Amado, o", 152
Bem-aventuranças, 141, 222
Berenice, 78-9
Beth-Horom, 44
Betsaida, 127, 132, 149, 151
Bíblia, 41
    "Filho de Deus" na, 157
    purificação pela água e, 107
    Reino de Deus e, 139-40
    Vulgata (latim), 218
    ver também Escrituras Hebraicas; Novo Testamento e livros específicos
blasfêmia, 71, 133, 176-7, 181, 185-7, 192
Boanerges ("os filhos do trovão"), 121
Bultmann, Rudolf, 23

Cafarnaum, 118-25, 126-7, 136, 149, 182
Caifás, José, sumo sacerdote, 72-3, 121, 123, 125, 156, 162, 166, 170, 177, 216
Calígula, imperador de Roma, 116
cambistas, 30, 34, 73, 98-9
camponeses, 77-8, 122
    língua hebraica e, 59-60
    Nazaré e, 51, 59
    onda de construções de Herodes e, 64
    rebeliões de, 43-5, 87
    zelo e, 66
cananeus, 40, 149
Cedron, vale do, 37
celibato, 62, 107
Celso, 16, 61
censo de 6 d.C., 67-8
César, como título, 206
    Jesus sobre "propriedade pertencente a", 100-1, 140
César, Júlio, 43, 45, 70, 141, 183
César Augusto, imperador de Roma, 47, 48-9, 55, 71, 114, 183
Cesareia, 151, 153, 162, 198, 212
Chipre, 198
Cícero, 37, 40, 174
Cilícia, 208
circuncisão, 27, 65, 67, 197, 201, 204, 208-9, 211, 228
Ciro, rei da Pérsia, 38
cismáticos, 182
Cláudio, imperador de Roma, 213
Clemente de Alexandria, 218
Clemente de Roma, 218, 226
Colossenses, epístola, 202, 221

comunidade cristã primitiva, 54, 60, 109, 112, 127-8, 131, 142, 154-7, 161, 164
    debate sobre messias e, 164
    Hebreus versus Helenistas, 188, 197-200, 201, 203, 225, 228-9
    narrativas da paixão e, 173-4
    papel de Pedro na, 219-21
    Paulo e, 187-8, 204-12, 219, 221, 223-9
    primeiro uso do termo "cristão", 199
    ressurreição e, 193
    revolta judaica e, 22-3, 169-70
    seita em Roma, 213
    Tiago como chefe da, 215-22
    ver também indivíduos específicos
Concílio de Niceia (325 d.C.), 230-1
Conselho Apostólico, 208-210, 219, 225, 228
Constantino, imperador de Roma, 230
Corinto, 170, 193, 196, 203, 209
coro levita, 30
Credo de Niceia, 230-1
cristianismo:
    antissemitismo e, 172
    Bom Samaritano e, 124
    Concílio e Credo de Niceia, 230-1
    João Batista e, 109
    milagres e, 128
    papel de Tiago diminuído por, 220
    Paulo e o divórcio do judaísmo, 231-2
    romanizado, 22-3, 199-200, 208
    torna-se religião de falantes do grego, 188-9, 198-9
    ver também comunidade cristã primitiva; indivíduos e obras específicos
cristologia, 174, 205
crucificação, 16, 18, 20-1, 53, 68, 73, 75, 90, 99, 174-5
    de Jesus, 19, 55, 102-3, 108, 145-6, 168-78, 190-2, 195-6
    Paulo e, 205
cultura grega, 41, 47-8, 63, 174, 183, 188, 197, 199
Cumano, Ventídio, governador da Judeia, 74-5, 78, 216
curas, 126-9, 132-6, 141, 143, 147, 148-9, 152

Damasco, 170, 200, 201, 202, 205
Daniel, Livro de, 155, 159-60, 161-3, 183, 186
Daniel, profeta, 183, 186
Davi, rei, 36, 45, 53-5, 57-8, 68, 81, 97, 100, 125, 152, 155-6, 157, 162, 164, 184, 186, 193, 206, 219
"dê a outra face", 142-4

Debir, 41
Decápolis, região da, 131, 148
denário, moeda, 100-1
Deus dos judeus (Yahweh):
    "à direita de", 58, 154, 157, 162, 164, 184, 186
    Elias e, 149-50
    milagres e dedo de, 133-4, 148
    Quarta Filosofia e, 65
    soberania única de, 40-2, 139-41, 143-4
    Templo como local de habitação do, 33
    terra pertencente a, 100-1
    zelo por, definição, 65-6
Deuteronômio, Livro de, 41, 130, 140, 155, 194
Dia da Expiação ver Yom Kippur
discípulos, 120-2, 123, 125, 133-4, 136, 138, 143, 145-6, 148, 150-4, 156, 191-7; ver também indivíduos específicos
dívida, 44, 64, 79, 117, 141
dízimo, 29, 43, 115-6, 216, 222, 229
Dosa, rabino Hanina ben, 128
doutrina católica, 60
doze apóstolos, 121-2, 144-5, 146-7, 148, 150-1, 166, 193, 202, 213, 208, 227-8, 232
    Paulo, pretensão a ser um dos, 202-5
    Paulo contra os, 208-10, 225-8
    Tiago e, 218-9
    ver também apóstolos específicos
doze tribos de Israel, 122, 144-5, 146, 150, 155, 160, 164, 191, 223

Edom, 32, 37, 45, 48, 49, 55, 79, 84-5
Efésios, epístola, 221
Éfeso, 170
"Egípcio, o", 16, 77, 102, 129, 155, 211-2
Egito, 38, 84, 183
    fuga para o, 56-8
Egito, alto, 20
Eglom, 41
Eleazar, capitão do Templo, 79, 82-3
Eleazar, exorcista, 129, 133
Eleazar, filho de Dinaeus, 74-5, 212
Elias, profeta, 105, 130, 140, 149-52, 154, 156
Eliseu, profeta, 45, 130, 140
Emaús, aldeia, 44, 114
Enoque, 160-1
epístola de Pedro (não canônica), 218, 227, 232
escribas, 122-3, 125, 149, 161, 166-7
escritos pagãos, 128, 129

escrituras apócrifas, 115, 138
    "Filho do Homem" em, 159-61
    ver também escrituras específicas
Escrituras Hebraicas, 51, 57-8, 59-60, 155-9, 183
    Diáspora e, 196-7
    "Filho do Homem" e, 157-9
    messias e, 206
    "Reino de Deus" e, 138-9
    ressurreição e, 206-7
escrituras não canônicas, 20, 128, 217
espanhóis, 41
Espírito Santo, 111, 113, 133, 158, 202
essênios, seita dos, 17, 47, 53, 62, 65, 107-8, 129
Estêvão, apedrejamento de, 157, 177, 181-2, 184-8, 198, 200, 201
estoicos, 41
Eusébio de Cesareia, 169, 218
evangelhos gnósticos, 14, 20, 62
evangelhos, 11-24
    Caifás, 121, 123
    crucificação, 175
    entrada de Jesus em Jerusalém, 97-9
    "Filho do Homem", 157-8
    irmãos de Jesus, 60
    irmãs de Jesus, 60
    Jesus volta para a Galileia, 118, 123-4
    João Batista, 105-13
    José, 60-1
    julgamento de Jesus diante do Sinédrio, 161-2, 176
    milagres e exorcismos, 126-34
    morte de Jesus, 190-1
    narrativas da infância, 54-8, 60-1
    narrativas da paixão, 173-4
    nascimento virginal, 61
    Pilatos, 71
    prisão de Jesus, 101-2
    Reino de Deus, 138-9
    revolta judaica e, 169-70
    Roma como objetivo da evangelização, 169-70
    segredo messiânico, 152-4
    ver também livros específicos
evocatio, 40, 91
Êxodo, Livro do, 58, 65, 130, 143, 151
exorcismos, 125, 126-30, 133-4, 136, 147, 148-9, 167
expectativa apocalíptica, 16, 45, 53, 66, 74-5, 92, 108, 139, 159, 212
Ezequias, chefe dos bandidos, 17, 45-6, 65, 68, 72, 82, 102, 142, 155
Ezequiel, Livro de, 159-60, 183
Ezequiel, profeta, 37, 183

Índice remissivo

Fanni, filho de Samuel, 88
fariseus, seita, 47, 54, 57, 60, 65, 112, 122-3, 182, 187, 200, 201, 219
Fasael, governador da Judeia, 45-6
Félix, Antônio, governador da Judeia, 75-7, 78, 212, 216
Fenícia, 148, 198
Festa dos Tabernáculos, 52-3
Festo, Pórcio, governador da Judeia, 17, 77-8, 212, 216
"Filho de Deus", 156-7, 159, 171
"Filho do Homem", 157-64, 169, 176, 186, 207
   "Reino de Deus" ligado a, 163-4
"Filhos da Luz", 108
Filipe, evangelho de, 20
Filipe, filho de Herodes, tetrarca de Gaulanitis, 49-50, 151
Filipe, líder dos Sete Helenistas, 198
Filipe de Betsaida, apóstolo, 112, 121
Filipenses, epístola, 201, 204, 206, 207
Filipos, cidade de, 187, 196, 209
fim dos tempos, 108, 139, 155, 169
Flávio Teodósio, imperador de Roma, 23
Floro, Gessio, governador da Judeia, 77-8
fome, 64, 78, 89, 90, 139, 140, 141, 216, 222
Fonte Q, 14, 128, 134, 156, 158, 173, 193, 207, 231
fórmula eucarística, 205

Galácia, 209
Gálatas, epístola, 203, 205, 208-11, 219, 224, 225
Galba, imperador de Roma, 85
Gália, 41, 73, 85
Galileia, 11, 12, 32, 37, 44, 45-6, 60, 62-3, 148-9
   Jesus prega na, 112-3, 114-21, 125, 126-8
   nascimento de Jesus na, 51-2, 54-5
   revoltas na, 44, 49, 64-6, 73, 78, 79-80, 84-5, 114-5
Galileia, mar da, 49, 69, 117, 118, 120, 126, 149, 151
Galo, Céstio, 89
Gamala, 87
Gaulanitis, 49, 148
Geena, vale de, 37
Gênesis, Livro do, 224
gentios, 98-9, 107, 114, 117, 129, 196, 199, 202-6, 208, 209, 213, 226-8, 232
Gerasa, 127
Gerizim, monte, 73, 124
Getsêmani, Jardim do, 72, 101-2, 166, 172-3, 190
Gischala, 87, 88
gnosticismo, 199

Gólgota, 102-3, 121, 127, 145, 175-6, 182, 190
Gomorra, 37
Grato, Valério, governador da Judeia, 71-2
grego, língua, 48, 59-60, 82, 93, 101, 139, 153, 157, 158, 171, 181, 186, 188-9, 197-9, 201, 206, 213

Hanan, o Escondido, 128
hebraico, língua, 59-60, 82, 157-8
Hebron, 41
Hegésipo, 215, 217
Helenistas, 197-200, 201, 204, 213, 228
helenização, 47, 60, 69, 117
Herodes, elite de, 60, 63-4, 141, 219
Herodes, o Grande, "rei dos judeus", 45-50, 55, 57-8, 63-4, 83, 114-5
   Masada e, 81-2
   morte de, 64-6
   Templo e, 166-7
Herodes Antipas, "a Raposa", tetrarca de Galileia e Pereia, 49-50, 64, 68-9, 116-7, 118, 125, 149-50, 152
   crucificação e, 171
   João Batista executado por, 72-3, 105-6, 113
Herodias, mulher de Herodes Antipas, 105
Hippo Regius, Concílio de (398 d.C.), 232
Hircano, 38, 46
História eclesiástica (Eusébio de Cesareia), 218
Homilias, 226
Honi, o Desenhador de Círculos, 128

imersões rituais, 107-9
Império Persa, 37-8, 159, 174, 183
Império Selêucida, 38, 79, 81, 140, 159
Irineu, bispo de Lugdunum, 131
Isaac, 150, 224
Isabel, mãe de João Batista, 111
Isaías, pergaminho de, leitura de Jesus, 60
Isaías, Livro de, 27, 95, 108, 134, 143-4, 145, 155, 157, 182-3
Isaías, profeta, 38, 45, 108, 134, 140, 145, 182-3, 206
Israel:
   conquistado através do zelo, 65-6
   restauração de, 45, 53, 57-8, 141, 142-3, 144-5, 146, 155, 164, 191, 195

Jacó, filho de Judas, o Galileu, 73, 211
Jacó, patriarca, 143, 186
Jairo, 116
Jeremias, Livro de, 144-5, 155

Jeremias, profeta, 57, 140
Jericó, 49, 77, 124, 127
Jerônimo, são, 218
Jerusalém:
    Antígono e o cerco de 40 d.C., 46
    assassinato do sumo sacerdote em, 33-5, 75-7, 79, 211
    "assembleia-mãe" dos Hebreus cristãos em, 196-8, 209, 219, 221-2, 225, 228-9, 231
    blasfêmia de Estevão e, 181-3
    crucificação de Jesus, 178
    Cumano em, 74
    destruída pelos romanos em 70 d.C., 22, 78-9, 81, 84-93, 101-2, 142, 155-6, 161, 188, 199-200, 218, 229
    entrada de Jesus e ameaça, 22-3, 97-9, 101-2, 136, 148, 151, 165, 177-8
    Fasael como governador de, 45-6
    galileus e, 116
    governo romano de, 29-35, 36, 38-48, 50
    Helenistas expulsos de, 198-9, 228
    Herodes e, 46-8, 63-4
    moedas do "Ano Um" em, 82
    ocupação pré-romana, 36-8
    partido zelota e suas facções, 87-9
    Paulo visita os apóstolos em, 208-11
    Paulo *versus* hebreus em, 205-6
    Pilatos e, 70-1
    pobres *versus* ricos em, 39
    prisão de Jesus e, 101-2, 167
    prisão de Paulo em, 211-4
    reconstrução de aquedutos, 71, 171
    ressurreição e, 195-6
    revolta judaica em 64-66 d.C., 76-80, 81-90, 142, 169-70, 216, 229
    saque dos babilônios em 586 a.C., 36-7
    sicários, revolta dos, 75-6, 77, 79, 81-4, 86, 211, 216
    Templo no centro da vida de, 32-3
    temporada de festival em, 29-31
    teocracia judaica e, 29-34, 36-41
    Tiago executado em, 215-8, 229
    Tiago lidera a Igreja em, 216-20
Jesus, filho de Ananias, 77
Jesus, filho de Damneus, sumo sacerdote, 217
Jesus, Filho de Sirach (Eclesiástico), 197
Jesus, o Cristo, 23
    como *logos* eterno, 58, 111
    Credo de Niceia e, 230-1
    João Batista e, 111-2

    lei judaica e, 143-4
    nascimento em Belém, 58
    Paulo e criação de, 18, 187-9, 205-9
    segredo messiânico, 154
    seguidores do Jesus histórico têm pequeno papel na criação de, 188
Jesus de Nazaré (Jesus histórico), 16-7
    "à direita de Deus" e, 157
    acusações contra, 132-3
    "amar os inimigos" ou "o próximo" e, 142-4
    aramaico, língua e, 59-60
    autoridades e cambistas do Templo desafiados por, 73, 98-100, 103, 123-5, 134-6, 167
    batismo de, 19, 54-5, 109-13
    busca pelo Jesus histórico, 17-24
    carpinteiro ou artesão/diarista, 59, 63, 68-9
    como bandido ou *lestes*, 21, 101-2
    como camponês analfabeto, 59-60
    Concílio de Niceia sobre divino *versus* humano, 230
    cronologia de, 25-6
    crucificação de, 19, 55, 102-3, 108, 145-6, 168-78, 190-2, 195-6
    "dar a outra face" e, 142-4
    Davi como antepassado de, 219
    debate na infância com rabinos, 60
    discípulas mulheres de, 120-1
    discípulos encontrados por, 112, 120-1, 123, 145-6
    discípulos mortos depois da crucificação, 181-3
    divergência de opinião sobre, 20-1
    dízimos não cobrados por, 136
    doze apóstolos e, 121-2, 144-5
    Elias e, 149-51
    enterro de, 123, 173, 182
    evangelhos *versus* fatos históricos, 18-22
    fariseus e, 122-3
    "Filho de Deus" e, 156-7
    "Filho do Homem" e, 157-64, 169, 176-7
    fuga para o Egito para escapar de Herodes e, 56-8
    Galileia de, 117-8
    gentios e, 141
    Herodes Antipas e, 68-9, 148-9
    identidade messiânica ou secreta, 52-4, 150-64
    infância em Nazaré, 52-7, 59-63

irmão Tiago como sucessor de, 216-25
irmãos e irmãs de, 60, 117-8, 219-21
Jeremias e, 151
Jesus histórico *versus* criação de Paulo, 231-2
Jesus histórico *versus* Deus encarnado, para cristãos modernos, 158
João Batista e, 69, 109-13, 114, 122, 134, 138, 140, 150-1
Josefo sobre, 216-7
judeus culpados pela morte de, 168-72
julgamento no Sinédrio, 161, 176-7
Lázaro levantado dos mortos por, 127
lei de Moisés e, 204, 223-4
Marcos escreve evangelho de, depois da destruição do Templo, 93
mensagem de, transformada por Helenistas, 22-3, 188-9, 198-200
milagre dos pães e peixes e, 151
milagres, curas e exorcismos por, 124, 126-36, 147, 149, 167
nacionalismo e zelo judaicos *versus* imagem pacifista, 20-1, 22-3, 99-103, 142-7, 170, 188-9, 199, 232
narrativas da paixão, 173-4, 185, 191, 193
nascimento de, 16, 52-7, 68, 125, 127
nascimento virginal e, 61
pai de, 60-1
parábolas e, 123-4
Paulo transforma em Deus encarnado, 18, 187-9, 205-9
Pedro como sucessor de, 220-1
Pilatos e, 71, 139, 147, 167-8, 170-3, 175-6, 177-8
pobres *versus* ricos e, 119, 221-3
primeiro exorcismo por, 125
prisão de, no Getsêmani, 72, 101-2, 166, 172-3, 190
profecia de Malaquias e, 150
"Reino de Deus" e, 138-47, 148, 163, 232
referências mais antigas a, 17-9
ressurreição de, 18-20, 54-5, 173, 182-4, 192-6
revolta de Judas, o Galileu, e, 68-9
status civil de, 62
sumo sacerdote Caifás e, 156, 161-2, 166, 170, 173, 176-7
"tentado por Satanás" e, 112
título de "Rei dos Judeus" e, 21, 102, 147, 152, 163-4, 172-3, 175-6
titulus de, 21, 102

traição de Judas Iscariotes, 121, 173
transfiguração e, 151-3, 156, 162
tributo a César recusado por, 100-1
Última Ceia, 173
últimas palavras de, 168, 190
viagem para a Galileia e Cafarnaum como pregador, 117-20, 124-5
viaja para a Judeia para a Festa dos Tabernáculos, 52-3
viaja para Jerusalém para desafiar o Templo, 22-3, 97-9, 101-2, 136, 148, 151, 165, 177-8
visão de Estêvão de Jesus como Deus, 186-7
Jeú, rei, 97
Jezebel, 105
Joana, mulher de Chuza, 120
João, apóstolo, 121, 133, 196, 202-3, 208, 209, 218-9, 225, 227
epístolas de, 232
João, evangelho de, 20, 188, 208, 231
Belém e, 52, 54-5
crucificação e, 171-2
escrito, 221, 227
fariseus e, 122-3
"Filho do Homem" e, 161
Jesus como *logos* e, 54
Jesus e ameaça ao Templo, 97, 99-100, 123
João Batista e, 109-10, 111-2
messias e, 57
narrativas da paixão e, 173
nascimento virginal e, 61
prisão de Jesus e, 72, 102
"Reino de Deus" e, 139
teologia paulina e, 231
João, filho de Zebedeu, apóstolo, 120-1, 151
João Batista, 19, 104-13, 114, 117, 120-1, 138, 182
execução de, 72-3, 105-6, 113
influência sobre Jesus, 112-3
Jesus batizado por, 19, 54-5, 109-13
milagres de Jesus e, 134
profecias do fim dos tempos, 155
"Reino de Deus" e, 140
transfiguração e, 154
João de Gischala, 88-9
Joazar, sacerdote, 67-8
Joel, Livro de, 179
Jônatas, filho de Ananus, sumo sacerdote, 33-5, 36, 75-7, 211
Jordão, rio, 37, 72-3, 103, 104-5, 108-11, 148, 152, 162, 168-9

José, irmão de Jesus, 60-1
José, pai de Jesus, 55, 60-1, 220
Josefo, Flávio, 17-8, 22, 33, 34, 47, 50, 52, 60,
    65, 68, 74, 76, 105, 109, 114-5, 216-8
Josias, rei de Judá, 67
Josué, 143
judaísmo:
    afastamento de Paulo do, 203-5
    crenças sobre o messias e, 49, 53-4, 57-8,
        68, 73, 75, 92-3, 129, 154-7, 161-2, 183
    cristãos de Jerusalém se distanciam do,
        169-70
    emergência do judaísmo rabínico, 22,
        92, 115
    Herodes convertido a, 48
    judeus da Diáspora e, 196-7
    permissividade romana em relação a,
        39-41
    rompimento cristão com, e influência
        de Paulo, 231-2
    supressão promovida por Vespasiano,
        91-2
    ver também judeus; lei de Moisés; sacer-
        dotes; Templo de Jerusalém, primei-
        ro; Templo de Jerusalém, segundo; *e
        crenças e indivíduos específicos*
Judas, filho de Seforeus, 167
Judas, filho de Tiago, apóstolo, 121
Judas, irmão de Jesus, 60, 219
Judas, o Galileu, 17, 65-9, 72-6, 100, 102, 114,
    142, 155, 164, 211
Judas Iscariotes, apóstolo, 121, 166, 173, 202
Judeia, 107-9, 108, 148, 151
    censo em, 55
    como templo-Estado, 33
    galileus e, 114-7, 119-20
    governo romano direto da, 36, 38-42, 43,
        50, 55, 66-7
    história antiga da, 32-3, 36-9, 43, 45, 47,
        49-50
    Jesus viaja para, 52, 112-3
    Pilatos como governador de, 70-3
    retomada por Roma, 85-6
    revoltas em, 49-50, 73-4, 78-80
judeus:
    execução de judeus por Pilatos, 70-1
    expectativa apocalíptica entre, 16-7
    governo romano e, 38-41
    impostos para reconstruir o templo de
        Júpiter, 91
    Jerusalém como centro de, 32-4, 37-8

Jesus preocupado com o destino de, 142-4
Paulo afasta-se de, 213
Pilatos e clamor pela morte de Jesus
    por, 167-73
prisão e julgamento de Jesus e, 175-8
religião permitida pelos romanos, 39-40
ver também judaísmo e *indivíduos
    específicos*
judeus da Diáspora, 60, 181, 185, 186, 188-9,
    196-9, 219, 225
Júpiter, Templo de (Roma), 91
Justino Mártir, 131

Lachish, 41
latim, língua, 59
Lázaro, 127
lei de Moisés, 65, 130, 133, 135, 143-4, 151-2, 185-7,
    193-6, 204, 209-10, 223-9, 231-2
    Helenistas e, 199
    julgamento no Sinédrio e, 176-7
lei judaica *ver* judaísmo; lei de Moisés
lestai (bandidos, rebeldes), 21, 44, 92, 101-2,
    168, 175
Levi, coletor de pedágios, 119, 121
Levítico, Livro do, 101, 136, 143, 177
Libna, 41
Livro Secreto de João, 20
Lucas, evangelho de, 14, 17, 19-20, 188, 222, 231
    apóstolos e, 121-2, 144, 202
    benfeitores ricos e, 119
    Bom Samaritano e, 124
    Conselho Apostólico e, 208-9, 225-8
    crucificação e, 171, 175
    debate de Jesus com os rabinos e, 60
    discípulos e, 120-2
    doze tribos de Israel e, 144-5
    entrada de Jesus em Jerusalém e, 97,
        99, 165
    Estêvão e, 185-6
    exorcistas em, 129
    fariseus e, 122-3
    "Filho de Deus" e, 207
    "Filho do Homem" e, 158, 186
    Helenistas e, 199
    Herodes Antipas e, 69, 150-1
    história e, 55-7
    Jesus pacífico e, 142, 144
    João Batista e, 106, 111, 150-1
    milagres e, 129, 133-4
    narrativas da paixão e, 173
    nascimento de Jesus e, 52, 55-8

Índice remissivo

pai de Jesus e, 60-1
Paulo e, 202-3, 208-9, 214, 225-8
Pilatos e, 171
pregação de Jesus na Galileia e, 118, 122
prisão de Jesus e, 102
"Reino de Deus" e, 138, 139, 140-1
ressurreição e, 194-5
segredo messiânico e, 153-4
transfiguração e, 151-3

macabeus, dinastia, 38, 43, 46, 64, 79, 81, 97-8, 115, 140, 219
Malaquias, Livro de, 150
Malaquias, profeta, 150
Manuscritos do mar Morto, 129
Maqueronte, fortaleza de, 105-6, 134
Marco Antônio, 85, 212
Marcos, evangelho de, 14, 19-20, 61
    apóstolos e, 145-6
    benfeitores ricos e, 119
    crucificação e, 102, 168, 192-3
    discípulos e, 120-1
    entrada de Jesus em Jerusalém e, 97, 165
    escrito, 93, 221
    "Filho do Homem" e, 158, 162-3, 186, 207
    Jesus como ameaça ao Templo em, 123, 167
    Jesus como carpinteiro e, 59
    João Batista e, 109-11, 112, 150-1
    judeus acusados pela morte de Jesus e, 168-9, 171-2
    julgamento de Jesus pelo Sinédrio e, 176
    milagres e exorcismos e, 126-9, 131-2, 151
    narrativas da paixão e, 173
    nascimento virginal e, 61
    origens terrenas de Jesus e, 54
    Pilatos, 168, 171-2
    pregação de Jesus na Galileia e, 117-8, 119-22, 125, 126-7
    preocupação de Jesus com judeus e com Israel e, 143
    prisão de Jesus e, 156
    "Reino de Deus" e, 138-9, 141, 163
    segredo messiânico e, 152-4, 156
    teologia paulina e, 231
    transfiguração e, 150-3
Maria, mãe de Jesus, 120-1
    nascimento virginal e, 60-1, 220
Maria, mulher de Cléofas, 121
Maria de Magdala, 121
Maria Madalena, evangelho de, 20

Masada, fortaleza de, 81-5, 89, 140
Matatias, o Hasmoneu, 38, 67
Mateus, apóstolo, 121
Mateus, evangelho de, 5, 14, 17, 19-20, 188
    apóstolos e, 144-5
    crucificação e, 102, 170-1
    discípulos e, 120-1
    doze tribos de Israel e, 144-5
    entrada de Jesus em Jerusalém e, 97, 165
    escrito, 221
    "Filho de Deus" e, 207
    "Filho do Homem" e, 158, 161, 163, 186
    fuga de Jesus para o Egito e, 56-8
    Jesus como ameaça ao Templo, 123
    Jesus pacífico e, 142, 144, 146
    João Batista e, 110-1, 112, 150-1
    julgamento pelo Sinédrio e, 176
    lei de Moisés e, 143, 204, 223
    milagres e, 132-5, 149
    narrativas da paixão e, 173
    nascimento de Jesus e, 52, 55-7
    nascimento virginal e, 61
    pai de Jesus e, 60-1
    Pedro e, 115, 220
    Pilatos e, 170-1
    pobres e, 222-3
    preocupação de Jesus com judeus e com Israel e, 142-3
    "Reino de Deus" e, 138, 141, 146, 163
    "Reino do Céu" e, 122, 138
    ressurreição e, 194
    segredo messiânico e, 153-4
    teologia paulina e, 231
    transfiguração e, 150-2, 153-4
Matias, apóstolo, 202
Matias, filho de Margalus, 167
Menahem, líder dos sicários, 17, 75-6, 79, 82-3, 86, 89, 142, 155, 164
messias, 45, 142
    Caifás questiona Jesus sobre, 176
    crenças judaicas sobre, 49, 53-4, 57-8, 68, 73, 75, 92-3, 129, 154-7, 161-2, 183
    execuções de, 16, 145
    fracassados, 91, 129, 139
    Jesus e identidade como, 53-4, 118, 125, 152-3, 154-7, 161-5, 215
    narrativas da paixão e, 173
    Paulo e, *versus* Escrituras Hebraicas, 206
    paradigma pós-revolta judaica, como divino, 92, 164
    Pilatos e, 72-3

redefinição de, pelos seguidores de
    Jesus, 23, 184-5
ressurreição e, 183-4, 193, 195-6
revolta judaica e, 89
revoltas contra Roma e, 22, 45, 49-50,
    68, 72-8, 92-3
segredo messiânico e, 152-7, 161-5
transfiguração e, 151-2
Midrash, 51
milagreiro, como profissão, 126-31, 133, 136
milagres, 126-35
    como desafio ao Templo, 135-6
    Elias e, 149-50
    Jesus recusa-se a realizar, 149
    mágica *versus*, 130-3
    propósito pedagógico de, 133-6
    Reino de Deus e, 147
milagres *vs* mágica, 129-34
Miqueias, profeta, 57, 58, 140, 155
Mishná, 115, 176-7
moedas do "Ano Um", 82
Moisés, 31, 58, 73, 130, 143, 151, 155-6
    transfiguração e, 151-2, 156
    ver também lei de Moisés
monoteísmo, 40
Moriá, monte, 29, 48
Morto, mar, 17, 47, 79, 85
mortos, ressuscitar os, 128, 133-4, 150-1, 162
mulher hemorrágica, 132

Nadabe, 151
Nag Hammadi, 20
Naim, 149
nascimento virginal, 61, 111, 193
Nazaré:
    infância de Jesus em, 59-63, 68-9
    Jesus pregando em, 114, 117-8, 148-9
    nascimento de Jesus e, 51-2, 54, 55, 58, 127
Neguebe, 41
Nero, imperador de Roma, 84-5, 214, 216
Nicanor, 198
Nicolau de Antioquia, 198
Novo Testamento, 17-20, 227
    canonização do, 226, 232
    epístolas de Paulo e, 55, 209-10
    escrita do, 19, 221
    escrituras não canônicas e, 20
    estado civil de Jesus e, 62
    "Filho do Homem" em, 157
    mulheres discípulas e, 120-1
    nascimento de Jesus e, 52

nascimento virginal e, 61
Pedro como chefe da Igreja e, 220
profissão de Jesus e, 59
Tiago como chefe da comunidade
    cristã no, 218-9
ver também livros específicos
Números, Livro de, 140, 158, 226

Oliveiras, Monte das, 37, 77, 89, 90, 101, 212
Orígenes de Alexandria, 131, 218
Oseias, profeta, 58
Osíris, deus egípcio, 183
Otávio, imperador de Roma, 85
Oto, imperador de Roma, 85

Pai-nosso, oração, 138
paixão, narrativas da, 173-4, 185, 191, 193
Panthera, suspeito pai de Jesus, 61
parábolas, 123-4, 146, 152
Parmenas, 198
partos, 46
Pátio das Mulheres, 31-2
Pátio dos Gentios, 29, 31-2, 35, 36, 98-9, 167, 181
Pátio dos Israelitas, 31-2
Pátio dos Sacerdotes, 31-2
Paulo (antes Saulo de Tarso), 18
    apedrejamento de Estêvão e, 187-8, 200
    cartas (epístolas) de, 18, 55, 60, 157, 187
    cartas de, canonizadas no Novo Testa-
        mento, 231-2
    cartas de, escritas, 221
    Conselho Apostólico e, 208-11, 225-6
    conversão de, 187, 200, 201-4, 227
    em Roma, 212-4, 219, 227-8
    execução de, 214
    exorcismos e, 129
    "Filho do Homem" e, 157
    influência de, 231-2
    irmãos de Jesus e, 60
    Jesus, o Cristo, criado por, 187-8, 204-9,
        210-1
    lei de Moisés e, 223-4
    menções à vida de Jesus em, 55
    nascimento virginal e, 60
    Pedro e, 228
    pretensão a ser apóstolo, 202-4
    prisão de, 211-4, 219
    purificação ritual no Templo e, 225-7
    ressurreição e, 193, 195
    Tiago e apóstolos *versus*, 189, 215, 219,
        223-9
Pedro, epístolas de, 226-7, 232

Índice remissivo

Pedro (Simão Pedro), apóstolo, 115, 120-1, 126, 133, 202-3, 208, 218-9, 225-6
   "assembleia-mãe" em Jerusalém e, 196
   como a "pedra" da Igreja de Jesus, 220-1
   como primeiro bispo de Roma, 220-1, 226-8
   execução de, 214
   "Filho do Homem" e, 162
   Homilias e, 226
   ressurreição e, 182-4
   segredo messiânico e, 153-4
   sogra curada por Jesus, 126
   Tiago e, 217-20
   transfiguração e, 151-2
   visita de Paulo a Jerusalém e, 208-9
Pentecostes, 29
Pereia, 32, 49, 79, 85, 114, 149, 169
pescadores, 118-20
Pêssach, 29, 49-50, 74, 76
   prisão e julgamento de Jesus durante, 101-2, 165, 168, 176-7
Pilatos, Pôncio, governador da Judeia, 16, 70-3, 139, 147, 167-78, 191
   esposa de, 170
Plínio, o Jovem, 18
pobres e endividados, 39, 43-4, 69, 78, 106, 115, 117, 141, 146, 148-9, 163, 221-2, 229
Pompeu Magno, 36, 38, 43, 45
Portão Nicanor, 31
Portões Hulda, 29
possessão demoníaca, 129-30, 133, 134-5, 136, 147, 152, 156
Próchoro, 198
profetas, 57-8, 130, 142, 144-5, 155
Pseudo-Clementinas, 226-7
pseudoepigráficas, obras, 19
ptolomaica, dinastia, 38
purificação, rituais de, 107-9, 135, 149, 211, 225-6

Quarta Filosofia, 65-7
Quirino, governador da Síria, 55-7, 67
Qumran, planalto do, 17, 47, 107

rabínica, literatura, 64, 155
"raça de víboras", 112, 149, 167
"Rei dos Judeus", 21, 46-8, 50, 58, 77, 82, 98, 102, 147, 172, 175, 176
"Reino de Deus", 21, 23, 45, 134, 136, 137-47, 148-9, 155, 163-5, 167, 169, 191, 195, 212, 232
   "Filho do Homem" e, 162-4
Reconhecimentos, 226-7

ressurreição, 18-20, 54-5, 173, 182-4, 192-6
revoltas judaicas, 39, 44-5, 49-50, 63-9, 72-9
   (44 d.C.), 73
   (46 d.C.), 73
   (56 d.C.), 76
   (66 d.C.), 22, 66, 69, 78-80, 82-90, 142-3, 155, 168-9, 216-7, 218-9, 229
   (132 d.C.), 92
ricos e poderosos, 39, 43-4, 69, 77, 116, 119, 141, 146, 160, 191, 222, 229
rituais de água, 107-8
Roma, 16
   bispos de, 220-1
   censo e, 55-6
   Credo de Niceia definido por, 230-1
   cristianismo como religião de, 22-3
   cristianismo imperial em, 69, 220-1
   crucificação de Jesus e, 102, 168-71, 174-8
   deuses e religiões de, 40-1, 91, 199
   evangelismo cristão primitivo e, 22, 170, 196-7
   execuções por, 16-7, 20-1
   grego como língua franca de, 59-60
   guerras civis em, 43, 85-6, 91
   Hebreus *versus* Helenistas em, 213
   Herodes e, 45-9
   Jerusalém destruída por, 22, 78-9, 81, 84-93, 101-2, 142, 155-6, 161, 188, 199-200, 218, 229
   Jesus como ameaça a, 22-3, 97-9, 101-2, 136, 148, 151, 165, 177-8
   Jesus como líder espiritual pacífico e, 22-3
   Jesus denunciado como mágico, 130-1
   Jesus recusa tributo a, 100-1
   judaísmo suprimido por, 91-3
   "milagreiros" proibidos por, 129-30
   Paulo e, 212-4, 219, 227-8, 231-2
   Pedro e, 220-1
   Pilatos e, 70-3
   pobreza rural e, 43-4
   retaliações por, na Galileia, 63-4, 68-9, 114-5
   revoltas judaicas e, 22, 24, 44-5, 66-9, 72-80, 85-92, 140, 155, 211-2, 216; *ver também* revoltas judaicas
   sumos sacerdotes e, 33, 39, 42
   Templo e, 166-7
   Terra Santa ocupada por, 16, 23, 36-50, 58, 72-3, 77, 79, 93, 155, 165
   tropas de, 36
Romanos, epístola, 204-5, 206-7, 210, 224

sabá, 176, 190
Sabedoria de Salomão, A, 138, 197
sacerdotes, 29-35, 45-7, 53, 79, 82, 87-8, 90, 98-9, 101, 107, 108, 115-6, 119, 122-5, 135-6, 141, 149, 161, 166, 171
    dízimo e, 29, 43, 115-6, 216, 222, 229
    sumo sacerdote, 29, 33-5, 36, 38-9, 42, 67-8, 71-3, 75-7, 107, 123, 217
    ver também Templo de Jerusalém, segundo *e indivíduos específicos*
sacrifícios, 30-5, 39-40, 48, 88, 93, 98, 107-8, 116
saduceus, seita, 47, 65, 182
Salmos, 159, 162, 195
Salmos, Livro de, 100, 144, 157, 184, 186
Salomão, rei, 36, 45-6, 114
Salomé, discípula de Jesus, 121
Salomé, filha de Herodias, 105
Samaria, 32, 37, 49, 55, 74, 79, 85
Samaritano, Bom, parábola do, 124
"Samaritano, o", 16, 73, 102, 155
samaritanos:
    Eleazar, tumulto com, 74-5, 212
    Templo e, 124
samnitas, 70
Sampho, vilarejo, 114
Santo dos Santos, 32-4, 88, 90, 107, 191
Saturno, deus romano, 40
Saul, rei, 45, 81
Saulo de Tarso (mais tarde Paulo):
    como "o inimigo" de Tiago, 227
    conversão de, 187, 200, 201-4, 227
Scopus, monte, 37
secas, 43, 78, 128, 216
sedição, 17, 21, 23, 99, 102, 106, 133, 145, 146, 175, 177, 181, 192
Séforis, 63-4, 66, 68-9, 114, 116, 117, 119, 148
Senado romano, 46
Sêneca, 41
Septuaginta, 197
"Sete, os" (líderes dos Helenistas), 198
Shavuot (Festival das Semanas), 49
shemá, 34
sicários (homens da adaga), 17, 75-7, 79, 81-4, 86, 89, 92, 140, 211, 216
Sidon, 148
Simão, filho de Giora, 17, 88-91, 102, 142, 155, 164
Simão, filho de Judas, o Galileu, 73, 211
Simão, filho de Kochba, 17, 92, 140, 142, 164
Simão, irmão de Jesus, 60
Simão, o Mago (mágico), 133

"Simão, o Zelota", apóstolo (Simão segundo), 121
Simão de Pereia, 17, 49, 72, 155
Simeão, filho de Cléofas, 219, 229
Similitudes de Enoque, 160-1
Sinai, monte, 151-2
Sinédrio (Suprema Corte judaica), 30, 39, 46, 99, 166, 177, 192, 216
    julgamento de Jesus diante do, 161-2, 176
    julgamento de Tiago pelo, 216
sinópticos (evangelhos de Marcos, Mateus e Lucas), 20, 121-2, 173, 185-6; *ver também evangelhos específicos*
Síria, 16, 55, 67, 84, 107, 198, 208
siro-fenícia, mulher, 143
Sobre homens ilustres (são Jerônimo), 218
Sodoma, 37
Sucot, 29
Susana, 121

Tácito, 18, 40, 85
Talmude, 51
Targum (comentários rabínicos), 155
Tarso, 187, 200, 212
taxas e tributos, 30, 34, 39, 40, 43, 47, 56, 67, 70, 76, 78, 91, 115, 117
    Jesus sobre, 100-1, 133
tekton (carpinteiro), 59, 63, 69, 117
Templo de Jerusalém, primeiro:
    construção por Salomão, 114-5
    reconstruído sob os persas, 37-8
    saqueado em 586 a.C., 37
Templo de Jerusalém, segundo:
    acesso restrito a "impuros", 134-6
    águia dourada e, 48, 167
    arquivos destruídos, 82
    assassinato do sumo sacerdote Jônatas em, 33-5, 75-7, 79, 211
    cambistas e, 30, 34
    como centro de vida judaica, 32-3
    Cumano e o tumulto de 48 d.C., 74-5
    destruído pelos romanos em 70 d.C., 22, 78-9, 81, 84-93, 101-2, 142, 155-6, 161, 169
    Eleazar encerra sacrifícios ao imperador, 79
    escravos, 33
    essênios rejeitam, 107-8
    Estevão e ameaças contra o, 185-6
    festivais e festas, dias de, 29, 39
    Floro pega tesouro para pagar impostos, 78
    galileus e, 115-6

guardas, 35
Helenistas mudam mensagem de Jesus sobre, 198-9
Herodes reconstrói, 48, 64
impostos e, 30, 33-4
Jesus como ameaça a, 22-3, 97-9, 101-2, 136, 148, 151, 165, 177-8
Jesus expulsa cambistas do, 73, 98-9, 123
Jesus faz profecias de destruição, 99
João Batista e, 107-8
morte de Herodes e, 49
nova religião de Paulo livre do, 231
pátios do, 31-2
Pilatos e, 70-1, 171-2
prisão de Jesus em, 102-3
purificação de Paulo no, 211, 219, 225-6
reis-sacerdotes macabeus, 38
revolta de Judas, o Galileu, contra, 67-8
revolta judaica de 64-66 d.C. e, 77-80, 88-9
ritos e rituais diários, 30-1, 33
rituais de purificação e, 107, 135-6
romanos desfilam com tesouros do, 91
romanos e, 36, 38-40, 41-2
sacrifícios e, 30-2
tamanho e posição do, 29-30
véu rasgado pela morte de Jesus, 190-1
ver também sacerdotes
teocracia, 33
"Teoria das Duas Fontes", 19
terapeutas, seita, 62
Testamento de Levi, O, 115
Teudas, 16, 73, 102, 129, 155, 211
Tiago, epístola de, 220-5, 232
Tiago, filho de Alfeu, apóstolo, 121
Tiago, filho de Zebedeu, apóstolo, 120, 121, 151, 228
Tiago, o Justo (irmão de Jesus), 17-8, 60, 118, 188-9, 193, 212
    diminuído no cristianismo imperial, 220-1
    disputa com Paulo, 208-11, 215, 219, 223-9, 231
    execução de, 215-8, 229
    lei de Moisés e, 223-4

lidera a "assembleia-mãe", 196-7, 203, 209, 213-26, 229
Pedro em Roma e, 213-4
pobres *versus* ricos e, 221-3
Tiberíades, 69, 87, 117, 119, 125, 148-51
Tibério, imperador de Roma, 71, 73
Timão, líder dos Helenistas, 198
Tiro, 148
Tito, epístola, 221
Tito, filho de Vespasiano, 84-5, 86, 89, 90-1, 101, 188, 229
Tito, grego convertido de Paulo, 208
titulus (placa), 21, 102
Tomé, apóstolo, 121
Tomé, evangelho de, 20, 218
Torá, 22, 65, 74, 91, 143, 177, 191, 201, 204, 215, 223
transfiguração, 151-4, 156, 162
Triunfo, 91

Última Ceia, 18, 173, 205

Vespasiano, imperador de Roma, 84-6, 91-2, 133
violência, 141-4
virgindade perpétua, 60, 220
Vitélio, imperador de Roma, 85
"voto nazireu", 226
"voz no deserto", 104-8

Wadi Quisom, vale, 150

Yohai, rabino Simão ben, 129
Yom Kippur (Dia da Expiação), 34, 107

Zacarias, Livro de, 98, 155
Zacarias, profeta, 98
Zadoque, 65
Zaqueu, cobrador de pedágios, 119
Zebedeu, 120
zelo, 65-6, 67, 68, 72, 76, 77, 79, 100, 165
zelota, partido, 17, 66, 87-9, 102, 121
zelotas antigos, 65-8, 75, 92, 100-1, 139-40, 142, 232

1ª EDIÇÃO [2013] 10 reimpressões

ESTA OBRA FOI COMPOSTA POR MARI TABOADA EM DANTE PRO E IMPRESSA EM OFSETE PELA GRÁFICA PAYM SOBRE PAPEL PÓLEN DA SUZANO S.A. PARA A EDITORA SCHWARCZ EM MARÇO DE 2025.

A marca FSC® é a garantia de que a madeira utilizada na fabricação do papel deste livro provém de florestas que foram gerenciadas de maneira ambientalmente correta, socialmente justa e economicamente viável, além de outras fontes de origem controlada.